IMMANUEL KANT

Prolegomena
zu einer jeden künftigen
Metaphysik,
die als Wissenschaft wird
auftreten können

TEXTKRITISCH HERAUSGEGEBEN
UND MIT BEILAGEN VERSEHEN
VON RUDOLF MALTER

PHILIPP RECLAM JUN. STUTTGART

Universal-Bibliothek Nr. 2468
Alle Rechte vorbehalten
© 1989 Philipp Reclam jun. GmbH & Co., Stuttgart
Gesamtherstellung: Reclam, Ditzingen. Printed in Germany 2001
RECLAM und UNIVERSAL-BIBLIOTHEK sind eingetragene Marken
der Philipp Reclam jun. GmbH & Co., Stuttgart
ISBN 3-15-002468-4

Prolegomena

zu

einer jeden

künftigen Metaphysik

die

als Wissenschaft

wird auftreten können,

von

Immanuel Kant.

Riga,

bey Johann Friedrich Hartknoch.

1783.

Diese Prolegomena sind nicht zum Gebrauch vor Lehrlinge, sondern vor künftige Lehrer, und sollen auch diesen nicht etwa dienen, um den Vortrag einer schon vorhandnen Wissenschaft anzuordnen, sondern um diese Wissenschaft selbst allererst zu erfinden.

Es gibt Gelehrte, denen die Geschichte der Philosophie (der alten sowohl, als neuen) selbst ihre Philosophie ist, vor diese sind gegenwärtige Prolegomena nicht geschrieben. Sie müssen warten, bis diejenigen, die aus den Quellen der Vernunft selbst zu schöpfen bemühet sind, ihre Sache werden ausgemacht haben, und alsdenn wird an ihnen die Reihe sein, von dem Geschehenen der Welt Nachricht zu geben. Widrigenfalls kann nichts gesagt werden, was ihrer | Meinung nach nicht schon sonst gesagt worden ist, und in der Tat mag dieses auch als eine untrügliche Vorhersagung vor alles Künftige gelten; denn, da der menschliche Verstand über unzählige Gegenstände viele Jahrhunderte hindurch auf mancherlei Weise geschwärmt hat, so kann es nicht leicht fehlen, daß nicht zu jedem Neuen etwas Altes gefunden werden sollte, was damit einige Ähnlichkeit hätte.

Meine Absicht ist, alle diejenigen, so es wert finden, sich mit Metaphysik zu beschäftigen, zu überzeugen: daß es unumgänglich notwendig sei, ihre Arbeit vor der Hand auszusetzen, alles bisher Geschehene als ungeschehen anzusehen, und vor allen Dingen zuerst die Frage aufzuwerfen: »ob auch so etwas, als Metaphysik, überall nur möglich sei«.

Ist sie Wissenschaft, wie kommt es, daß sie sich nicht, wie andre Wissenschaften, in allgemeinen und daurenden Beifall setzen kann? Ist sie keine, wie geht es zu, daß sie doch unter dem Scheine einer Wissenschaft unaufhörlich groß tut, und den menschlichen Verstand mit niemals erlöschenden, aber nie erfüllten Hoffnungen hinhält? Man mag also entweder sein Wissen oder Nichtwissen demonstrieren, so muß doch

einmal über die Natur dieser angemaßten Wissenschaft etwas
Sicheres ausgemacht werden; denn auf | demselben Fuße
kann es mit ihr unmöglich länger bleiben. Es scheint beinahe
belachenswert, indessen daß jede andre Wissenschaft unaufhörlich fortrückt, sich in dieser, die doch die Weisheit selbst
sein will, deren Orakel jeder Mensch befrägt, beständig auf
derselben Stelle herumzudrehen, ohne einen Schritt weiter zu
kommen. Auch haben sich ihre Anhänger gar sehr verloren,
und man siehet nicht, daß diejenigen, die sich stark genug
fühlen, in andern Wissenschaften zu glänzen, ihren Ruhm in
dieser wagen wollen, wo jedermann, der sonst in allen übrigen Dingen unwissend ist, sich ein entscheidendes Urteil
anmaßt, weil in diesem Lande in der Tat noch kein sicheres
Maß und Gewicht vorhanden ist, um Gründlichkeit von
seichtem Geschwätze zu unterscheiden.

Es ist aber eben nicht so was Unerhörtes, daß, nach langer
Bearbeitung einer Wissenschaft, wenn man Wunder denkt,
wie weit man schon darin gekommen sei, endlich sich jemand
die Frage einfallen läßt: ob und wie überhaupt eine solche
Wissenschaft möglich sei. Denn die menschliche Vernunft ist
so baulustig, daß sie mehrmalen schon den Turm aufgeführt,
hernach aber wieder abgetragen hat, um zu sehen, wie das
Fundament desselben wohl beschaffen sein möchte. Es ist
niemals zu spät, vernünftig und | weise zu werden; es ist aber
jederzeit schwerer, wenn die Einsicht spät kommt, sie in
Gang zu bringen.

Zu fragen: ob eine Wissenschaft auch wohl möglich sei,
setzt voraus, daß man an der Wirklichkeit derselben zweifle.
Ein solcher Zweifel aber beleidigt jedermann, dessen ganze
Habseligkeit vielleicht in diesem vermeinten Kleinode bestehen möchte; und daher mag sich der, so sich diesen Zweifel
entfallen läßt, nur immer auf Widerstand von allen Seiten
gefaßt machen. Einige werden in stolzem Bewußtsein ihres
alten, und eben daher vor rechtmäßig gehaltenen Besitzes,
mit ihren metaphysischen Kompendien in der Hand, auf ihn
mit Verachtung herabsehen: andere die nirgend etwas sehen,

als was mit dem einerlei ist, was sie schon sonst irgendwo gesehen haben, werden ihn nicht verstehen, und alles wird einige Zeit hindurch so bleiben, als ob gar nichts vorgefallen wäre, was eine nahe Veränderung besorgen oder hoffen ließe.

Gleichwohl getraue ich mir vorauszusagen, daß der selbstdenkende Leser dieser Prolegomenen nicht bloß an seiner bisherigen Wissenschaft zweifeln, sondern in der Folge gänzlich überzeugt sein werde, daß es dergleichen gar nicht geben könne, ohne daß die hier geäußerte Forderungen geleistet werden, auf welchen | ihre Möglichkeit beruht, und, da dieses noch niemals geschehen, daß es überall noch keine Metaphysik gebe. Da sich indessen die Nachfrage nach ihr doch auch niemals verlieren kann*, weil das Interesse der allgemeinen Menschenvernunft mit ihr gar zu innigst verflochten ist, so wird er gestehen, daß eine völlige Reform, oder vielmehr eine neue Geburt derselben, nach einem bisher ganz unbekannten Plane, unausbleiblich bevorstehe, man mag sich nun eine Zeitlang dagegen sträuben, wie man wolle. |

Seit Lockes und Leibnizens Versuchen, oder vielmehr seit dem Entstehen der Metaphysik, so weit die Geschichte derselben reicht, hat sich keine Begebenheit zugetragen, die in Ansehung des Schicksals dieser Wissenschaft hätte entscheidender werden können, als der Angriff, den David Hume auf dieselbe machte. Er brachte kein Licht in diese Art von Erkenntnis, aber er schlug doch einen Funken, bei welchem man wohl ein Licht hätte anzünden können, wenn er einen empfänglichen Zunder getroffen hätte, dessen Glimmen sorgfältig wäre unterhalten und vergrößert worden. |

Hume ging hauptsächlich von einem einzigen, aber wichtigen Begriffe der Metaphysik, nämlich dem der V e r -

---

* Rusticus exspectat, dum defluat amnis: at ille
  Labitur et labetur in omne volubilis aevum.

                                                        Horat.[1]

[1] *Horatius: Epistulae I, 2, 42 f.:* Der Landmann wartet, bis der Fluß sich verlaufe, der aber gleitet dahin und wird dahin gleiten, rollend bis in alle Ewigkeit.

knüpfung der Ursache und Wirkung, (mithin auch dessen Folgebegriffe der Kraft und Handlung etc.) aus, und forderte die Vernunft, die da vorgibt, ihn in ihrem Schoße erzeugt zu haben, auf, ihm Rede und Antwort zu geben, mit welchem Rechte sie sich denkt: daß etwas so beschaffen sein könne, daß, wenn es gesetzt ist, dadurch etwas anderes notwendig gesetzt werden müsse; denn das sagt der Begriff der Ursache. Er bewies unwidersprechlich: daß es der Vernunft gänzlich unmöglich sei, a priori, und aus Begriffen eine solche Verbindung zu denken, denn diese enthält Notwendigkeit; es ist aber gar nicht abzusehen, wie darum, weil etwas ist, etwas anderes notwendiger Weise auch sein müsse, und wie sich also der Begriff von einer solchen Verknüpfung a priori einführen lasse. Hieraus schloß er, daß die Vernunft sich mit diesem Begriffe ganz und gar betrüge, daß sie ihn fälschlich vor ihr eigen Kind halte, da er doch nichts anders als ein Bastard der Einbildungskraft sei, die, durch Erfahrung beschwängert, gewisse Vorstellungen unter das Gesetz der Assoziation gebracht hat, und eine daraus entspringende subjektive Notwendigkeit, d. i. Gewohnheit, vor eine objektive | aus Einsicht, unterschiebt. Hieraus schloß er: die Vernunft habe gar kein Vermögen, solche Verknüpfungen, auch selbst nur im Allgemeinen, zu denken, weil ihre Begriffe alsdenn bloße Erdichtungen sein würden, und alle ihre vorgeblich a priori bestehende Erkenntnisse wären nichts als falsch gestempelte gemeine Erfahrungen, welches ebenso viel sagt, als es gebe überall keine Metaphysik und könne auch keine geben. *

---

* Gleichwohl nannte Hume eben diese zerstörende Philosophie selbst Metaphysik, und legte ihr einen hohen Wert bei. »Metaphysik und Moral«, sagt er, (Versuche 4. Teil, Seite 214, deutsche Übers.) »sind die wichtigsten Zweige der Wissenschaft; Mathematik und Naturwissenschaft sind nicht halb so viel wert.« Der scharfsinnige Mann sahe aber hier bloß auf den negativen Nutzen, den die Mäßigung der übertriebenen Ansprüche der spekulativen Vernunft haben würde, um so viel endlose und verfolgende Streitigkeiten, die das Menschengeschlecht verwirren, gänzlich aufzuheben; aber er verlor darüber den positiven Schaden aus den Augen, der daraus entspringt, wenn der Vernunft die

So übereilt und unrichtig auch seine Folgerung war, so war sie doch wenigstens auf Untersuchung gegründet, und diese Untersuchung war es wohl wert, daß sich die guten Köpfe seiner Zeit vereinigt hätten, | die Aufgabe, in dem Sinne, wie er sie vortrug, wo möglich, glücklicher aufzulösen, woraus denn bald eine gänzliche Reform der Wissenschaft hätte entspringen müssen.

Allein das der Metaphysik von jeher ungünstige Schicksal wollte, daß er von keinem verstanden wurde[2]. Man kann es, ohne eine gewisse Pein zu empfinden, nicht ansehen, wie so ganz und gar seine Gegner R e i d , O s w a l d , B e a t t i e , und zuletzt noch P r i e s t l e y , den Punkt seiner Aufgabe verfehlten, und indem sie immer das als zugestanden annahmen, was er eben bezweifelte, dagegen aber mit Heftigkeit und mehrenteils mit großer Unbescheidenheit dasjenige bewiesen, was ihm niemals zu bezweifeln in den Sinn gekommen war, seinen Wink zur Verbesserung so verkannten, daß alles in dem alten Zustande blieb, als ob nichts geschehen wäre. Es war nicht die Frage, ob der Begriff der Ursache richtig, brauchbar, und in Ansehung der ganzen Naturerkenntnis unentbehrlich sei, denn dieses hatte H u m e niemals in Zweifel gezogen; sondern ob er durch die Vernunft a priori gedacht werde, und, auf solche Weise, eine von aller Erfahrung unabhängige innre Wahrheit, und daher auch wohl weiter ausgedehnte Brauchbarkeit habe, die nicht bloß auf Gegenstände der Erfahrung | eingeschränkt sei: hierüber erwartete H u m e Eröffnung. Es war ja nur die Rede von dem Ursprunge dieses Begriffs, nicht von der Unentbehrlichkeit desselben im Gebrauche: wäre jener[3] nur ausgemittelt, so würde es sich wegen der Bedingungen seines Gebrauches, und des Umfangs, in welchem er gültig sein kann, schon von selbst gegeben haben.

wichtigsten Aussichten genommen werden, nach denen allein sie dem Willen das höchste Ziel aller seiner Bestrebungen ausstecken kann.

[2] A: würde
[3] A: jenes

Die Gegner des berühmten Mannes hätten aber, um der Aufgabe ein Gnüge zu tun, sehr tief in die Natur der Vernunft, sofern sie bloß mit reinem Denken beschäftigt ist, hineindringen müssen, welches ihnen ungelegen war. Sie erfanden daher ein bequemeres Mittel, ohne alle Einsicht trotzig zu tun, nämlich, die Berufung auf den **gemeinen Menschenverstand.** In der Tat ist's eine große Gabe des Himmels, einen geraden (oder, wie man es neuerlich benannt hat, schlichten) Menschenverstand zu besitzen. Aber man muß ihn durch Taten beweisen, durch das Überlegte und Vernünftige, was man denkt und sagt, nicht aber dadurch, daß, wenn man nichts Kluges zu seiner Rechtfertigung vorzubringen weiß, man sich auf ihn, als ein Orakel, beruft. Wenn Einsicht und Wissenschaft auf die Neige gehen, alsdenn und nicht eher, sich auf den gemeinen Menschenverstand zu berufen, das ist eine von den | subtilen Erfindungen neuerer Zeiten, dabei es der schalste Schwätzer mit dem gründlichsten Kopfe getrost aufnehmen, und es mit ihm aushalten kann. So lange aber noch ein kleiner Rest von Einsicht da ist, wird man sich wohl hüten, diese Nothülfe zu ergreifen. Und, beim Lichte besehen, ist diese Appellation nichts anders, als eine Berufung auf das Urteil der Menge; ein Zuklatschen, über das der Philosoph errötet, der populäre Witzling aber triumphiert und trotzig tut. Ich sollte aber doch denken, H u m e habe auf einen gesunden Verstand ebenso wohl Anspruch machen können, als B e a t t i e , und noch überdem auf das, was dieser gewiß nicht besaß, nämlich, eine kritische Vernunft, die den gemeinen Verstand in Schranken hält, damit er sich nicht in Spekulationen versteige, oder, wenn bloß von diesen die Rede ist, nichts zu entscheiden begehre, weil er sich über seine Grundsätze nicht zu rechtfertigen versteht; denn nur so allein wird er ein gesunder Verstand bleiben. Meißel und Schlägel können ganz wohl dazu dienen, ein Stück Zimmerholz zu bearbeiten, aber zum Kupferstechen muß man die Radiernadel brauchen. So sind gesunder Verstand sowohl, als spekulativer, beide, aber jeder in seiner Art brauchbar: jener, wenn es auf Urteile ankommt, die in | der Erfahrung ihre unmittelbare Anwendung finden, dieser aber, wo im Allgemeinen, aus bloßen Begriffen geurteilt werden soll, z. B. in der Metaphysik, wo der sich selbst, aber oft per antiphrasin, so nennende gesunde Verstand ganz und gar kein Urteil hat.

Ich gestehe frei: die Erinnerung des D a v i d H u m e war eben dasjenige, was mir vor vielen Jahren zuerst den dogmatischen Schlummer unterbrach, und meinen Untersuchungen im Felde der spekulativen Philosophie eine ganz andre Richtung gab. Ich war weit entfernt, ihm in Ansehung seiner Folgerungen Gehör zu geben, die bloß daher rührten, weil er sich seine Aufgabe nicht im Ganzen vorstellete, sondern nur auf einen Teil derselben fiel, der, ohne das Ganze in Betracht zu ziehen, keine Auskunft geben kann. Wenn man von einem gegründeten, obzwar nicht ausgeführten Gedanken anfängt, den uns ein anderer hinterlassen, so kann man wohl hoffen, es bei fortgesetztem Nachdenken weiter zu bringen, als der scharfsinnige Mann kam[4], dem man den ersten Funken dieses Lichts zu verdanken hatte.

Ich versuchte also zuerst, ob sich nicht H u m e s Einwurf allgemein vorstellen ließe, und fand bald: daß der Begriff der Verknüpfung von Ursache und | Wirkung bei weitem nicht der einzige sei, durch den der Verstand a priori sich Verknüpfungen der Dinge denkt, vielmehr, daß Metaphysik ganz und gar daraus bestehe. Ich suchte mich ihrer Zahl zu versichern, und, da dieses mir nach Wunsch, nämlich aus einem einzigen Prinzip, gelungen war, so ging ich an die Deduktion dieser Begriffe, von denen ich nunmehr versichert war, daß sie nicht, wie H u m e besorgt hatte, von der Erfahrung abgeleitet, sondern aus dem reinen Verstande entsprungen sein[5]. Diese Deduktion, die meinem scharfsinnigen Vorgänger unmöglich schien, die niemand außer ihm sich auch nur hatte einfallen lassen, obgleich jedermann sich der Begriffe getrost bediente, ohne zu fragen, worauf sich denn ihre objektive

---

[4] A: kan Weischedel: kann
[5] Ak: seien

Gültigkeit gründe, diese, sage ich, war das Schwerste, das jemals zum Behuf der Metaphysik unternommen werden konnte, und was noch das Schlimmste dabei ist, so konnte mir Metaphysik, so viel davon nur irgendwo vorhanden ist, hiebei auch nicht die mindeste Hülfe leisten, weil jene Deduktion zuerst die Möglichkeit einer Metaphysik ausmachen soll. Da es mir nun mit der Auflösung des Humischen Problems nicht bloß in einem besondern Falle, sondern in Absicht auf das ganze Vermögen der reinen Vernunft gelungen war: so konnte ich sichere, ob|gleich immer nur langsame Schritte tun, um endlich den ganzen Umfang der reinen Vernunft, in seinen Grenzen sowohl, als seinem Inhalt, vollständig und nach allgemeinen Prinzipien zu bestimmen, welches denn dasjenige war, was Metaphysik bedarf, um ihr System nach einem sicheren Plan aufzuführen.

Ich besorge aber, daß es der A u s f ü h r u n g des Humischen Problems in seiner möglich größten Erweiterung (nämlich der Kritik der reinen Vernunft) ebenso gehen dürfte, als es dem P r o b l e m selbst erging, da es zuerst vorgestellt wurde. Man wird sie unrichtig beurteilen, weil man sie nicht versteht; man wird sie nicht verstehen, weil man das Buch zwar durchzublättern, aber nicht durchzudenken Lust hat; und man wird diese Bemühung darauf nicht verwenden wollen, weil das Werk trocken, weil es dunkel, weil es allen gewohnten Begriffen widerstreitend und überdem weitläuftig ist. Nun gestehe ich, daß es mir unerwartet sei, von einem Philosophen Klagen wegen Mangel an Popularität, Unterhaltung und Gemächlichkeit zu hören, wenn es um die Existenz einer gepriesenen und der Menschheit unentbehrlichen Erkenntnis selbst zu tun ist, die nicht anders, als nach den strengsten Regeln einer schulgerechten Pünktlich|keit ausgemacht werden kann, auf welche zwar mit der Zeit auch Popularität folgen, aber niemals den Anfang machen darf. Allein, was eine gewisse Dunkelheit betrifft, die zum Teil von der Weitläuftigkeit des Plans herrühret, bei welcher man die Hauptpunkte, auf die es bei der Untersuchung ankommt, nicht wohl übersehen kann: so ist die Beschwerde deshalb gerecht, und dieser werde ich durch gegenwärtige P r o l e g o m e n a abhelfen.

Jenes Werk, welches das reine Vernunftvermögen in seinem ganzen Umfange und Grenzen darstellt, bleibt dabei immer die Grundlage, worauf sich die Prolegomena nur als Vorübungen beziehen; denn jene Kritik muß als Wissenschaft, systematisch, und bis zu ihren kleinsten Teilen vollständig darstehen, ehe noch daran zu denken ist, Metaphysik auftreten zu lassen, oder sich auch nur eine entfernte Hoffnung zu derselben zu machen.

Man ist es schon lange gewohnt, alte abgenutzte Erkenntnisse dadurch neu aufgestutzt zu sehen, daß man sie aus ihren vormaligen Verbindungen herausnimmt, ihnen ein systematisches Kleid nach eigenem beliebigen Schnitte, aber unter neuen Titeln, an | paßt; und nichts anders wird der größte Teil der Leser auch von jener Kritik zum voraus erwarten. Allein diese Prolegomena werden ihn dahin bringen, einzusehen, daß es eine ganz neue Wissenschaft sei, von welcher niemand auch nur den Gedanken vorher gefaßt hatte, wovon selbst die bloße Idee unbekannt war, und wozu von allem bisher Gegebenen nichts genutzt werden konnte, als allein der Wink, den H u m e s Zweifel geben konnten, der gleichfalls nichts von einer dergleichen möglichen förmlichen Wissenschaft ahndete, sondern sein Schiff, um es in Sicherheit zu bringen, auf den Strand (den Skeptizism) setzte, da es denn liegen und verfaulen mag, statt dessen es bei mir darauf ankommt, ihm einen Piloten zu geben, der, nach sicheren Prinzipien der Steuermannskunst, die aus der Kenntnis des Globus gezogen sind, mit einer vollständigen Seekarte und einem Kompaß versehen, das Schiff sicher führen könne, wohin es ihm gut dünkt.

Zu einer neuen Wissenschaft, die gänzlich isoliert und die einzige ihrer Art ist, mit dem Vorurteil gehen, als könne man sie vermittelst seiner schon sonst erworbenen vermeinten Kenntnisse beurteilen, obgleich die es eben sind, an deren

Realität zuvor gänzlich ge|zweifelt werden muß, bringt nichts anders zuwege, als daß man allenthalben das zu sehen glaubt, was einem schon sonst bekannt war, weil etwa die Ausdrücke jenem ähnlich lauten, nur, daß einem alles äußerst verunstaltet, widersinnisch und kauderwelsch vorkommen muß, weil man nicht die Gedanken des Verfassers, sondern immer nur seine eigene, durch lange Gewohnheit zur Natur gewordene Denkungsart dabei zum Grunde legt. Aber die Weitläuftigkeit des Werks, sofern sie in der Wissenschaft selbst, und nicht dem Vortrage gegründet ist, die dabei unvermeidliche Trockenheit und scholastische Pünktlichkeit sind Eigenschaften, die zwar der Sache selbst überaus vorteilhaft sein mögen, dem Buche selbst aber allerdings nachteilig werden müssen.

Es ist zwar nicht jedermann gegeben, so subtil und doch zugleich so anlockend zu schreiben, als David Hume, oder so gründlich, und dabei so elegant, als Moses Mendelssohn; allein Popularität hätte ich meinem Vortrage (wie ich mir schmeichele) wohl geben können, wenn es mir nur darum zu tun gewesen wäre, einen Plan zu entwerfen, und dessen Vollziehung andern anzupreisen, und mir nicht das Wohl der Wissenschaft, die mich so lange beschäftigt | hielt, am Herzen gelegen hätte; denn übrigens gehörte viel Beharrlichkeit und auch selbst nicht wenig Selbstverleugnung dazu, die Anlockung einer früheren günstigen Aufnahme der Aussicht auf einen zwar späten, aber dauerhaften Beifall nachzusetzen.

Plane machen ist mehrmalen eine üppige, prahlerische Geistesbeschäftigung, dadurch man sich ein Ansehen von schöpferischem Genie gibt, indem man fodert, was man selbst nicht leisten, tadelt, was man doch nicht besser machen kann, und vorschlägt, wovon man selbst nicht weiß, wo es zu finden ist, wiewohl auch nur zum tüchtigen Plane einer allgemeinen Kritik der Vernunft schon etwas mehr gehöret hätte, als man wohl vermuten mag, wenn er nicht bloß, wie gewöhnlich, eine Deklamation frommer Wünsche hätte werden sollen. Allein reine Vernunft ist eine so abgesonderte, in ihr selbst so durchgängig verknüpfte Sphäre, daß man keinen Teil derselben antasten kann, ohne alle übrige zu berühren, und nichts ausrichten kann, ohne vorher jedem seine Stelle und seinen Einfluß auf den andern bestimmt zu haben, weil, da nichts außer derselben ist, was unser Urteil innerhalb berichtigen könnte, jedes Teiles Gültigkeit und Gebrauch von dem Verhältnisse abhängt, darin | er[6] gegen die übrige in der Vernunft selbst steht, und, wie bei dem Gliederbau eines organisierten Körpers, der Zweck jedes Gliedes nur aus dem vollständigen Begriff des Ganzen abgeleitet werden kann. Daher kann man von einer solchen Kritik sagen: daß sie niemals zuverlässig sei, wenn sie nicht g a n z , und bis auf die mindesten Elemente der reinen Vernunft v o l l e n d e t ist, und daß man von der Sphäre dieses Vermögens entweder a l l e s , oder n i c h t s bestimmen und ausmachen müsse.

Ob aber gleich ein bloßer Plan, der vor der Kritik[7] der reinen Vernunft vorhergehen möchte, unverständlich, unzuverlässig und unnütze sein würde, so ist er dagegen um desto nützlicher, wenn er darauf folgt. Denn dadurch wird man in den Stand gesetzt, das Ganze zu übersehen, die Hauptpunkte, worauf es bei dieser Wissenschaft ankommt, stückweise zu prüfen, und manches dem Vortrage nach besser einzurichten, als es in der ersten Ausfertigung des Werks geschehen konnte.

Hier ist nun ein solcher P l a n , nach vollendetem Werke, der nunmehr nach a n a l y t i s c h e r M e t h o d e angelegt sein darf, da das W e r k selbst durch|aus nach s y n t h e t i s c h e r L e h r a r t abgefaßt sein mußte, damit die Wissenschaft alle ihre Artikulationen, als den Gliederbau eines ganz besondern Erkenntnisvermögens, in seiner natürlichen Verbindung vor Augen stelle. Wer diesen Plan, den ich als Prolegomena vor aller künftigen Metaphysik voranschicke, selbst wiederum dunkel findet, der mag bedenken, daß es eben nicht nötig sei,

[6] A: es
[7] Ak: *gesperrt*

daß jedermann Metaphysik studiere, daß es manches Talent gebe, welches in gründlichen und selbst tiefen Wissenschaften, die sich mehr der Anschauung nähern, ganz wohl fortkömmt, dem es aber mit Nachforschungen durch lauter abgezogene Begriffe, nicht gelingen will, und daß man seine Geistesgaben in solchem Fall auf einen andern Gegenstand verwenden müsse, daß aber derjenige, der Metaphysik zu beurteilen, ja selbst eine abzufassen unternimmt, denen Forderungen, die hier gemacht werden, durchaus ein Gnüge tun müsse, es mag nun auf die Art geschehen, daß er meine Auflösung annimmt, oder sie auch gründlich widerlegt, und eine andere an deren Stelle setzt, – denn abweisen kann er sie nicht – und daß endlich die so beschriene Dunkelheit (eine gewohnte Bemäntelung seiner eigenen Gemächlichkeit oder Blödsichtigkeit) auch ihren Nutzen habe: da alle, die in Ansehung aller andern | Wissenschaften ein behutsames Stillschweigen beobachten, in Fragen der Metaphysik meisterhaft sprechen, und dreust entscheiden, weil ihre Unwissenheit hier freilich nicht gegen anderer Wissenschaft deutlich absticht, wohl aber gegen echte kritische Grundsätze, von denen man also rühmen kann:

Ignavum, fucos, pecus a praesepibus arcent.
Virg.[8]

---

[8] *Vergilius: Georgica IV,168:* Sie halten die Drohnen, das faule Volk, von den Bienenkörben fern.

[21–22]

Prolegomena

Vorerinnerung
von dem
Eigentümlichen aller metaphysischen
Erkenntnis

§ 1
Von den Quellen der Metaphysik

Wenn man eine Erkenntnis als W i s s e n s c h a f t darstellen will, so muß man zuvor das Unterscheidende, was sie mit keiner andern gemein hat, und was ihr also e i g e n t ü m l i c h ist, genau bestimmen können; widrigenfalls die Grenzen aller Wissenschaften ineinander laufen, und keine derselben, ihrer Natur nach, gründlich abgehandelt werden kann.

Dieses Eigentümliche mag nun in dem Unterschiede des O b j e k t s, oder der E r k e n n t n i s q u e l l e n, oder auch der E r k e n n t n i s a r t, oder einiger, wo nicht aller dieser Stücke zusammen, bestehen, so beruht darauf zuerst die Idee der möglichen Wissenschaft und ihres Territorium.

Zuerst, was die Q u e l l e n einer metaphysischen Erkenntnis betrifft, so liegt es schon in ihrem Begriffe, daß sie nicht empirisch sein können. Die Prinzipien derselben, | (wozu nicht bloß ihre Grundsätze, sondern auch Grundbegriffe gehören,) müssen also niemals aus der Erfahrung genommen sein: denn sie soll nicht physische, sondern metaphysische, d. i. jenseit der Erfahrung liegende Erkenntnis sein. Also wird weder äußere Erfahrung, welche die Quelle der eigentlichen Physik, noch innere, welche die Grundlage der empirischen Psychologie ausmacht, bei ihr zum Grunde liegen. Sie ist also Erkenntnis a priori, oder aus reinem Verstande und reiner Vernunft.

Hierin würde sie aber nichts Unterscheidendes von der

reinen Mathematik haben; sie wird also r e i n e p h i l o -
s o p h i s c h e E r k e n n t n i s heißen müssen; wegen der Bedeutung dieses Ausdrucks aber beziehe ich mich auf Kritik
d. r. V. Seite 712 u. f., wo der Unterschied dieser zwei Arten
des Vernunftgebrauchs einleuchtend und gnugtuend ist dargestellt worden. – So viel von den Quellen der metaphysischen Erkenntnis.

§ 2
Von der Erkenntnisart,
die allein metaphysisch heißen kann

a) Von dem Unterschiede synthetischer und analytischer
Urteile überhaupt

Metaphysische Erkenntnis muß lauter Urteile a priori enthalten, das erfordert das Eigentümliche ihrer Quellen. Allein
Urteile mögen nun einen Ursprung ha|ben, welchen sie wol-
len, oder auch, ihrer logischen Form nach, beschaffen sein
wie sie wollen, so gibt es doch einen Unterschied derselben,
dem Inhalte nach, vermöge dessen sie entweder bloß e r l ä u -
t e r n d s i n d , und zum Inhalte der Erkenntnis nichts hinzutun, oder e r w e i t e r n d , und die gegebene Erkenntnis ver-
größern; die erstern werden a n a l y t i s c h e , die zweiten
s y n t h e t i s c h e Urteile genannt werden können.

Analytische Urteile sagen im Prädikate nichts, als das, was
im Begriffe des Subjekts schon wirklich, obgleich nicht so
klar und mit gleichem Bewußtsein gedacht war. Wenn ich
sage: alle Körper sind ausgedehnt, so habe ich meinen Begriff
vom Körper nicht im mindesten erweitert, sondern ihn nur
aufgelöset, indem die Ausdehnung von jenem Begriffe schon
vor dem Urteile, obgleich nicht ausdrücklich gesagt, dennoch
wirklich gedacht war; das Urteil ist also analytisch. Dagegen
enthält der Satz: einige Körper sind schwer, etwas im Prädikate, was in dem allgemeinen Begriffe vom Körper nicht

wirklich gedacht wird, er vergrößert also meine Erkenntnis, indem er zu meinem Begriffe etwas hinzutut, und muß daher ein synthetisches Urteil heißen.

b) Das gemeinschaftliche Prinzip aller analytischen Urteile ist der Satz des Widerspruchs

Alle analytische Urteile beruhen gänzlich auf dem Satze des Widerspruchs, und sind ihrer Natur nach Er|kenntnisse a priori, die Begriffe, die ihnen zur Materie dienen, mögen empirisch sein, oder nicht. Denn, weil das Prädikat eines bejahenden analytischen Urteils schon vorher im Begriffe des Subjekts gedacht wird, so kann es von ihm ohne Widerspruch nicht verneinet werden, ebenso wird sein Gegenteil, in einem analytischen, aber verneinenden Urteile, notwendig von dem Subjekt verneinet, und zwar auch zufolge dem Satze des Widerspruchs. So ist es mit denen Sätzen: Jeder Körper ist ausgedehnt und kein Körper ist unausgedehnt (einfach), beschaffen.

Eben darum sind auch alle analytische Sätze Urteile a priori, wenngleich ihre Begriffe empirisch sein[9], z. B. Gold ist ein gelbes Metall; denn um dieses zu wissen, brauche ich keiner weitern Erfahrung, außer meinem Begriffe vom Golde, der enthielte, daß dieser Körper gelb und Metall sei: denn dieses machte eben meinen Begriff aus, und ich durfte nichts tun, als diesen zergliedern, ohne mich außer demselben wornach anders umzusehen.

c) Synthetische Urteile bedürfen ein anderes Prinzip, als den Satz des Widerspruchs

Es gibt synthetische Urteile a posteriori, deren Ursprung empirisch ist; aber es gibt auch deren, die a priori gewiß sein[10], und die aus reinem Verstande und Vernunft entsprin-

---

[9] Ak: sind
[10] Ak: sind

gen. Beide kommen aber darin überein, daß sie nach dem Grundsatze der Analysis, nämlich dem Satze des Widerspruchs, allein nimmermehr entspringen können; | sie erfordern noch ein ganz anderes Prinzip, ob sie zwar aus jedem Grundsatze, welcher er auch sei, jederzeit d e m S a t z e d e s W i d e r s p r u c h s g e m ä ß abgeleitet werden müssen; denn nichts darf diesem Grundsatze zuwider sein, obgleich eben nicht alles daraus abgeleitet werden kann. Ich will die synthetischen Urteile zuvor unter Klassen bringen.

1. E r f a h r u n g s u r t e i l e sind jederzeit synthetisch. Denn es wäre ungereimt, ein analytisches Urteil auf Erfahrung zu gründen, da ich doch aus meinem Begriffe gar nicht hinausgehen darf, um das Urteil abzufassen, und also kein Zeugnis der Erfahrung dazu nötig habe. Daß ein Körper ausgedehnt sei, ist ein Satz, der a priori feststeht, und kein Erfahrungsurteil. Denn, ehe ich zur Erfahrung gehe, habe ich alle Bedingungen zu meinem Urteile schon in dem Begriffe, aus welchem ich das Prädikat nach dem Satze des Widerspruchs nur herausziehen, und dadurch zugleich der N o t w e n d i g k e i t des Urteils bewußt werden kann, welche mir Erfahrung nicht einmal lehren würde.

2. M a t h e m a t i s c h e U r t e i l e sind insgesamt synthetisch. Dieser Satz scheint den Bemerkungen der Zergliederer der menschlichen Vernunft bisher ganz entgangen, ja allen ihren Vermutungen gerade entgegengesetzt zu sein, ob er gleich unwidersprechlich gewiß, und in der Folge sehr wichtig ist. Denn weil man fand, daß die Schlüsse der Mathematiker alle nach dem Satze des Widerspruches fort|gehen, (welches die Natur einer jeden apodiktischen Gewißheit erfordert,) so überredete man sich, daß auch die Grundsätze aus dem Satze des Widerspruchs erkannt würden, worin sie sich sehr irreten; denn ein synthetischer Satz kann allerdings nach dem Satze des Widerspruchs eingesehen werden, aber nur so, daß ein anderer synthetischer Satz vorausgesetzt wird, aus dem er gefolgert werden kann, niemals aber an sich selbst.

Zuvörderst muß bemerkt werden: daß eigentliche mathematische Sätze jederzeit Urteile a priori und nicht empirisch sein[11], weil sie Notwendigkeit bei sich führen, welche aus Erfahrung nicht abgenommen werden kann. Will man mir aber dieses nicht einräumen, wohlan so schränke ich meinen Satz auf die reine Mathematik ein, deren Begriff es schon mit sich bringt, daß sie nicht empirische, sondern bloß reine Erkenntnis a priori enthalte.

Man sollte anfänglich wohl denken: daß der Satz 7 + 5 = 12 ein bloß analytischer Satz sei, der aus dem Begriffe einer Summe von Sieben und Fünf nach dem Satze des Widerspruches erfolge. Allein, wenn man es näher betrachtet, so findet man, daß der Begriff der Summe von 7 und 5 nichts weiter enthalte, als die Vereinigung beider Zahlen in eine einzige, wodurch ganz und gar nicht gedacht wird, welches diese einzige Zahl sei, die beide zusammenfaßt. Der Begriff von Zwölf ist keinesweges dadurch schon gedacht, daß ich mir bloß jene Vereinigung von Sieben und Fünf denke, und, ich mag meinen | Begriff von einer solchen möglichen Summe noch so lange zergliedern, so werde ich doch darin die Zwölf nicht antreffen. Man muß über diese Begriffe hinausgehen, indem man die Anschauung zu Hülfe nimmt, die einem von beiden korrespondiert, etwa seine fünf Finger, oder (wie S e g n e r in seiner Arithmetik) fünf Punkte, und so nach und nach die Einheiten der in der Anschauung gegebenen Fünf zu dem Begriffe der Sieben hinzutut. Man erweitert also wirklich seinen Begriff durch diesen Satz 7 + 5 = 12 und tut zu dem ersteren Begriff einen neuen hinzu, der in jenem gar nicht gedacht war, d. i. der arithmetische Satz ist jederzeit synthetisch, welches man desto deutlicher inne wird, wenn man etwas größere Zahlen nimmt; da es denn klar einleuchtet, daß, wir möchten unsern Begriff drehen und wenden, wie wir wollen, wir, ohne die Anschauung zu Hülfe zu nehmen, vermittelst der bloßen Zergliederung unserer Begriffe die Summe niemals finden könnten.

[11] Ak: sind

Ebenso wenig ist irgend ein Grundsatz der reinen Geometrie analytisch. Daß die gerade Linie zwischen zweien Punkten die kürzeste sei, ist ein synthetischer Satz. Denn mein Begriff vom Geraden enthält nichts von Größe, sondern nur eine Qualität. Der Begriff des Kürzesten kommt also gänzlich hinzu, und kann durch keine Zergliederung aus dem Begriffe der geraden Linie gezogen werden. Anschauung muß also hier zu Hülfe genommen werden, vermittelst deren allein die Synthesis möglich ist. |

Einige andere Grundsätze, welche die Geometer voraussetzen, sind zwar wirklich analytisch und beruhen auf dem Satze des Widerspruchs, sie dienen aber nur, wie identische Sätze, zur Kette der Methode und nicht als[12] Prinzipien, z. B. a = a, das Ganze ist sich selber gleich, oder (a+b)>a, d. i. das Ganze ist größer als sein Teil. Und doch auch diese selbst, ob sie gleich nach bloßen Begriffen gelten, werden in der Mathematik nur darum zugelassen, weil sie in der Anschauung können dargestellet werden. Was uns hier gemeiniglich glauben macht, als läge das Prädikat solcher apodiktischen Urteile schon in unserm Begriffe, und das Urteil sei also analytisch, ist bloß die Zweideutigkeit des Ausdrucks. Wir sollen nämlich zu einem gegebenen Begriffe ein gewisses Prädikat hinzudenken, und diese Notwendigkeit haftet schon an den Begriffen. Aber die Frage ist nicht, was wir zu dem gegebenen Begriffe hinzu d e n k e n s o l l e n, sondern was wir w i r k - l i c h in ihm[13], obzwar nur dunkel, d e n k e n, und da zeigt sich, daß das Prädikat jenem Begriffe[14] zwar notwendig, aber nicht unmittelbar, sondern vermittelst einer Anschauung, die hinzukommen muß, anhänge.[15] |

Das Wesentliche und Unterscheidende der reinen m a t h e - m a t i s c h e n Erkenntnis von aller andern Erkenntnis a

---

[12] A: aus
[13] A: ihnen
[14] A: jenen Begriffen
[15] *Die folgenden fünf Absätze bilden in A die Absätze 2–6 des § 4. Gemäß der Vaihinger/Sitzlerschen Blattversetzungshypothese gehören sie jedoch zu § 2. Vgl. das Nachwort des Herausgebers S. 173.*

priori ist, daß sie durchaus nicht aus Begriffen, sondern jederzeit nur durch die Konstruktion der Begriffe (Kritik S. 713) vor sich gehen muß. Da sie also in ihren Sätzen über den Begriff zu demjenigen, was die ihm korrespondierende Anschauung enthält, hinausgehen muß: so können und sollen ihre Sätze auch niemals durch Zergliederung der Begriffe, d. i. analytisch, entspringen, und sind daher insgesamt synthetisch.

Ich kann aber nicht umhin, den Nachteil zu bemerken, den die Vernachlässigung dieser sonst leichten und unbedeutend scheinenden Beobachtung der Philosophie zugezogen hat. Hume, als er den eines Philosophen wür|digen Beruf fühlete, seine Blicke auf das ganze Feld der reinen Erkenntnis a priori zu werfen, in welchem sich der menschliche Verstand so große Besitzungen anmaßt, schnitte unbedachtsamer Weise eine ganze und zwar die erheblichste Provinz derselben, nämlich reine Mathematik, davon ab, in der Einbildung, ihre Natur, und so zu reden ihre Staatsverfassung, beruhe auf ganz andern Prinzipien, nämlich, lediglich auf dem Satze des Widerspruchs, und ob er zwar die Einteilung der Sätze nicht so förmlich und allgemein, oder unter der Benennung gemacht hatte, als es von mir hier geschieht, so war es doch gerade so viel, als ob er gesagt hätte: reine Mathematik enthält bloß analytische Sätze, Metaphysik aber synthetische a priori. Nun irrete er hierin gar sehr, und dieser Irrtum hatte auf seinen ganzen Begriff entscheidend nachteilige Folgen. Denn wäre das von ihm nicht geschehen, so hätte er seine Frage, wegen des Ursprungs unserer synthetischen Urteile, weit über seinen metaphysischen Begriff der Kausalität erweitert, und sie auch auf die Möglichkeit der Mathematik a priori ausgedehnt; denn diese mußte er ebenso wohl vor synthetisch annehmen. Alsdenn aber hätte er seine metaphysische Sätze keinesweges auf bloße Erfahrung gründen können, weil er sonst die Axiomen der reinen Mathematik ebenfalls der Erfahrung unterworfen haben würde, welches zu tun er viel zu einsehend war. Die gute Gesellschaft, worin Meta-

physik alsdenn zu stehen gekommen wäre, hätte sie wider die
Gefahr einer | schnöden Mißhandlung gesichert, denn die
Streiche, welche der letztern zugedacht waren, hätten die
erstere auch treffen müssen, welches aber seine Meinung
nicht war, auch nicht sein konnte: und so wäre der scharfsinnige Mann in Betrachtungen gezogen worden, die denjenigen
hätten ähnlich werden müssen, womit wir uns jetzt beschäftigen, die aber durch seinen unnachahmlich schönen Vortrag
unendlich würde gewonnen haben.

3.[16] E i g e n t l i c h m e t a p h y s i s c h e Urteile sind insgesamt synthetisch. Man muß z u r M e t a p h y s i k gehörige[17]
von eigentlich m e t a p h y s i s c h e n Urteilen unterscheiden.
Unter jenen sind sehr viele analytisch, aber sie machen nur die
Mittel zu metaphysischen Urteilen aus, auf die der Zweck der
Wissenschaft ganz und gar gerichtet ist, und die allemal synthetisch sein[18]. Denn wenn Begriffe zur Metaphysik gehören,
z. B. der von[19] Substanz, so gehören die Urteile, die aus der
bloßen Zergliederung derselben entspringen, auch notwendig zur Metaphysik, z. B. Substanz ist dasjenige, was nur als
Subjekt existiert etc. und vermittelst mehrerer dergleichen
analytischen Urteile suchen wir der Definition der Begriffe
nahe zu kommen. Da aber die Analysis eines reinen Verstandesbegriffs (dergleichen die Metaphysik enthält) nicht auf
andere Art vor sich geht, als die Zergliederung jedes andern
auch empirischen Begriffs, der nicht in die Metaphysik gehört
(z. B. Luft ist eine elastische Flüssigkeit, deren Elastizität
durch keinen bekannten Grad der Kälte aufgehoben wird), so
ist zwar der | Begriff, aber nicht das analytische Urteil eigentümlich metaphysisch: denn diese Wissenschaft hat etwas
Besonderes und ihr Eigentümliches in der Erzeugung ihrer
Erkenntnisse a priori; die also von dem, was sie mit allen
andern Verstandeserkenntnissen gemein hat, muß unter-

---

[16] *Nicht in A und Ak; wir folgen Vorländer.*
[17] Ak: *gesperrt*
[18] Ak: sind
[19] $A^{2.3}$: von der

schieden werden; so ist z. B. der Satz: alles, was in den Dingen Substanz ist, ist beharrlich, ein synthetischer und eigentümlich metaphysischer Satz.

Wenn man die Begriffe a priori, welche die Materie der Metaphysik und ihr Bauzeug ausmachen, zuvor nach gewissen Prinzipien gesammlet hat, so ist die Zergliederung dieser Begriffe von großem Werte; auch kann dieselbe als ein besonderer Teil (gleichsam als philosophia definitiua), der lauter analytische zur Metaphysik gehörige Sätze enthält, von allen synthetischen Sätzen, die die Metaphysik selbst ausmachen, abgesondert vorgetragen werden. Denn in der Tat haben jene Zergliederungen nirgend anders einen beträchtlichen Nutzen, als in der Metaphysik, d. i. in Absicht auf die synthetischen Sätze, die aus jenen zuerst zergliederten Begriffen sollen erzeugt werden.

Der Schluß dieses Paragraphs ist also: daß Metaphysik es eigentlich mit synthetischen Sätzen a priori zu tun habe, und diese allein ihren Zweck ausmachen, zu welchem sie zwar allerdings mancher Zergliederungen ihrer Begriffe, mithin analytischer Urteile bedarf, wobei aber das Verfahren nicht anders ist, als in jeder andern Erkenntnisart, wo man seine Begriffe durch Zergliederung | bloß deutlich zu machen sucht. Allein die E r z e u g u n g der Erkenntnis a priori sowohl der Anschauung als Begriffen nach, endlich auch synthetischer Sätze a priori, und zwar im philosophischen Erkenntnisse, machen den wesentlichen Inhalt der Metaphysik aus. |

§ 3
A n m e r k u n g
zur allgemeinen Einteilung der Urteile in
analytische und synthetische

Diese Einteilung ist in Ansehung der Kritik des menschlichen Verstandes unentbehrlich, und verdient daher | in ihr k l a s s i s c h zu sein; sonst wüßte ich nicht, daß sie irgend anderwärts einen beträchtlichen Nutzen hätte. Und hierin finde ich auch die Ursache, weswegen dogmatische Philosophen, die die Quellen metaphysischer Urteile immer nur in der Metaphysik selbst, nicht aber außer ihr, in den reinen Vernunftgesetzen überhaupt, suchten, diese Einteilung, die sich von selbst darzubieten scheint, vernachlässigten, und wie der berühmte W o l f f, oder der seinen Fußtapfen folgende scharfsinnige B a u m g a r t e n den Beweis von dem Satze des zureichenden Grundes, der offenbar synthetisch ist, im Satze des Widerspruchs suchen konnten. Dagegen treffe ich schon in L o c k e s Versuchen über den menschlichen Verstand einen Wink zu dieser Einteilung an. Denn im vierten Buch, dem dritten Hauptstück § 9 u. f., nachdem er schon vorher von der verschiedenen Verknüpfung der Vorstellungen in Urteilen und deren Quellen geredet hatte, wovon er die eine in der Identität oder Widerspruch setzt (analytische Urteile), die andere aber in der Existenz der Vorstellungen in einem Subjekt (synthetische Urteile), so gesteht er § 10, daß unsere Erkenntnis (a priori) von der letztern sehr enge und beinahe gar nichts sei. Allein es herrscht in dem, was er von dieser Art der Erkenntnis sagt, so wenig Bestimmtes und auf Regeln Gebrachtes, daß man sich nicht wundern darf, wenn niemand, sonderlich nicht einmal H u m e , Anlaß daher genommen hat, über Sätze dieser Art Betrachtungen anzustellen. Denn dergleichen allgemeine und dennoch bestimmte Prinzipien | lernt man nicht leicht von andern, denen sie nur dunkel obgeschwebt haben. Man muß durch eigenes Nachdenken zuvor selbst darauf gekommen sein, hernach findet man sie auch anderwärts, wo man sie gewiß nicht zuerst würde angetroffen haben, weil die Verfasser selbst nicht einmal wußten, daß ihren eigenen Bemerkungen eine solche Idee zum Grunde liege. Die, so niemals selbst denken, besitzen dennoch die Scharfsichtigkeit, alles, nachdem es ihnen gezeigt worden, in demjenigen, was sonst schon gesagt worden, aufzuspähen, wo es doch vorher niemand sehen konnte.

Der Prolegomenen
Allgemeine Frage:
Ist überall Metaphysik möglich?

§ 4

Wäre Metaphysik, die sich als Wissenschaft behaupten könnte, wirklich; könnte man sagen: hier ist Metaphysik, die dürft ihr nur lernen, und sie wird euch unwiderstehlich und unveränderlich von ihrer Wahrheit überzeugen; so wäre diese Frage unnötig, und es bliebe nur diejenige übrig, die mehr eine Prüfung unserer Scharfsinnigkeit, als den Beweis von der Existenz der Sache selbst beträfe, nämlich, wie sie möglich sei, und wie Vernunft es anfange, dazu zu gelangen. Nun ist es | der menschlichen Vernunft in diesem Falle so gut nicht geworden. Man kann kein einziges Buch aufzeigen, so wie man etwa einen Euklid vorzeigt, und sagen, das ist Metaphysik, hier findet ihr den vornehmsten Zweck dieser Wissenschaft, das Erkenntnis eines höchsten Wesens, und einer künftigen Welt, bewiesen aus Prinzipien der reinen Vernunft. Denn man kann uns zwar viele Sätze aufzeigen, die apodiktisch gewiß sind, und niemals gestritten[20] worden; aber diese sind insgesamt analytisch, und betreffen mehr die Materialien und den Bauzeug zur Metaphysik, als die Erweiterung der Erkenntnis, die doch unsere eigentliche Absicht mit ihr sein soll (§ 2 litt. c.). Ob ihr aber gleich auch synthetische Sätze (z. B. den Satz des zureichenden Grundes) vorzeigt, die ihr niemals aus bloßer Vernunft, mithin, wie doch eure Pflicht war, a priori bewiesen habt, die man euch aber doch gerne einräumet: so geratet ihr doch, wenn ihr euch derselben zu eurem Hauptzwecke bedienen wollt, in so unstatthafte und unsichere Behauptungen, daß zu aller Zeit eine Metaphysik der anderen entweder in Ansehung der Behauptungen selbst

---

[20] A²⁻⁴: bestritten

oder ihrer Beweise widersprochen, und dadurch ihren Anspruch auf daurenden Beifall selbst vernichtet hat. Sogar
sind die Versuche, eine solche Wissenschaft zu Stande zu
bringen, ohne Zweifel die erste Ursache des so früh entstan-
denen Skeptizismus gewesen, einer Denkungsart, darin die
Vernunft so gewalttätig gegen sich selbst verfährt, daß diese
niemals, als in völliger Verzweiflung an Befriedi|gung in
Ansehung ihrer wichtigsten Absichten hätte entstehen können. Denn lange vorher, ehe man die Natur methodisch zu
befragen anfing, befrug man bloß seine abgesonderte Vernunft, die durch gemeine Erfahrung in gewisser Maße schon
geübt war; weil Vernunft uns doch immer gegenwärtig ist,
Naturgesetze aber gemeiniglich mühsam aufgesucht werden
müssen: und so schwamm Metaphysik obenauf, wie Schaum,
doch so, daß, so wie der, den man geschöpft hatte, zerging,
sich sogleich ein anderer auf der Oberfläche zeigte, den
immer einige begierig aufsammleten, wobei andere, anstatt in
der Tiefe die Ursache dieser Erscheinung zu suchen, sich
damit weise dünkten, daß sie die vergebliche Mühe der
erstern belachten.[21] |

Überdrüssig also des Dogmatismus, der uns nichts lehrt
und zugleich des Skeptizismus, der uns gar überall nichts
verspricht, auch nicht einmal den Ruhestand einer erlaubten
Unwissenheit, aufgefordert durch die Wichtigkeit der
Erkenntnis, deren wir bedürfen, und mißtrauisch durch lange
Erfahrung in Ansehung jeder, die wir zu besitzen glauben,
oder die sich uns unter dem Titel der reinen Vernunft anbie-
tet, bleibt uns nur noch eine kritische Frage übrig, nach deren
Beantwortung wir unser künftiges Betragen einrichten können: Ist überall Metaphysik möglich? Aber diese
Frage muß nicht durch skeptische Einwürfe gegen gewisse
Behauptungen einer wirklichen Metaphysik (denn wir lassen
jetzt noch keine gelten), sondern aus dem nur noch proble-

---

[21] *Die in A folgenden fünf Abschnitte sind in § 2 übernommen (s. Fußn. 15).*

m a t i s c h e n Begriffe einer solchen Wissenschaft beantwortet werden.

In der K r i t i k der r e i n e n V e r n u n f t bin ich in Absicht auf diese Frage synthetisch zu Werke gegangen, nämlich so, daß ich in der reinen Vernunft selbst forschte, und in dieser Quelle selbst die Elemente sowohl, als auch die Gesetze ihres reinen Gebrauchs nach Prinzipien zu bestimmen suchte. Diese Arbeit ist schwer, und erfordert einen entschlossenen Leser, sich nach und nach in ein System hinein | zudenken, was noch nichts als gegeben zum Grunde legt, außer die Vernunft selbst, und also, ohne sich auf irgend ein Faktum zu stützen, die Erkenntnis aus ihren ursprünglichen Keimen zu entwickeln sucht. P r o l e g o m e n a sollen dagegen Vorübungen sein; sie sollen mehr anzeigen, was man zu tun habe, um eine Wissenschaft, wo möglich, zur Wirklichkeit zu bringen, als sie selbst vortragen. Sie müssen sich also auf etwas stützen, was man schon als zuverlässig kennt, von da man mit Zutrauen ausgehen, und zu den Quellen aufsteigen kann, die man noch nicht kennt, und deren Entdeckung uns nicht allein das, was man wußte, erklären, sondern zugleich einen Umfang vieler Erkenntnisse, die insgesamt aus den nämlichen Quellen entspringen, darstellen wird. Das methodische Verfahren der Prolegomenen, vornehmlich derer, die zu einer künftigen Metaphysik vorbereiten sollen, wird also a n a l y t i s c h sein.

Es trifft sich aber glücklicher Weise, daß, ob wir gleich nicht annehmen können, daß Metaphysik als Wissenschaft w i r k l i c h sei, wir doch mit Zuversicht sagen können, daß gewisse reine synthetische Erkenntnis a priori wirklich und gegeben sein²², nämlich r e i n e M a t h e m a t i k und r e i n e N a t u r w i s s e n s c h a f t; denn beide enthalten Sätze, die teils apodiktisch gewiß durch bloße Vernunft, teils durch die allgemeine Einstimmung aus der Erfahrung, und dennoch als von Erfahrung unabhängig durchgängig anerkannt werden.

---

²² Ak: sei

Wir haben also einige, wenigstens u n b e s t r i t t e n e , | synthetische²³ Erkenntnis a priori, und dürfen nicht fragen, ob sie möglich sei, (denn sie ist wirklich) sondern nur w i e s i e m ö g l i c h s e i , um aus dem Prinzip der Möglichkeit der gegebenen auch die Möglichkeit aller übrigen ableiten zu können.

Prolegomena²⁴

Allgemeine Frage:

Wie ist Erkenntnis aus reiner Vernunft möglich?

§ 5

Wir haben oben den mächtigen Unterschied der analytischen und synthetischen Urteile gesehen. Die Möglichkeit analytischer Sätze konnte sehr leicht begriffen werden; denn sie gründet sich lediglich auf dem Satze des Widerspruchs. Die Möglichkeit synthetischer Sätze a posteriori, d. i. solcher, welche aus der Erfahrung geschöpfet werden, bedarf auch keiner besondern Erklärung; denn Erfahrung ist selbst nichts anders, als eine kontinuierliche Zusammenfügung (Synthesis) der Wahrnehmungen. Es bleiben uns also nur synthetische Sätze a priori übrig, deren Möglichkeit gesucht oder untersucht werden muß, weil sie auf anderen Prinzipien, als dem Satze des Widerspruchs, beruhen muß. |

Wir dürfen aber die M ö g l i c h k e i t solcher Sätze hier nicht zuerst suchen, d. i. fragen, ob sie möglich sein²⁵. Denn es sind deren gnug, und zwar mit unstreitiger Gewißheit wirklich gegeben, und, da die Methode, die wir jetzt befolgen, analytisch sein soll, so werden wir davon anfangen: daß

---

²³ Ak: einige wenigstens u n b e s t r i t t e n e synthetische Ak *erwägt:* wenigstens einige

²⁴ Ak *erwägt:* Der Prolegomenen

²⁵ Ak: seien

dergleichen synthetische, aber reine Vernunfterkenntnis wirklich sei; aber alsdenn müssen wir den Grund dieser Möglichkeit dennoch unter suchen, und fragen, wie diese Erkenntnis möglich sei, damit wir aus den Prinzipien ihrer Möglichkeit die Bedingungen ihres Gebrauchs, den Umfang und die Grenzen desselben zu bestimmen in Stand gesetzt werden. Die eigentliche mit schulgerechter Präzision ausgedruckte Aufgabe, auf die alles ankömmt, ist also:

Wie sind synthetische Sätze a priori möglich?

Ich habe sie oben, der Popularität zu Gefallen, etwas anders, nämlich als eine Frage nach dem Erkenntnis aus reiner Vernunft, ausgedrückt, welches ich dieses Mal ohne Nachteil der gesuchten Einsicht wohl tun konnte, weil, da es hier doch lediglich um die Metaphysik und deren Quellen zu tun ist, man, nach den vorher gemachten Erinnerungen, sich, wie ich hoffe, jederzeit erinnern wird: daß, wenn wir hier von Erkenntnis aus reiner Vernunft reden, niemals von der analytischen, sondern lediglich der synthetischen die Rede sei.* |

* Es ist unmöglich zu verhüten, daß, wenn die Erkenntnis nach und nach weiter fortrückt, nicht gewisse schon klassisch gewordne|Ausdrücke, die noch von dem Kindheitsalter der Wissenschaft her sind, in der Folge sollten unzureichend und übel anpassend gefunden werden, und ein gewisser neuer und mehr angemessener Gebrauch mit dem Alten in einige Gefahr der Verwechselung geraten sollte. Analytische Methode, sofern sie der synthetischen entgegengesetzt ist, ist ganz was anderes, als ein Inbegriff analytischer Sätze: sie bedeutet nur, daß man von dem, was gesucht wird, als ob es gegeben sei, ausgeht und zu den Bedingungen aufsteigt, unter denen es allein möglich ist. In dieser Lehrart bedient man sich öfters lauter synthetischer Sätze, wie die mathematische Analysis davon ein Beispiel gibt, und sie könnte besser die r e g r e s s i v e Lehrart, zum Unterschiede von der synthetischen oder p r o g r e s s i v e n, heißen. Noch kommt der Name Analytik auch als ein Hauptteil der Logik vor, und da ist es die Logik der Wahrheit, und wird der Dialektik entgegengesetzt, ohne eigentlich darauf zu sehen, ob die zu jener gehörige Erkenntnisse analytisch oder synthetisch sein[26].

[26] Ak: seien

Auf die Auflösung dieser Aufgabe nun kommt das Stehen oder Fallen der Metaphysik, und also ihre Existenz gänzlich an. Es mag jemand seine Behauptungen in derselben mit noch so großem Schein vortragen, Schlüsse auf Schlüsse bis zum Erdrücken aufhäufen, wenn er nicht vorher jene Frage hat gnugtuend beantworten können, so habe ich Recht zu sagen: es ist alles eitele grundlose Philosophie und falsche Weisheit. Du sprichst durch reine Vernunft, und maßest dir an, a priori Erkenntnisse gleichsam zu erschaffen, indem du nicht bloß gegebene Begriffe zergliederst, sondern neue Verknüpfungen vorgibst, die nicht auf dem Satze des Widerspruchs beruhen, und die du doch so ganz unabhängig von aller Erfahrung einzusehen vermeinest; wie kommst du nun hiezu, und wie willst du dich wegen solcher Anmaßungen rechtfertigen? | Dich auf Bestimmung der allgemeinen Menschenvernunft zu berufen, kann dir nicht gestattet werden; denn das ist ein Zeuge, dessen Ansehen nur auf dem öffentlichen Gerüchte beruht.

Quodcunque ostendis mihi sic, incredulus odi.
Horat.[27]

So unentbehrlich aber die Beantwortung dieser Frage ist, so schwer ist sie doch zugleich, und, obzwar die vornehmste Ursache, weswegen man sie nicht schon längst zu beantworten gesucht hat, darin liegt, daß man sich nicht einmal hat einfallen lassen, daß so etwas gefragt werden könne, so ist doch eine zweite Ursache diese, daß eine gnugtuende Beantwortung dieser einen Frage ein weit anhaltenderes, tieferes, und mühsameres Nachdenken erfordert, als jemals das weitläuftigste Werk der Metaphysik, das bei der ersten Erscheinung seinem Verfasser Unsterblichkeit versprach. Auch muß ein jeder einsehender Leser, wenn er diese Aufgabe nach ihrer Foderung sorgfältig überdenkt, anfangs durch ihre Schwie-

---

[27] *Horatius: Epistulae II,3,188:* Was immer du mir so zeigst, glaube ich nicht und hasse es.

rigkeit erschreckt, sie vor unauflöslich, und gäbe es nicht wirklich dergleichen reine synthetische Erkenntnisse a priori, sie ganz und gar vor unmöglich halten, welches dem D a v i d H u m e wirklich begegnete, ob er sich zwar die Frage bei weitem nicht in solcher Allgemeinheit vorstellte, als es hier geschieht und geschehen muß, wenn die Beantwortung vor die ganze Metaphysik entscheidend werden soll. Denn, wie ist es möglich, sagte der scharfsinni | ge Mann: daß, wenn mir ein Begriff gegeben ist, ich über denselben hinausgehen, und einen andern damit verknüpfen kann, der in jenem gar nicht enthalten ist, und zwar so, als wenn dieser n o t w e n d i g zu jenem gehöre? Nur Erfahrung kann uns solche Verknüpfungen an die Hand geben, (so schloß er aus jener Schwierigkeit, die er vor Unmöglichkeit hielt) und alle jene vermeintliche Notwendigkeit, oder welches einerlei ist, davor gehaltene Erkenntnis a priori, ist nichts als eine lange Gewohnheit, etwas wahr zu finden, und daher die subjektive Notwendigkeit vor objektiv zu halten.

Wenn der Leser sich über Beschwerde und Mühe beklagt, die ich ihm durch die Auflösung dieser Aufgabe machen werde, so darf er nur den Versuch anstellen, sie auf leichtere Art selbst aufzulösen. Vielleicht wird er sich alsdenn demjenigen verbunden halten, der eine Arbeit von so tiefer Nachforschung für ihn übernommen hat, und wohl eher über die Leichtigkeit, die nach Beschaffenheit der Sache der Auflösung noch hat gegeben werden können, einige Verwunderung merken lassen, auch hat es Jahre lang Bemühung gekostet, um diese Aufgabe in ihrer ganzen Allgemeinheit (in dem Verstande, wie die Mathematiker dieses Wort nehmen, nämlich hinreichend vor alle Fälle) aufzulösen, und sie auch endlich in analytischer Gestalt, wie der Leser sie hier antreffen wird, darstellen zu können.

Alle Metaphysiker sind demnach von ihren Geschäften feierlich und gesetzmäßig so lange suspendiert, bis sie die | Frage: Wie sind synthetische Erkenntnisse a priori möglich? gnugtuend werden beantwortet haben.

Denn in dieser Beantwortung allein besteht das Kreditiv, welches sie vorzeigen müßten[28], wenn sie im Namen der reinen Vernunft etwas bei uns anzubringen haben; in Ermangelung desselben aber können sie nichts anders erwarten, als von Vernünftigen, die so oft schon hintergangen worden, ohne alle weitere Untersuchung ihres Anbringens, abgewiesen zu werden.

Wollten sie dagegen ihr Geschäfte nicht als Wissenschaft, sondern als eine Kunst heilsamer und dem allgemeinen Menschenverstande anpassender Überredungen, treiben, so kann ihnen dieses Gewerbe nach Billigkeit nicht verwehrt werden. Sie werden alsdenn die bescheidene Sprache eines vernünftigen Glaubens führen, sie werden gestehen, daß es ihnen nicht erlaubt sei, über das, was jenseit der Grenzen aller möglichen Erfahrung hinausliegt, auch nur einmal zu mutmaßen, geschweige etwas zu wissen, sondern nur etwas (nicht zum spekulativen Gebrauche, denn auf den müssen sie Verzicht tun, sondern lediglich zum praktischen) anzunehmen, was zur Leitung des Verstandes und Willens im Leben möglich und sogar unentbehrlich ist. So allein werden sie den Namen nützlicher und weiser Männer führen können, um desto mehr, je mehr sie auf den der Metaphysiker Verzicht tun; denn diese wollen spekulative Philosophen sein, und da, wenn es um Urteile a priori zu tun ist, man es auf schale | Wahrscheinlichkeiten nicht aussetzen kann, (denn was dem Vorgeben nach a priori erkannt wird, wird eben dadurch als notwendig angekündigt) so kann es ihnen nicht erlaubt sein, mit Mutmaßungen zu spielen, sondern ihre Behauptung muß Wissenschaft sein, oder sie ist überall gar nichts.

Man kann sagen, daß die ganze Transzendentalphilosophie, die vor aller Metaphysik notwendig vorhergeht, selbst nichts anders, als bloß die vollständige Auflösung der hier vorgelegten Frage sei, nur in systematischer Ordnung und

---

[28] A: musten

Ausführlichkeit, und man habe also bis jetzt keine Transzendentalphilosophie: Denn, was den Namen davon führt, ist eigentlich ein Teil der Metaphysik; jene Wissenschaft soll aber die Möglichkeit der letzteren zuerst ausmachen, und muß also vor aller Metaphysik vorhergehen. Man darf sich also auch nicht wundern, da eine ganze und zwar aller Beihülfe aus andern beraubte, mithin an sich ganz neue Wissenschaft nötig ist, um nur eine einzige Frage hinreichend zu beantworten, wenn die Auflösung derselben mit Mühe und Schwierigkeit, ja sogar mit einiger Dunkelheit verbunden ist.

Indem wir jetzt zu dieser Auflösung schreiten, und zwar nach analytischer Methode, in welcher wir voraussetzen, daß solche Erkenntnisse aus reiner Vernunft wirklich sein[29]: so können wir uns nur auf zwei W i s s e n s c h a f t e n der theoretischen Erkenntnis (als von der allein hier die Rede ist) berufen, nämlich r e i n e M a t h e m a t i k und r e i n e | N a t u r w i s s e n s c h a f t, denn nur diese können uns die Gegenstände in der Anschauung darstellen, mithin, wenn etwa in ihnen ein Erkenntnis a priori vorkäme, die Wahrheit, oder Übereinstimmung derselben mit dem Objekte, in concreto, d. i. i h r e W i r k l i c h k e i t zeigen, von der alsdenn zu dem Grunde ihrer Möglichkeit auf dem analytischen Wege fortgegangen werden könnte. Dies erleichtert das Geschäfte sehr, in welchem die allgemeine Betrachtungen nicht allein auf Facta angewandt werden, sondern sogar von ihnen ausgehen, anstatt daß sie in synthetischem Verfahren gänzlich in abstracto aus Begriffen abgeleitet werden müssen.

Um aber von diesen wirklichen und zugleich gegründeten reinen Erkenntnissen a priori zu einer möglichen, die wir suchen, nämlich einer Metaphysik, als Wissenschaft, aufzusteigen, haben wir nötig, das, was sie veranlaßt, und als bloß natürlich gegebene, obgleich wegen ihrer Wahrheit nicht unverdächtige, Erkenntnis a priori jener zum Grunde liegt, deren Bearbeitung ohne alle kritische Untersuchung ihrer

[29] Ak: sind

Möglichkeit gewöhnlichermaßen schon Metaphysik genannt wird, mit einem Worte die Naturanlage zu einer solchen Wissenschaft unter unserer Hauptfrage mit zu begreifen, und so wird die transzendentale Hauptfrage in vier andere Fragen zerteilt nach und nach beantwortet werden. |

1. Wie ist reine Mathematik möglich?
2. Wie ist reine Naturwissenschaft möglich?
3. Wie ist Metaphysik überhaupt möglich?
4. Wie ist Metaphysik als Wissenschaft möglich?

Man siehet, daß, wenngleich die Auflösung dieser Aufgaben hauptsächlich den wesentlichen Inhalt der Kritik darstellen soll, sie dennoch auch etwas Eigentümliches habe, welches auch vor sich allein der Aufmerksamkeit würdig ist, nämlich zu gegebenen Wissenschaften die Quellen in der Vernunft selbst zu suchen, um dadurch dieser ihr Vermögen, etwas a priori zu erkennen, vermittelst der Tat selbst zu erforschen und auszumessen; wodurch denn diese Wissenschaften selbst, wenn gleich nicht in Ansehung ihres Inhalts, doch, was ihren richtigen Gebrauch betrifft, gewinnen, und, indem sie einer höheren Frage, wegen ihres gemeinschaftlichen Ursprungs, Licht[30] verschaffen, zugleich Anlaß geben, ihre eigene Natur besser aufzuklären.

---

[30] Ak: Licht zu

[47–48]

Der transzendentalen Hauptfrage
Erster Teil
Wie ist reine Mathematik möglich?

§ 6

Hier ist nun eine große und bewährte Erkenntnis, die schon jetzt von bewundernswürdigem Umfange ist, | und unbegrenzte Ausbreitung auf die Zukunft verspricht, die durch und durch apodiktische Gewißheit, d. i. absolute Notwendigkeit, bei sich führet, also auf keinen Erfahrungsgründen beruht, mithin ein reines Produkt der Vernunft, überdem aber durch und durch synthetisch ist; »Wie ist es nun der menschlichen Vernunft möglich, eine solche Erkenntnis gänzlich a priori zu Stande zu bringen?« Setzt dieses Vermögen, da es sich nicht auf Erfahrung fußt, noch fußen kann, nicht irgend einen Erkenntnisgrund a priori voraus, der tief verborgen liegt, der sich aber durch diese seine Wirkungen offenbaren dürfte, wenn man den ersten Anfängen derselben nur fleißig nachspürete?

§ 7

Wir finden aber, daß alle mathematische Erkenntnis dieses Eigentümliche habe, daß sie ihren Begriff vorher in der Anschauung, und zwar a priori, mithin einer solchen, die nicht empirisch, sondern reine Anschauung ist, darstellen müsse, ohne welches Mittel sie nicht einen einzigen Schritt tun kann; daher ihre Urteile jederzeit intuitiv sind, anstatt daß Philosophie sich mit diskursiven Urteilen aus bloßen Begriffen begnügen, und[31] ihre apodiktische Lehren wohl durch Anschauung erläutern, niemals aber daher ableiten kann. Diese Beobachtung in Ansehung der Natur der

---

[31] Ak: Urtheilen, aus bloßen Begriffen, begnügen muß und

Mathematik gibt uns nun schon eine Leitung auf die erste und oberste Bedingung ihrer Möglichkeit: nämlich, es muß ihr irgend eine reine Anschauung zum | Grunde liegen, in welcher sie alle ihre Begriffe in concreto, und dennoch a priori darstellen, oder, wie man es nennt, sie konstruieren kann.* Können wir diese reine Anschauung, und die Möglichkeit einer solchen ausfinden, so erklärt sich daraus leicht, wie synthetische Sätze a priori in der reinen Mathematik, und mithin auch, wie diese Wissenschaft selbst möglich sei; denn, so wie die empirische Anschauung es ohne Schwierigkeit möglich macht, daß wir unseren Begriff, den wir uns von einem Objekt der Anschauung machen, durch neue Prädikate, die die Anschauung selbst darbietet, in der Erfahrung synthetisch erweitern, so wird es auch die reine Anschauung tun, nur mit dem Unterschiede: daß im letztern Falle das synthetische Urteil a priori gewiß und apodiktisch, im ersteren aber nur a posteriori und empirisch gewiß sein wird, weil diese nur das enthält, was in der zufälligen empirischen Anschauung angetroffen wird, jene aber, was in der reinen notwendig angetroffen werden muß, indem sie, als Anschauung a priori, mit dem Begriffe vor aller Erfahrung oder einzelnen Wahrnehmung unzertrennlich verbunden ist.

§ 8

Allein die Schwierigkeit scheint bei diesem Schritte eher zu wachsen, als abzunehmen. Denn nunmehro lautet die Frage: wie ist es möglich, etwas a priori anzuschauen? Anschauung ist eine Vorstellung, so wie sie | unmittelbar von der Gegenwart des Gegenstandes abhängen würde. Daher scheinet es unmöglich, a priori ursprünglich anzuschauen, weil die Anschauung alsdenn ohne einen weder vorher, noch jetzt gegenwärtigen Gegen-

* Siehe Kritik S. 713.

stand, worauf sie sich bezöge, stattfinden müßte, und also nicht Anschauung sein könnte. Begriffe sind zwar von der Art, daß wir uns einige derselben, nämlich die, so nur das Denken eines Gegenstandes überhaupt enthalten, ganz wohl a priori machen können, ohne daß wir uns in einem unmittelbaren Verhältnisse zum Gegenstande befänden, z. B. den Begriff von Größe, von Ursach etc., aber selbst diese bedürfen doch, um ihnen Bedeutung und Sinn zu verschaffen, einen gewissen Gebrauch in concreto, d. i. Anwendung auf irgend eine Anschauung, dadurch uns ein Gegenstand derselben gegeben wird. Allein wie kann A n s c h a u u n g des Gegenstandes vor dem Gegenstande selbst vorhergehen?

§ 9

Müßte unsre Anschauung von der Art sein, daß sie Dinge vorstellte, s o w i e s i e a n s i c h s e l b s t s i n d, so würde gar keine Anschauung a priori stattfinden, sondern sie wäre allemal empirisch. Denn was in dem Gegenstande an sich selbst enthalten sei, kann ich nur wissen, wenn er mir gegenwärtig und gegeben ist. Freilich ist es auch alsdenn unbegreiflich, wie die Anschauung einer gegenwärtigen Sache mir diese sollte zu erkennen geben, wie sie an sich ist, | da ihre Eigenschaften nicht in meine Vorstellungskraft hinüber wandern können; allein die Möglichkeit davon eingeräumt, so würde doch dergleichen Anschauung nicht a priori stattfinden, d. i. ehe mir noch der Gegenstand vorgestellt würde: denn ohne das kann kein Grund der Beziehung meiner Vorstellung auf ihn erdacht werden, sie müßten denn auf Eingebung beruhen. Es ist also nur auf eine einzige Art möglich, daß meine Anschauung vor der Wirklichkeit des Gegenstandes vorhergehe, und als Erkenntnis a priori stattfinde, w e n n s i e n ä m l i c h n i c h t s a n d e r s e n t h ä l t, a l s d i e F o r m d e r S i n n l i c h k e i t, d i e i n m e i n e m S u b j e k t v o r a l l e n w i r k l i c h e n E i n d r ü c k e n v o r h e r g e h t, d a -

durch ich von Gegenständen affiziert werde. Denn daß Gegenstände der Sinne dieser Form der Sinnlichkeit gemäß allein angeschaut werden können, kann ich a priori wissen. Hieraus folgt: daß Sätze, die bloß diese Form der sinnlichen Anschauung betreffen, von Gegenständen der Sinne möglich und gültig sein werden, imgleichen umgekehrt, daß Anschauungen, die a priori möglich sein[32], niemals andere Dinge, als Gegenstände unsrer Sinne, betreffen können.

§ 10

Also ist es nur die Form der sinnlichen Anschauung, dadurch wir a priori Dinge anschauen können, wodurch wir aber auch die Objekte nur erkennen, wie sie uns (unsern Sinnen) e r s c h e i n e n können, nicht wie sie an sich sein mö|gen, und diese Voraussetzung ist schlechterdings notwendig, wenn synthetische Sätze a priori als möglich eingeräumt, oder im Falle sie wirklich angetroffen werden, ihre Möglichkeit begriffen und zum voraus bestimmt werden soll.

Nun sind Raum und Zeit diejenigen Anschauungen, welche die reine Mathematik allen ihren Erkenntnissen, und Urteilen, die zugleich als apodiktisch und notwendig auftreten, zum Grunde legt; denn Mathematik muß alle ihre Begriffe zuerst in der Anschauung, und reine Mathematik in der reinen Anschauung darstellen, d. i. sie konstruieren, ohne welche (weil sie nicht analytisch, nämlich durch Zergliederung der Begriffe, sondern synthetisch[33] verfahren kann) es ihr unmöglich ist, einen Schritt zu tun, so lange ihr nämlich reine Anschauung fehlt, in der allein der Stoff zu synthetischen Urteilen a priori gegeben werden kann. Geometrie legt die reine Anschauung des Raums zum Grunde. Arithmetik bringt selbst ihre Zahlbegriffe durch sukzessive Hinzuset-

---

[32] Ak: sind
[33] Ak *erwägt:* sondern nur synthetisch

zung der Einheiten in der Zeit zu Stande, vornehmlich aber
reine Mechanik kann ihre Begriffe von Bewegung nur vermittelst der Vorstellung der Zeit zu Stande bringen. Beide Vorstellungen aber sind bloß Anschauungen; denn wenn man
von den empirischen Anschauungen der Körper und ihrer
Veränderungen (Bewegung) alles Empirische, nämlich was
zur Empfindung gehört, wegläßt, so bleiben noch Raum und
Zeit übrig, welche also reine Anschauungen sind, die jenen a
priori zum Grunde liegen, und da|her selbst niemals weg-
gelassen werden können, aber eben dadurch, daß sie reine
Anschauungen a priori sind, beweisen, daß sie bloße Formen
unserer Sinnlichkeit sind, die vor aller empirischen Anschauung, d. i. der Wahrnehmung wirklicher Gegenstände, vorhergehen müssen, und denen gemäß Gegenstände a priori
erkannt werden können, aber freilich nur, wie sie uns erscheinen.

§ 11

Die Aufgabe des gegenwärtigen Abschnitts ist also aufgelöset. Reine Mathematik ist, als synthetische Erkenntnis a
priori, nur dadurch möglich, daß sie auf keine andere als
bloße Gegenstände der Sinne geht, deren empirischer Anschauung eine reine Anschauung (des Raums und der Zeit)
und zwar a priori zum Grunde liegt, und darum zum Grunde
liegen kann, weil diese nichts anders als die bloße Form der
Sinnlichkeit ist, welche vor der wirklichen Erscheinung der
Gegenstände vorhergeht, indem sie dieselbe in der Tat allererst möglich macht. Doch betrifft dieses Vermögen, a priori
anzuschauen, nicht die Materie der Erscheinung, d. i. das,
was in ihr Empfindung ist, denn diese macht das Empirische
aus, sondern nur die Form derselben, Raum und Zeit. Wollte
man im mindesten daran zweifeln, daß beide gar keine den
Dingen an sich selbst, sondern nur bloße ihrem Verhältnisse zur Sinnlichkeit anhängende Bestimmungen sein[34], so

---

[34] Ak: sind

möchte ich gerne wissen, wie man es möglich finden kann, a priori, und also | vor aller Bekanntschaft mit den Dingen, ehe sie nämlich uns gegeben sind, zu wissen, wie ihre Anschauung beschaffen sein müsse, welches doch hier der Fall mit Raum und Zeit ist. Dieses ist aber ganz begreiflich, sobald beide vor nichts weiter, als formale Bedingungen unserer Sinnlichkeit, die Gegenstände aber bloß vor Erscheinungen gelten, denn alsdenn kann die Form der Erscheinung, d. i. die reine Anschauung, allerdings aus uns selbst, d. i. a priori, vorgestellt werden.

§ 12

Um etwas zur Erläuterung und Bestätigung beizufügen, darf man nur das gewöhnliche und unumgänglich notwendige Verfahren der Geometern ansehen. Alle Beweise von durchgängiger Gleichheit zweier gegebenen Figuren (da eine in allen Stücken an die Stelle der andern gesetzt werden kann) laufen zuletzt darauf hinaus, daß sie einander decken; welches offenbar nichts anders, als ein auf der unmittelbaren Anschauung beruhender synthetischer Satz ist, und diese Anschauung muß rein und a priori gegeben werden, denn sonst könnte jener Satz nicht vor apodiktisch gewiß gelten, sondern hätte nur empirische Gewißheit. Es würde nur heißen: man bemerkt es jederzeit so, und er gilt nur so weit, als unsre Wahrnehmung bis dahin sich erstreckt hat. Daß der vollständige Raum (der selbst keine Grenze eines anderen Raumes mehr ist) drei Abmessungen habe, und Raum überhaupt auch nicht mehr | derselben haben könne, wird auf den Satz gebaut, daß sich in einem Punkte nicht mehr als drei Linien rechtwinklicht schneiden können; dieser Satz aber kann gar nicht aus Begriffen dargetan werden, sondern beruht unmittelbar auf Anschauung, und zwar reiner a priori, weil er apodiktisch gewiß ist, daß man verlangen kann, eine Linie solle ins Unendliche gezogen (in indefinitum), oder eine

Reihe Veränderungen (z. B. durch Bewegung zurückgelegte Räume) solle ins Unendliche fortgesetzt werden, setzt doch eine Vorstellung des Raumes und der Zeit voraus, die bloß an der Anschauung hängen kann, nämlich sofern sie an sich durch nichts begrenzt ist; denn aus Begriffen könnte sie nie geschlossen werden. Also liegen doch wirklich der Mathematik reine Anschauungen a priori zum Grunde, welche ihre synthetische und apodiktisch geltende Sätze möglich machen, und daher erklärt unsere transzendentale Deduktion der Begriffe im[35] Raum und Zeit zugleich die Möglichkeit einer reinen Mathematik, die, ohne eine solche Deduktion, und, ohne daß wir annehmen, »alles, was unsern Sinnen gegeben werden mag (den äußeren im Raume, dem inneren in der Zeit), werde von uns nur angeschauet, wie es uns erscheinet, nicht wie es an sich selbst ist«, zwar eingeräumt, aber keinesweges eingesehen werden könnte.

§ 13

Diejenigen, welche noch nicht von dem Begriffe loskommen können, als ob Raum und Zeit wirkliche Beschaf|fenheiten wären, die den Dingen an sich selbst anhingen, können ihre Scharfsinnigkeit an folgendem Paradoxon üben, und, wenn sie dessen Auflösung vergebens versucht haben, wenigstens auf einige Augenblicke von Vorurteilen frei, vermuten, daß doch vielleicht die Abwürdigung des Raumes und der Zeit zu bloßen Formen unsrer sinnlichen Anschauung Grund haben möge.

Wenn zwei Dinge in allen Stücken, die an jedem vor sich nur immer können erkannt werden (in allen zur Größe und Qualität gehörigen Bestimmungen) völlig einerlei sind, so muß doch folgen, daß eins in allen Fällen und Beziehungen an die Stelle des andern könne gesetzt werden, ohne daß diese

---

[35] Ak *erwägt:* von

Vertauschung den mindesten kenntlichen Unterschied verursachen würde. In der Tat verhält sich dies auch so mit ebenen Figuren in der Geometrie; allein verschiedene sphärische zeigen, ohnerachtet jener völligen innern Übereinstimmung, doch eine solche[36] im äußeren Verhältnis, daß sich eine an die Stelle der andern gar nicht setzen läßt, z. B. zwei sphärische Triangel von beiden Hemisphären, die einen Bogen des Äquators zur gemeinschaftlichen Basis haben, können völlig gleich sein, in Ansehung der Seiten sowohl als Winkel, so daß an keinem, wenn er allein und zugleich vollständig beschrieben wird, nichts angetroffen wird, was nicht zugleich in der Beschreibung des andern läge, und dennoch kann einer nicht an die Stelle des andern (nämlich auf dem entgegengesetzten Hemisphär) gesetzt werden, und hier ist denn doch eine i n n e | r e Verschiedenheit beider Triangel, die kein Verstand als innerlich angeben kann, und die sich nur durch das äußere Verhältnis im Raume offenbaret. Allein ich will gewöhnlichere Fälle anführen, die aus dem gemeinen Leben genommen werden können.

Was kann wohl meiner Hand oder meinem Ohr ähnlicher, und in allen Stücken gleicher sein, als ihr Bild im Spiegel? Und dennoch kann ich eine solche Hand, als im Spiegel gesehen wird, nicht an die Stelle ihres Urbildes setzen; denn wenn dieses eine rechte Hand war, so ist jene im Spiegel eine linke, und das Bild des rechten Ohres ist ein linkes, das nimmermehr die Stelle des ersteren vertreten kann. Nun sind hier keine innre Unterschiede, die irgend ein Verstand nur denken könnte; und dennoch sind die Unterschiede innerlich, so weit die Sinne lehren, denn die linke Hand kann mit der rechten, ohnerachtet aller beiderseitigen Gleichheit und Ähnlichkeit, doch nicht zwischen denselben Grenzen eingeschlossen sein, (sie können nicht kongruieren) der Handschuh der einen Hand kann nicht auf der andern gebraucht werden. Was ist nun die Auflösung? Diese Gegenstände sind nicht etwa Vor-

---

[36] Ak: solche Verschiedenheit

stellungen der Dinge, wie sie an sich selbst sind, und wie sie
der pure Verstand erkennen würde, sondern es sind sinnliche
Anschauungen, d. i. Erscheinungen, deren Möglichkeit auf
dem Verhältnisse gewisser an sich unbekannten Dinge zu
etwas anderem, nämlich unserer Sinnlichkeit beruht. Von
dieser ist nun der Raum die Form der äußern Anschauung,
und | die innere Bestimmung eines jeden Raumes ist nur
durch die Bestimmung des äußeren Verhältnisses zu dem ganzen Raume, davon jener ein Teil ist, (dem Verhältnisse zum
äußeren Sinne) d. i. der Teil ist nur durchs Ganze möglich,
welches bei Dingen an sich selbst, als Gegenständen des bloßen Verstandes niemals, wohl aber bei bloßen Erscheinungen
stattfindet. Wir können daher auch den Unterschied ähnlicher und gleicher, aber doch inkongruenter Dinge (z. B.
widersinnig gewundener Schnecken) durch keinen einzigen
Begriff verständlich machen, sondern nur durch das Verhältnis zur rechten und linken Hand, welches unmittelbar auf
Anschauung geht.

Anmerkung I

Die reine Mathematik, und namentlich die reine Geometrie, kann nur unter der Bedingung allein objektive Realität
haben, daß sie bloß auf Gegenstände der Sinne geht, in Ansehung deren aber der Grundsatz feststeht: daß unsre sinnliche
Vorstellung keinesweges eine Vorstellung der Dinge an sich
selbst, sondern nur der Art sei, wie sie uns erscheinen. Daraus
folgt, daß die Sätze der Geometrie nicht etwa Bestimmungen
eines bloßen Geschöpfs unserer dichtenden Phantasie sind
und[37] also nicht mit Zuverlässigkeit auf wirkliche Gegenstände könnten bezogen werden, sondern daß sie notwendiger Weise vom Raume, und darum auch von allem, was im
Raume angetroffen werden mag, gelten, weil der Raum nichts
anders ist, als die Form aller äußeren Erscheinungen, unter

[37] A: Phantasie, und

der uns allein | Gegenstände der Sinne gegeben werden können. Die Sinnlichkeit, deren Form die Geometrie zum Grunde legt, ist das, worauf die Möglichkeit äußerer Erscheinungen beruht; diese also können niemals etwas anderes enthalten, als was die Geometrie ihnen vorschreibt. Ganz anders würde es sein, wenn die Sinne die Objekte vorstellen müßten, wie sie an sich selbst sind. Denn da würde aus der Vorstellung vom Raume, die der Geometer a priori mit allerlei Eigenschaften desselben zum Grunde legt, noch gar nicht folgen, daß alles dieses samt dem, was daraus gefolgert wird, sich gerade so in der Natur verhalten müsse. Man würde den Raum des Geometers vor bloße Erdichtung halten, und ihm keine objektive Gültigkeit zutrauen; weil man gar nicht einsieht, wie Dinge notwendig mit dem Bilde, das wir uns von selbst und zum voraus von ihnen machen, übereinstimmen müßten. Wenn aber dieses Bild, oder vielmehr diese formale Anschauung, die wesentliche Eigenschaft unserer Sinnlichkeit ist, vermittelst deren uns allein Gegenstände gegeben werden, diese Sinnlichkeit aber nicht Dinge an sich selbst, sondern nur ihre Erscheinungen vorstellt, so ist ganz leicht zu begreifen, und zugleich unwidersprechlich bewiesen: daß alle äußere Gegenstände unsrer Sinnenwelt notwendig mit den Sätzen der Geometrie nach aller Pünktlichkeit übereinstimmen müssen, weil die Sinnlichkeit durch ihre Form äußerer Anschauung, (den Raum) womit sich der Geometer beschäftigt, jene Gegenstände, als bloße Erscheinungen | selbst allererst möglich macht. Es wird allemal ein bemerkungswürdiges Phänomen in der Geschichte der Philosophie bleiben, daß es eine Zeit gegeben hat, da selbst Mathematiker, die zugleich Philosophen waren, zwar nicht an der Richtigkeit ihrer geometrischen Sätze, sofern sie bloß den Raum beträfen, aber an der objektiven Gültigkeit und Anwendung dieses Begriffs selbst und aller geometrischen Bestimmungen desselben auf Natur zu zweifeln anfingen, da sie besorgten, eine Linie in der Natur möchte doch wohl aus physischen Punkten, mithin der wahre Raum im Objekte aus einfachen Teilen bestehen, obgleich der Raum, den der Geometer in Gedanken hat, daraus keinesweges bestehen kann. Sie erkannten nicht, daß dieser Raum in Gedanken den physischen, d. i. die Ausdehnung der Materie selbst möglich mache: daß dieser gar keine Beschaffenheit der Dinge an sich selbst, sondern nur eine Form unserer sinnlichen Vorstellungskraft sei: daß alle Gegenstände im Raume bloße Erscheinungen, d. i. nicht Dinge an sich selbst, sondern Vorstellungen unsrer sinnlichen Anschauung sein[38], und, da der Raum, wie ihn sich der Geometer denkt, ganz genau die Form der sinnlichen Anschauung ist, die wir a priori in uns finden, und die den Grund der Möglichkeit aller äußern Erscheinungen (ihrer Form nach) enthält, diese notwendig und auf das präziseste mit den Sätzen des Geometers, die er aus keinem erdichteten Begriff, sondern aus der subjektiven Grundlage aller äußern Erscheinungen, nämlich der Sinnlichkeit selbst zieht, | zusammen stimmen müssen. Auf solche und keine andre Art kann der Geometer wider alle Schikanen einer seichten Metaphysik, wegen der ungezweifelten objektiven Realität seiner Sätze gesichert werden, so befremdend sie auch dieser, weil sie nicht bis zu den Quellen ihrer Begriffe zurückgeht, scheinen müssen.

Anmerkung II

Alles, was uns als Gegenstand gegeben werden soll, muß uns in der Anschauung gegeben werden. Alle unsere Anschauung geschieht aber nur vermittelst der Sinne; der Verstand schauet nichts an, sondern reflektiert nur. Da nun die Sinne nach dem jetzt Erwiesenen uns niemals und in keinem einzigen Stück die Dinge an sich selbst, sondern nur ihre Erscheinungen zu erkennen geben, diese aber bloße Vorstellungen der Sinnlichkeit sind, »so müssen auch alle Körper mitsamt dem Raume, darin sie sich befinden, vor nichts als

[38] Ak: seien

bloße Vorstellungen in uns gehalten werden, und existieren nirgend anders, als bloß in unsern Gedanken«. Ist dieses nun nicht der offenbare Idealismus?

Der Idealismus besteht in der Behauptung, daß es keine andere als denkende Wesen gebe, die übrige Dinge, die wir in der Anschauung wahrzunehmen glauben, wären nur Vorstellungen in den denkenden Wesen, denen in der Tat kein außerhalb diesen befindlicher Gegenstand korrespondierete. Ich dagegen sage: es sind uns Dinge als außer uns befindliche Gegenstände unserer Sinne gege|ben, allein von dem, was sie an sich selbst sein mögen, wissen wir nichts, sondern kennen nur ihre Erscheinungen, d. i. die Vorstellungen, die sie in uns wirken, indem sie unsere Sinne affizieren. Demnach gestehe ich allerdings, daß es außer uns Körper gebe, d. i. Dinge, die, obzwar nach dem, was sie an sich selbst sein mögen, uns gänzlich unbekannt, wir durch die Vorstellungen kennen, welche ihr Einfluß auf unsre Sinnlichkeit uns verschafft, und denen wir die Benennung eines Körpers geben, welches Wort also bloß die Erscheinung jenes uns unbekannten, aber nichts desto weniger wirklichen Gegenstandes bedeutet. Kann man dieses wohl Idealismus nennen? Es ist ja gerade das Gegenteil davon.

Daß man, unbeschadet der wirklichen Existenz äußerer Dinge, von einer Menge ihrer Prädikate sagen könne: sie gehöreten nicht zu diesen Dingen an sich selbst, sondern nur zu ihren Erscheinungen, und hätten außer unserer Vorstellung keine eigene Existenz, ist etwas, was schon lange vor Lockes Zeiten, am meisten aber nach diesen, allgemein angenommen und zugestanden ist. Dahin gehören die Wärme, die Farbe, der Geschmack etc. Daß ich aber noch über diese, aus wichtigen Ursachen, die übrigen Qualitäten der Körper, die man primarias nennt, die Ausdehnung, den Ort, und überhaupt den Raum, mit allem was ihm anhängig ist, (Undurchdringlichkeit oder Materialität, Gestalt etc.) auch mit zu bloßen Erscheinungen zähle, dawider kann man nicht den mindesten Grund der Unzulässig|keit anführen,

und so wenig, wie der, so die Farben nicht als Eigenschaften,
die dem Objekt an sich selbst, sondern nur dem Sinn des
Sehens als Modifikationen anhängen, will gelten lassen,
darum ein Idealist heißen kann: so wenig kann mein Lehrbegriff idealistisch heißen, bloß deshalb, weil ich finde, daß
noch mehr, ja alle Eigenschaften, die die Anschauung eines Körpers ausmachen, bloß zu seiner Erscheinung gehören; denn die Existenz des Dinges, was
erscheint, wird dadurch nicht wie beim wirklichen Idealism
aufgehoben, sondern nur gezeigt, daß wir es, wie es an sich
selbst sei, durch Sinne gar nicht erkennen können.

Ich möchte gerne wissen, wie denn meine Behauptungen
beschaffen sein müßten, damit sie nicht einen Idealism ent-
hielten. Ohne Zweifel müßte ich sagen: daß die Vorstellung[39]
vom Raume nicht bloß dem Verhältnisse, was unsre Sinnlichkeit zu den Objekten hat, vollkommen gemäß sei, denn das
habe ich gesagt, sondern daß sie sogar dem Objekt völlig
ähnlich sei; eine Behauptung, mit der ich keinen Sinn verbinden kann, so wenig, als daß die Empfindung des Roten mit
der Eigenschaft des Zinnobers, der diese Empfindung in mir
erregt, eine Ähnlichkeit habe.

Anmerkung III

Hieraus läßt sich nun ein leicht vorherzusehender, aber
nichtiger, Einwurf gar leicht abweisen: »daß nämlich durch
die Idealität des Raums und der Zeit die ganze | Sinnenwelt in
lauter Schein verwandelt werden würde«. Nachdem man
nämlich zuvörderst alle philosophische Einsicht von der
Natur der sinnlichen Erkenntnis dadurch verdorben hatte,
daß man die Sinnlichkeit bloß in einer verworrenen Vorstellungsart setzte, nach der wir die Dinge immer noch erkenne-
ten, wie sie sind, nur ohne das Vermögen zu haben, alles in

---

[39] A: Vorstellungen

dieser unserer[40] Vorstellung zum klaren Bewußtsein zu bringen: dagegen von uns bewiesen worden, daß Sinnlichkeit
nicht in diesem logischen Unterschiede, der Klarheit oder
Dunkelheit, sondern in dem genetischen des Ursprungs
der Erkenntnis selbst, bestehe, da sinnliche Erkenntnis die
Dinge gar nicht vorstellt, wie sie sind, sondern nur die Art,
wie sie unsere Sinnen affizieren, und also daß durch sie
bloß Erscheinungen, nicht die Sachen selbst dem Verstande
zur Reflexion gegeben werden: Nach dieser notwendigen
Berichtigung regt sich ein aus unverzeihlicher und beinahe
vorsätzlicher Mißdeutung entspringender Einwurf, als wenn
mein Lehrbegriff alle Dinge der Sinnenwelt in lauter Schein
verwandelte.

Wenn uns Erscheinung gegeben ist, so sind wir noch ganz
frei, wie wir die Sache daraus beurteilen wollen. Jene, nämlich Erscheinung, beruhete auf den Sinnen, diese Beurteilung
aber auf dem Verstande, und es frägt sich nur, ob in der
Bestimmung des Gegenstandes Wahrheit sei oder nicht. Der
Unterschied aber zwischen Wahrheit und Traum, wird nicht
durch die Beschaffenheit der Vorstellungen, die auf Gegen-
stände bezogen werden, | ausgemacht, denn die sind in beiden
einerlei, sondern durch die Verknüpfung derselben nach
denen Regeln, welche den Zusammenhang der Vorstellungen
in dem Begriffe eines Objekts bestimmen, und wiefern sie in
einer Erfahrung beisammen stehen können oder nicht. Und
da liegt es gar nicht an den Erscheinungen, wenn unsere
Erkenntnis den Schein vor Wahrheit nimmt, d. i. wenn Anschauung, wodurch uns ein Objekt gegeben wird, vor Begriff vom Gegenstande, oder auch der Existenz desselben,
die der Verstand nur denken kann, gehalten wird. Den Gang
der Planeten stellen uns die Sinne bald rechtläufig, bald rück-
läufig vor, und hierin ist weder Falschheit noch Wahrheit,
weil, so lange man sich bescheidet, daß dieses vorerst nur
Erscheinung ist, man über die objektive Beschaffenheit ihrer

---

[40] A: unseren Ak: unserer

Bewegung noch gar nicht urteilt. Weil aber, wenn der Verstand nicht wohl darauf Acht hat, zu verhüten, daß diese subjektive Vorstellungsart nicht vor objektiv gehalten werde, leichtlich ein falsches Urteil entspringen kann, so sagt man: sie scheinen zurückzugehen; allein der Schein kommt nicht auf Rechnung der Sinne, sondern des Verstandes, dem es allein zukommt, aus der Erscheinung ein objektives Urteil zu fällen.

Auf solche Weise, wenn wir auch gar nicht über den Ursprung unserer Vorstellungen nachdächten, und unsre Anschauungen der Sinne, sie mögen enthalten, was sie wollen, im Raume und Zeit nach Regeln des Zusammenhanges aller Erkenntnis in einer Erfahrung verknüpfen; so kann, | nachdem wir unbehutsam oder vorsichtig sein[41], trüglicher Schein oder Wahrheit entspringen; das geht lediglich den Gebrauch sinnlicher Vorstellungen im Verstande, und nicht ihren Ursprung an. Ebenso, wenn ich alle Vorstellungen der Sinne samt ihrer Form, nämlich Raum und Zeit, vor nichts als Erscheinungen, und die letztern vor eine bloße Form der Sinnlichkeit halte, die außer ihr an den Objekten gar nicht angetroffen wird, und ich bediene mich derselben Vorstellungen nur in Beziehung auf mögliche Erfahrung, so ist darin nicht die mindeste Verleitung zum Irrtum, oder ein Schein enthalten, daß ich sie vor bloße Erscheinungen halte[42]; denn sie können dessen ungeachtet nach Regeln der Wahrheit in der Erfahrung richtig zusammenhängen. Auf solche Weise gelten alle Sätze der Geometrie vom Raume ebenso wohl von allen Gegenständen der Sinne, mithin in Ansehung aller möglichen Erfahrung, ob ich den Raum als eine bloße Form der Sinnlichkeit, oder als etwas an den Dingen selbst Haftendes ansehe; wiewohl ich im ersteren Falle allein begreifen kann, wie es möglich sei, jene Sätze von allen Gegenständen der äußeren Anschauung a priori zu wissen; sonst bleibt in Ansehung aller nur möglichen Erfahrung alles ebenso, wie, wenn

[41] Ak: sind
[42] A: enthalte

ich diesen Abfall von der gemeinen Meinung gar nicht unternommen hätte.

Wage ich es aber mit meinen Begriffen von Raum und Zeit über alle mögliche Erfahrung hinauszugehen, welches unvermeidlich ist, wenn ich sie vor Beschaffenheiten | ausgebe, die den Dingen an sich selbst anhingen, (denn was sollte mich da hindern, sie auch von eben denselben Dingen, meine Sinnen möchten nun auch anders eingerichtet sein und vor sie passen oder nicht, dennoch gelten zu lassen?)[43] alsdenn kann ein wichtiger Irrtum entspringen, der auf einem Scheine beruht, da ich das, was eine bloß meinem Subjekt anhangende Bedingung der Anschauung der Dinge war, und sicher vor alle Gegenstände der Sinne, mithin alle nur mögliche Erfahrung galt, vor allgemein gültig ausgab, weil ich sie auf die Dinge an sich selbst bezog, und nicht auf Bedingungen der Erfahrung einschränkte.

Also ist es so weit gefehlt, daß meine Lehre von der Idealität des Raumes und der Zeit die ganze Sinnenwelt zum bloßen Scheine mache, daß sie vielmehr das einzige Mittel ist, die Anwendung einer der allerwichtigsten Erkenntnisse, nämlich derjenigen, welche Mathematik a priori vorträgt, auf wirkliche Gegenstände zu sichern, und zu verhüten, daß sie nicht vor bloßen Schein gehalten werde, weil ohne diese Bemerkung es ganz unmöglich wäre auszumachen, ob nicht die Anschauungen von Raum und Zeit, die wir von keiner Erfahrung entlehnen, und die dennoch[44] in unserer Vorstellung a priori liegen, bloße selbstgemachte Hirngespinste wären, denen gar kein Gegenstand wenigstens nicht adäquat korrespondierte, und ³lso Geometrie selbst ein bloßer Schein sei, dagegen ihre unstreitige Gültigkeit in Ansehung aller Gegenstände der Sin|nenwelt, eben darum, weil diese bloße Erscheinungen sind, von uns hat dargetan werden können.

Es ist zweitens so weit gefehlt, daß diese meine Prinzipien darum, weil sie aus den Vorstellungen der Sinne Erscheinun-

---

[43] A: lassen? alsdenn
[44] Ak *erwägt:* demnach

gen machen, statt der Wahrheit der Erfahrung sie in bloßen Schein verwandeln sollten, daß sie vielmehr das einzige Mittel sein[45], den transzendentalen Schein zu verhüten, wodurch Metaphysik von jeher getäuscht, und eben dadurch zu den kindischen Bestrebungen verleitet worden, nach Seifenblasen zu haschen, weil man Erscheinungen, die doch bloße Vorstellungen sind, vor Sachen an sich selbst nahm, woraus alle jene merkwürdige Auftritte der Antinomie der Vernunft erfolgt sind, davon ich weiterhin Erwähnung tun werde, und die durch jene einzige Bemerkung gehoben wird: daß Erscheinung, so lange als sie in der Erfahrung gebraucht wird, Wahrheit, sobald sie aber über die Grenze derselben hinausgeht und transzendent wird, nichts als lauter Schein hervorbringt.

Da ich also den Sachen, die wir uns durch Sinne vorstellen, ihre Wirklichkeit lasse, und nur unsre sinnliche Anschauung von diesen Sachen dahin einschränke, daß sie in gar keinem Stücke, selbst nicht in den reinen Anschauungen von Raum und Zeit, etwas mehr als bloß Erscheinung jener Sachen, niemals aber die Beschaffenheit derselben an ihnen selbst vorstelle[46], so ist dies kein der Natur von mir angedichteter durchgängiger Schein, und meine | Protestation wider alle Zumutung eines Idealism ist so bündig[47] und einleuchtend, daß sie sogar überflüssig scheinen würde, wenn es nicht unbefugte Richter gäbe, die, indem sie vor jede Abweichung von ihrer verkehrten, obgleich gemeinen Meinung gerne einen alten Namen haben möchten, und niemals über den Geist der philosophischen Benennungen urteilen, sondern bloß am Buchstaben hingen, bereit ständen, ihren eigenen Wahn an die Stelle wohl bestimmter Begriffe zu setzen, und diese dadurch zu verdrehen und zu verunstalten. Denn daß ich selbst dieser meiner Theorie den Namen eines transzendentalen Idealisms gegeben habe, kann keinen berechtigen, ihn mit

---

[45] Ak: sind
[46] A: vorstellen
[47] A²⁻⁴: bändig

dem empirischen Idealism des Cartes[48] (wiewohl dieser nur
eine Aufgabe war, wegen deren Unauflöslichkeit es, nach
Cartesens[49] Meinung, jedermann frei stand, die Existenz der
körperlichen Welt zu verneinen, weil sie niemals genugtuend
beantwortet werden könnte,) oder mit dem mystischen und
schwärmerischen des B e r k e l e y (wowider und andre ähnliche Hirngespinste unsre Kritik vielmehr das eigentliche
Gegenmittel enthält) zu verwechseln. Denn dieser von mir
sogenannte Idealism betraf nicht die Existenz der Sachen, (die
Bezweifelung derselben aber macht eigentlich den Idealism in
rezipierter Bedeutung aus) denn die zu bezweifeln, ist mir
niemals in den Sinn gekommen, sondern bloß die sinnliche
Vorstellung der Sachen, dazu Raum und Zeit zuoberst gehören, und von diesen, mithin überhaupt von allen E r s c h e i -
n u n g e n, habe ich nur gezeigt: | daß sie nicht Sachen, (son-
dern bloße Vorstellungsarten) auch nicht den Sachen an sich
selbst angehörige Bestimmungen sind. Das Wort transzendental aber, welches bei mir niemals eine Beziehung unserer
Erkenntnis auf Dinge, sondern nur aufs E r k e n n t n i s v e r -
m ö g e n bedeutet, sollte diese Mißdeutung verhüten. Ehe sie
aber dieselbe[50] doch noch fernerhin veranlasse, nehme ich
diese Benennung lieber zurück und will ihn den kritischen
genannt wissen. Wenn es aber ein in der Tat verwerflicher
Idealism ist, wirkliche Sachen, (nicht Erscheinungen) in
bloße Vorstellungen zu verwandeln, mit welchem Namen
will man denjenigen benennen, der umgekehrt bloße Vorstellungen zu Sachen macht? Ich denke, man könne ihn den
t r ä u m e n d e n Idealism nennen, zum Unterschiede von
dem vorigen, der der s c h w ä r m e n d e heißen mag, welche
beide durch meinen, sonst sogenannten transzendentalen,
besser k r i t i s c h e n, Idealism haben abgehalten werden
sollen.

---

[48] Ak: *gesperrt*
[49] Ak: *gesperrt*
[50] A: denselben

Der transzendentalen Hauptfrage
Zweiter Teil
Wie ist reine Naturwissenschaft möglich?

§ 14

Natur ist das Dasein der Dinge, sofern es nach allgemeinen Gesetzen bestimmt ist. Sollte Natur das Dasein der Dinge an sich selbst bedeuten, so würden wir sie niemals, weder a priori noch a posteriori, erkennen | können. Nicht a priori, denn wie wollen wir wissen, was den Dingen an sich selbst zukomme, da dieses niemals durch Zergliederung unserer Begriffe (analytische Sätze) geschehen kann, weil ich nicht wissen will, was in meinem Begriffe von einem Dinge enthalten sei, (denn das gehört zu seinem logischen Wesen) sondern was in der Wirklichkeit des Dinges zu diesem Begriff hinzukomme, und wodurch das Ding selbst in seinem Dasein außer meinem Begriffe bestimmt sei. Mein Verstand, und die Bedingungen, unter denen er allein die Bestimmungen der Dinge in ihrem Dasein verknüpfen kann, schreibt den Dingen selbst keine Regel vor; diese richten sich nicht nach meinem Verstande, sondern mein Verstand müßte sich nach ihnen richten; sie müßten also mir vorher gegeben sein, um diese Bestimmungen von ihnen abzunehmen, alsdenn aber wären sie nicht a priori erkannt.

Auch a posteriori wäre eine solche Erkenntnis der Natur der Dinge an sich selbst unmöglich. Denn wenn mich Erfahrung Gesetze, unter denen das Dasein der Dinge steht, lehren soll, so müßten diese, sofern sie Dinge an sich selbst betreffen, auch außer meiner Erfahrung ihnen notwendig zukommen. Nun lehrt mich die Erfahrung zwar, was dasei, und wie es sei, niemals aber daß es notwendiger Weise so und nicht anders sein müsse. Also kann sie die Natur der Dinge an sich selbst niemals lehren. |

§ 15

Nun sind wir gleichwohl wirklich im Besitze einer reinen Naturwissenschaft, die a priori und mit aller derjenigen Notwendigkeit, welche zu apodiktischen Sätzen erforderlich ist, Gesetze vorträgt, unter denen die Natur steht. Ich darf hier nur diejenige Propädeutik der Naturlehre, die, unter dem Titel der allgemeinen Naturwissenschaft, vor aller Physik (die auf empirische Prinzipien gegründet ist) vorhergeht, zum Zeugen rufen. Darin findet man Mathematik, angewandt auf Erscheinungen, auch bloß diskursive Grundsätze (aus Begriffen), welche den philosophischen Teil der reinen Naturerkenntnis ausmachen. Allein es ist doch auch manches in ihr, was nicht ganz rein und von Erfahrungsquellen unabhängig ist: als der Begriff der Bewegung, der Undurchdringlichkeit (worauf der empirische Begriff der Materie beruht), der Trägheit u. a. m., welche es verhindern, daß sie nicht ganz reine Naturwissenschaft heißen kann; zudem geht sie nur auf die Gegenstände äußerer Sinne, also gibt sie kein Beispiel von einer allgemeinen Naturwissenschaft in strenger Bedeutung, denn die muß die Natur überhaupt, sie mag den Gegenstand äußerer Sinne oder den des innern Sinnes (den Gegenstand der Physik sowohl als Psychologie) betreffen, unter allgemeine Gesetze bringen. Es finden sich aber unter den Grundsätzen jener allgemeinen Physik etliche, die wirklich die Allgemeinheit haben, die wir verlangen, als der Satz: daß die Substanz bleibt und beharrt, daß | alles, was geschieht, jederzeit durch eine Ursache nach beständigen Gesetzen vorher bestimmt sei, u. s. w. Diese sind wirklich allgemeine Naturgesetze, die völlig a priori bestehen. Es gibt also in der Tat eine reine Naturwissenschaft, und nun ist die Frage: wie ist sie möglich?

§ 16

Noch nimmt das Wort N a t u r eine andre Bedeutung an, die nämlich das O b j e k t bestimmt, indessen daß in der obigen Bedeutung sie nur die G e s e t z m ä ß i g k e i t der Bestimmungen des Daseins der Dinge überhaupt andeutete. Natur also materialiter betrachtet ist der I n b e g r i f f a l l e r G e g e n s t ä n d e d e r E r f a h r u n g. Mit dieser haben wir es hier nur zu tun, da ohnedem Dinge, die niemals Gegenstände einer Erfahrung werden können, wenn sie nach ihrer Natur erkannt werden sollten, uns zu Begriffen nötigen würden, deren Bedeutung niemals in concreto (in irgend einem Beispiele einer möglichen Erfahrung) gegeben werden könnte, und von deren[51] Natur wir uns also lauter Begriffe machen müßten, deren Realität, d. i. ob sie wirklich sich auf Gegenstände beziehen, oder bloße Gedankendinge sind, gar nicht entschieden werden könnte. Was nicht ein Gegenstand der Erfahrung sein kann, dessen Erkenntnis wäre hyperphysisch, und mit dergleichen haben wir hier gar nicht zu tun, sondern mit der Naturerkenntnis, deren Realität durch Erfahrung bestätigt werden kann, | ob sie gleich a priori möglich ist, und vor aller Erfahrung vorhergeht.

§ 17

Das F o r m a l e der Natur in dieser engern Bedeutung ist also die Gesetzmäßigkeit aller Gegenstände der Erfahrung, und, sofern sie a priori erkannt wird, die n o t w e n d i g e Gesetzmäßigkeit derselben. Es ist aber eben dargetan: daß die Gesetze der Natur an Gegenständen, sofern sie nicht in Beziehung auf mögliche Erfahrung, sondern als Dinge an sich selbst betrachtet werden, niemals a priori können erkannt werden. Wir haben es aber hier auch nicht mit Dingen an sich

---

[51] A: dessen

Zweiter Teil

selbst (dieser ihre Eigenschaften lassen wir dahin gestellt sein)
sondern bloß mit Dingen, als Gegenständen einer möglichen
Erfahrung zu tun, und der Inbegriff derselben ist es eigentlich, was wir hier Natur nennen. Und nun frage ich, ob, wenn
von der Möglichkeit einer Naturerkenntnis a priori die Rede
ist, es besser sei, die Aufgabe so einzurichten: wie ist die
notwendige Gesetzmäßigkeit d e r D i n g e als Gegenstände
der Erfahrung, oder: wie ist die notwendige Gesetzmäßigkeit
d e r E r f a h r u n g selbst in Ansehung aller ihrer Gegenstände überhaupt a priori zu erkennen möglich?

Beim Lichte besehen, wird die Auflösung der Frage, sie
mag auf die eine oder die andre Art vorgestellt sein, in Ansehung der reinen Naturerkenntnis (die eigentlich den Punkt
der Quästion ausmacht) ganz und gar auf einerlei | hinauslau-
fen. Denn die subjektiven Gesetze, unter denen allein eine
Erfahrungserkenntnis von Dingen möglich ist, gelten auch
von diesen Dingen, als Gegenständen einer möglichen Erfahrung, (freilich aber nicht von ihnen als Dingen an sich selbst,
dergleichen aber hier auch in keine Betrachtung kommen). Es
ist gänzlich einerlei, ob ich sage: ohne das Gesetz, daß, wenn
eine Begebenheit wahrgenommen wird, sie jederzeit auf
etwas, was vorhergeht, bezogen werde, worauf sie nach einer
allgemeinen Regel folgt, kann niemals ein Wahrnehmungsurteil vor Erfahrung gelten; oder ob ich mich so ausdrücke:
alles, wovon die Erfahrung lehrt, daß es geschieht, muß eine
Ursache haben.

Es ist indessen doch schicklicher, die erstere Formel zu
wählen. Denn da wir wohl a priori und vor allen gegebenen Gegenständen eine Erkenntnis derjenigen Bedingungen
haben können, unter denen allein eine Erfahrung in Ansehung ihrer möglich ist, niemals aber, welchen Gesetzen sie,
ohne Beziehung auf mögliche Erfahrung an sich selbst unterworfen sein mögen, so werden wir die Natur der Dinge a
priori nicht anders studieren können, als daß wir die Bedingungen und allgemeine (obgleich subjektive) Gesetze erforschen, unter denen allein ein solches Erkenntnis, als Erfah-

58 [75–76]

rung, (der bloßen Form nach) möglich ist, und darnach die
Möglichkeit der Dinge, als Gegenstände der Erfahrung
bestimmen; denn, würde ich die zweite Art des Ausdrucks
wählen, und die Bedingungen a priori su|chen, unter denen
Natur als Gegenstand der Erfahrung möglich ist, so
würde ich leichtlich in Mißverstand geraten können, und mir
einbilden, ich hätte von der Natur als einem Dinge an sich
selbst zu reden, und da würde ich fruchtlos in endlosen
Bemühungen herumgetrieben werden, vor Dinge, von denen
mir nichts gegeben ist, Gesetze zu suchen.

Wir werden es also hier bloß mit der Erfahrung und den
allgemeinen und a priori gegebenen Bedingungen ihrer Möglichkeit zu tun haben, und daraus die Natur, als den ganzen
Gegenstand aller möglichen Erfahrung, bestimmen. Ich
denke, man werde mich verstehen: daß ich hier nicht die
Regeln der Beobachtung einer Natur, die schon gegeben
ist, verstehe, die setzen schon Erfahrung voraus, also nicht,
wie wir (durch Erfahrung) der Natur die Gesetze ablernen
können, denn diese wären alsdenn nicht Gesetze a priori, und
gäben keine reine Naturwissenschaft, sondern wie die Bedingungen a priori von der Möglichkeit der Erfahrung zugleich
die Quellen sind, aus denen alle allgemeine Naturgesetze hergeleitet werden müssen.

§ 18

Wir müssen denn also zuerst bemerken: daß, obgleich alle
Erfahrungsurteile empirisch sein[52], d. i. ihren Grund in der
unmittelbaren Wahrnehmung der Sinne haben, dennoch
nicht umgekehrt alle empirische Urteile darum Erfahrungs-
urteile sind, sondern, daß über das Empirische, | und über-
haupt über das der sinnlichen Anschauung Gegebene, noch[53]
besondere Begriffe hinzukommen müssen, die ihren Ur-

[52] Ak: sind
[53] A²⁻⁴: nach

sprung gänzlich a priori im reinen Verstande haben, unter die jede Wahrnehmung allererst subsumiert und dann vermittelst derselben in Erfahrung kann verwandelt werden.

Empirische Urteile, sofern sie objektive Gültigkeit haben, sind **Erfahrungsurteile**; die aber, so nur subjektiv[54] gültig sind, nenne ich bloße **Wahrnehmungsurteile**. Die letztern bedürfen keines reinen Verstandesbegriffs, sondern nur der logischen Verknüpfung der Wahrnehmung in einem denkenden Subjekt. Die erstern aber erfordern jederzeit, über die Vorstellungen der sinnlichen Anschauung, noch besondere im Verstande ursprünglich erzeugte Begriffe, welche es eben machen, daß das Erfahrungsurteil objektiv gültig ist.

Alle unsere Urteile sind zuerst bloße Wahrnehmungsurteile, sie gelten bloß vor uns, d. i. vor unser Subjekt, und nur hinten nach geben wir ihnen eine neue Beziehung, nämlich auf ein Objekt, und wollen, daß es auch vor uns jederzeit und ebenso vor jedermann gültig sein solle; denn wenn ein Urteil mit einem Gegenstande übereinstimmt, so müssen alle Urteile über denselben Gegenstand auch untereinander übereinstimmen, und so bedeutet die objektive Gültigkeit des Erfahrungsurteils nichts anders, als die notwendige Allgemeingültigkeit desselben. Aber auch umgekehrt, wenn wir Ursache finden, ein Ur|teil vor notwendig allgemeingültig zu halten (welches niemals auf der Wahrnehmung, sondern dem reinen Verstandesbegriffe beruht, unter dem die Wahrnehmung subsumiert ist), so müssen wir es auch vor objektiv halten, d. i. daß es nicht bloß eine Beziehung der Wahrnehmung auf ein Subjekt, sondern eine Beschaffenheit des Gegenstandes ausdrücke; denn es wäre kein Grund, warum anderer Urteile notwendig mit dem meinigen übereinstimmen müßten, wenn es nicht die Einheit des Gegenstandes wäre, auf den sie sich alle beziehen, mit dem sie übereinstimmen, und daher auch alle untereinander zusammenstimmen müssen.

[54] A^{2-4}: objektiv

§ 19

Es sind daher objektive Gültigkeit und notwendige Allgemeingültigkeit (vor jedermann) Wechselbegriffe, und ob wir gleich das Objekt an sich nicht kennen, so ist doch, wenn wir ein Urteil als gemeingültig und mithin notwendig ansehen, eben darunter die objektive Gültigkeit verstanden. Wir erkennen durch dieses Urteil das Objekt, (wenn es auch sonst, wie es an sich selbst sein möchte, unbekannt bliebe,) durch die allgemeingültige und notwendige Verknüpfung der gegebenen Wahrnehmungen, und da dieses der Fall von allen Gegenständen der Sinne ist, so werden Erfahrungsurteile ihre objektive Gültigkeit nicht von der unmittelbaren Erkenntnis des Gegenstandes, (denn diese ist unmöglich) sondern bloß von der Bedingung | der Allgemeingültigkeit der empirischen Urteile entlehnen, die, wie gesagt, niemals auf den empirischen, ja überhaupt sinnlichen Bedingungen, sondern auf einem reinen Verstandesbegriffe beruht. Das Objekt bleibt an sich selbst immer unbekannt; wenn aber durch den Verstandesbegriff die Verknüpfung der Vorstellungen, die unsrer Sinnlichkeit von ihm gegeben sind, als allgemeingültig bestimmt wird, so wird der Gegenstand durch dieses Verhältnis bestimmt, und das Urteil ist objektiv.

Wir wollen dieses erläutern: daß das Zimmer warm, der Zucker süß, der Wermut widrig sei*, sind bloß subjektiv gültige Urteile. Ich verlange gar nicht, daß ich es jederzeit, oder jeder andrer es ebenso, wie ich, finden soll, sie drücken

---

* Ich gestehe gern, daß diese Beispiele nicht solche Wahrnehmungsurteile vorstellen, die jemals Erfahrungsurteile werden könnten, wenn man auch einen Verstandesbegriff hinzu täte, weil sie sich bloß aufs Gefühl, welches jedermann als bloß subjektiv erkennt und welches also niemals dem Objekt beigelegt werden darf, beziehen, und also auch niemals objektiv werden können; ich wollte nur vor der Hand ein Beispiel von dem Urteile geben, was bloß subjektiv gültig ist, und in sich keinen Grund zur notwendigen Allgemeingültigkeit und dadurch zu einer Beziehung aufs Objekt enthält. Ein Beispiel der Wahrnehmungsurteile, die durch hinzugesetzten Verstandsbegriff Erfahrungsurteile werden, folgt in der nächsten Anmerkung.

nur eine Beziehung zweener Empfindungen auf dasselbe Subjekt, nämlich mich selbst, und auch nur in meinem diesmaligen Zustande der Wahrnehmung aus, und sollen daher auch nicht vom Objekte gelten; dergleichen nenne ich Wahrnehmungsurteile. Eine ganz andere Bewandtnis hat es mit dem Erfahrungsurteile. Was | die Erfahrung unter gewissen Umständen mich lehrt, muß sie mich jederzeit und auch jedermann lehren, und die Gültigkeit derselben schränkt sich nicht auf das Subjekt oder seinen damaligen Zustand ein. Daher spreche ich alle dergleichen Urteile als objektiv gültige aus, als z. B. wenn ich sage, die Luft ist elastisch, so ist dieses Urteil zunächst nur ein Wahrnehmungsurteil, ich beziehe zwei Empfindungen in meinen Sinnen nur aufeinander. Will ich, es soll Erfahrungsurteil heißen, so verlange ich, daß diese Verknüpfung unter einer Bedingung stehe, welche sie allgemein gültig macht. Ich will also, daß ich jederzeit, und auch jedermann dieselbe Wahrnehmung[55] unter denselben Umständen notwendig verbinden müsse.

§ 20

Wir werden daher Erfahrung überhaupt zergliedern müssen, um zu sehen, was in diesem Produkt der Sinne und des Verstandes enthalten, und wie das Erfahrungsurteil selbst möglich sei. Zum Grunde liegt die Anschauung, deren ich mir bewußt bin, d. i. Wahrnehmung (perceptio), die bloß den Sinnen angehört. Aber zweitens gehört auch dazu das Urteilen (das bloß dem Verstande zukömmt). Dieses Urteilen kann nun zwiefach sein: erstlich, indem ich bloß die Wahrnehmungen vergleiche, und in einem Bewußtsein meines Zustandes, oder zweitens, da ich sie in einem Bewußtsein überhaupt verbinde. Das erstere Urteil ist bloß ein Wahrnehmungsurteil, und hat sofern nur | subjektive Gültigkeit, es ist bloß

---

[55] Ak *erwägt:* Wahrnehmungen

Verknüpfung der Wahrnehmungen in meinem Gemütszustande, ohne Beziehung auf den Gegenstand. Daher ist es nicht, wie man gemeiniglich sich einbildet, zur Erfahrung gnug, Wahrnehmungen zu vergleichen, und in einem Bewußtsein vermittelst des Urteilens zu verknüpfen; dadurch entspringt keine Allgemeingültigkeit und Notwendigkeit des Urteils, um deren willen es allein objektiv gültig und Erfahrung sein kann.

Es geht also noch ein ganz anderes Urteil voraus, ehe aus Wahrnehmung Erfahrung werden kann. Die gegebene Anschauung muß unter einem Begriff subsumiert werden, der die Form des Urteilens überhaupt in Ansehung der Anschauung bestimmt, das empirische Bewußtsein der letzteren in einem Bewußtsein überhaupt verknüpft, und dadurch den empirischen Urteilen Allgemeingültigkeit verschafft; dergleichen Begriff ist ein reiner Verstandesbegriff a priori, welcher nichts tut, als bloß einer Anschauung die Art überhaupt zu bestimmen, wie sie zu Urteilen dienen kann. Es sei ein solcher Begriff der Begriff der Ursache, so bestimmt er die Anschauung, die unter ihm subsumiert ist, z. B. die der Luft in Ansehung des Urteilens überhaupt, nämlich daß der Begriff der Luft in Ansehung der Ausspannung in dem Verhältnis des Antecedens zum Consequens in einem hypothetischen Urteile diene. Der Begriff der Ursache ist also ein reiner Verstandesbegriff, der von aller möglichen Wahrnehmung gänzlich unterschieden | ist, und nur dazu dient, diejenige Vorstellung, die unter ihm enthalten ist, in Ansehung des Urteilens überhaupt zu bestimmen, mithin ein allgemeingültiges Urteil möglich zu machen.

Nun wird, ehe aus einem Wahrnehmungsurteil ein Urteil der Erfahrung werden kann, zuerst erfordert: daß die Wahrnehmung unter einem dergleichen Verstandesbegriffe subsumiert werde; z. B. die Luft gehört unter den Begriff der Ursachen, welcher[56] das Urteil über dieselbe in Ansehung der

---

[56] Ak: Ursache, welche

Ausdehnung als hypothetisch bestimmt.* Dadurch wird nun nicht diese Ausdehnung, als bloß zu meiner Wahrnehmung der Luft in meinem Zustande, oder in mehrern meiner Zustände, oder in dem Zustande der Wahrnehmung anderer gehörig, sondern als dazu n o t w e n d i g gehörig, vorgestellt, und das[57] Urteil, die Luft ist elastisch, wird allgemeingültig, und dadurch allererst Erfahrungsurteil, daß gewisse Urteile vorhergehen, die die Anschauung der Luft unter den Begriff der Ursache und Wirkung subsumieren, und dadurch die Wahrnehmungen | nicht bloß respektive aufeinander in meinem Subjekte, sondern in Ansehung der Form des Urteilens überhaupt (hier der hypothetischen) bestimmen, und auf solche Art das empirische Urteil allgemeingültig machen.

Zergliedert man alle seine synthetische Urteile, sofern sie objektiv gelten, so findet man, daß sie niemals aus bloßen Anschauungen bestehen, die bloß, wie man gemeiniglich dafür hält, durch Vergleichung in einem[58] Urteil verknüpft worden, sondern daß sie unmöglich sein würden, wäre nicht über die von der Anschauung abgezogene Begriffe noch ein reiner Verstandesbegriff hinzugekommen, unter dem jene Begriffe subsumiert, und so allererst in einem objektiv gültigen Urteile verknüpft worden. Selbst die Urteile der reinen Mathematik in ihren einfachsten Axiomen sind von dieser Bedingung nicht ausgenommen. Der Grundsatz: die gerade Linie ist die kürzeste zwischen zween Punkten, setzt voraus,

---

* Um ein leichter einzusehendes Beispiel zu haben, nehme man folgendes. Wenn die Sonne den Stein bescheint, so wird er warm. Dieses Urteil ist ein bloßes Wahrnehmungsurteil, und enthält keine Notwendigkeit, ich mag dieses noch so oft und andere auch noch so oft wahrgenommen haben; die Wahrnehmungen finden sich nur gewöhnlich so verbunden. Sage ich aber: die Sonne e r w ä r m t den Stein, so kommt über die Wahrnehmung noch der Verstandesbegriff der Ursache hinzu, der mit dem Begriff des Sonnenscheins den der Wärme n o t w e n d i g verknüpft und das synthetische Urteil wird notwendig allgemeingültig, folglich objektiv und aus einer Wahrnehmung in Erfahrung verwandelt.

[57] A: dis *(Druckfehler)*
[58] A: ein

daß die Linie unter den Begriff der Größe subsumiert werde, welcher gewiß keine bloße Anschauung ist, sondern lediglich im Verstande seinen Sitz hat, und dazu dient, die Anschauung (der Linie) in Absicht auf die Urteile, die von ihr gefället werden mögen, in Ansehung der Quantität derselben, nämlich der Vielheit (als *iudicia plurativa*)* zu bestimmen, indem unter ihnen verstanden | wird, daß in einer gegebenen Anschauung vieles Gleichartige enthalten sei.

§ 21

Um nun also die Möglichkeit der Erfahrung, soferne sie auf reinen Verstandesbegriffen a priori beruht, darzulegen, müssen wir zuvor das, was zum[59] Urteilen überhaupt gehört, und die verschiedene Momente des Verstandes in denselben, in einer vollständigen Tafel vorstellen; denn die reinen Verstandesbegriffe, die nichts weiter sind, als Begriffe von Anschauungen überhaupt, sofern diese in Ansehung eines oder des andern dieser Momente zu Urteilen an sich selbst, mithin notwendig und allgemeingültig bestimmt sind, werden ihnen ganz genau parallel ausfallen. Hiedurch werden auch die Grundsätze a priori der Möglichkeit aller Erfahrung, als einer objektiv gültigen empirischen Erkenntnis, ganz genau bestimmt werden. Denn sie sind nichts anders, als Sätze, welche alle Wahrnehmung (gemäß gewissen allgemeinen Bedingungen der Anschauung) unter jene reine Verstandesbegriffe subsumieren. |

---

* So wollte ich lieber die Urteile genannt wissen, die man in der Logik *particularia* nennt. Denn der letztere Ausdruck enthält schon | den Gedanken, daß sie nicht allgemein sind. Wenn ich aber von der Einheit (in einzelnen Urteilen) anhebe und so zur Allheit fortgehe, so kann ich noch keine Beziehung auf die Allheit beimischen: ich denke nur die Vielheit ohne Allheit, nicht die Ausnahme von derselben. Dieses ist nötig, wenn die logische Momente den reinen Verstandesbegriffen untergelegt werden sollen; im logischen Gebrauche kann man es beim Alten lassen.

[59] Vorländer: zu

Logische Tafel
der Urteile

1.
Der Quantität nach

Allgemeine
Besondere
Einzelne

2.
Der Qualität nach

Bejahende
Verneinende
Unendliche

3.
Der Relation nach

Kategorische
Hypothetische
Disjunktive

4.
Der Modalität nach

Problematische
Assertorische
Apodiktische

Transzendentale Tafel
der Verstandesbegriffe

1.
Der Quantität nach

Einheit (das Maß)
Vielheit (die Größe)
Allheit (das Ganze)

2.
Der Qualität

Realität
Negation
Einschränkung

3.
Der Relation

Substanz
Ursache
Gemeinschaft

4.
Der Modalität

Möglichkeit
Dasein
Notwendigkeit

Reine physiologische Tafel
allgemeiner Grundsätze der Naturwissenschaft

1.
Axiomen
der Anschauung

2.
Antizipationen
der Wahrnehmung

3.
Analogien
der Erfahrung

4.
Postulate
des empirischen
Denkens überhaupt |

§ 21a[60]

Um alles Bisherige in einen Begriff zusammenzufassen, ist zuvörderst nötig die Leser zu erinnern: daß hier nicht von dem Entstehen der Erfahrung die Rede sei, sondern von dem, was in ihr liegt. Das erstere gehört zur empirischen Psychologie, und würde selbst auch da, ohne das zweite, welches zur Kritik der Erkenntnis und besonders des Verstandes gehört, niemals gehörig entwickelt werden können.

Erfahrung besteht aus Anschauungen, die der Sinnlichkeit angehören, und aus Urteilen, die lediglich ein Geschäfte des Verstandes sind. Diejenige Urteile aber, die der Verstand lediglich aus sinnlichen Anschauungen macht, sind noch bei weitem nicht Erfahrungsurteile. Denn in einem[61] Fall würde das Urteil nur die Wahrnehmungen verknüpfen, so wie sie in der sinnlichen Anschauung gegeben sein[62], in dem letztern Falle aber sollen die Urteile sagen, was Erfahrung überhaupt,

---

[60] A: §. 21.
[61] Ak *erwägt:* jenem
[62] Ak: sind

mithin nicht was die bloße Wahrnehmung, deren Gültigkeit bloß subjektiv ist, enthält. Das Erfahrungsurteil muß also noch über die sinnliche Anschauung und die logische Verknüpfung derselben (nachdem sie durch Vergleichung allgemein gemacht worden) in einem Urteile etwas hinzufügen, was das synthetische Urteil als notwendig und hierdurch als allgemeingültig bestimmt, und dieses kann nichts anders sein, als derjenige Begriff, der die Anschauung in Ansehung einer Form des Urteils vielmehr als der anderen[63], als an sich | bestimmt, vorstellt, d. i.[64] ein Begriff von derjenigen synthetischen Einheit der Anschauungen, die nur durch eine gegebne logische Funktion der Urteile vorgestellt werden kann.

§ 22

Die Summe hievon ist diese: Die Sache der Sinne ist, anzuschauen; die des Verstandes, zu denken. Denken aber ist Vorstellungen in einem Bewußtsein vereinigen. Diese Vereinigung entsteht entweder bloß relativ aufs Subjekt, und ist zufällig und subjektiv, oder sie findet schlechthin statt, und ist notwendig oder objektiv. Die Vereinigung der Vorstellungen in einem Bewußtsein ist das Urteil. Also ist Denken so viel, als Urteilen, oder Vorstellungen auf Urteile überhaupt beziehen. Daher sind Urteile entweder bloß subjektiv, wenn Vorstellungen auf ein Bewußtsein in einem Subjekt allein bezogen und in ihm vereinigt werden, oder sie sind objektiv, wenn sie in einem Bewußtsein überhaupt, d. i. darin notwendig vereinigt werden. Die logische Momente aller Urteile sind so viel mögliche Arten, Vorstellungen in einem Bewußtsein zu vereinigen. Dienen aber eben dieselben als Begriffe, so sind sie Begriffe von der n o t w e n d i g e n Vereinigung derselben in einem Bewußtsein, mithin Prinzipien objektiv gül-

---

[63] A: andere
[64] A: die

tiger Urteile. Diese Vereinigung in einem Bewußtsein ist entweder analytisch, durch die Identität, oder synthetisch, durch die Zusammensetzung und Hinzukunft ver|schiedener Vorstellungen zueinander. Erfahrung besteht in der synthetischen Verknüpfung der Erscheinungen, (Wahrnehmungen) in einem Bewußtsein, sofern dieselbe notwendig ist. Daher sind reine Verstandesbegriffe diejenige, unter denen alle Wahrnehmungen zuvor müssen subsumiert werden, ehe sie zu Erfahrungsurteilen dienen können, in welchen die synthetische Einheit der Wahrnehmungen als notwendig und allgemeingültig vorgestellt wird.*

§ 23

Urteile, sofern sie bloß als die Bedingung der Vereinigung gegebener Vorstellungen in einem Bewußtsein betrachtet werden, sind Regeln. Diese Regeln, sofern sie die Vereinigung als notwendig vorstellen, sind Regeln a priori, und sofern keine über sie sind, von denen sie abgeleitet werden, Grundsätze. Da nun in Ansehung | der Möglichkeit aller Erfahrung, wenn man an ihr bloß die Form des Denkens betrachtet, keine Bedingungen der Erfahrungsurteile über diejenige sind, welche die Erscheinungen, nach der verschiedenen Form ihrer Anschauung, unter reine Verstandesbe-

---

* Wie stimmt aber dieser Satz: daß Erfahrungsurteile Notwendigkeit in der Synthesis der Wahrnehmungen enthalten sollen, mit meinem oben vielfältig eingeschärften Satze: daß Erfahrung, als Erkenntnis a posteriori, bloß zufällige Urteile geben könne? Wenn ich sage, Erfahrung lehrt mir etwas, so meine ich jederzeit nur die Wahrnehmung, die in ihr liegt, z. B. daß auf die Beleuchtung des Steins durch die Sonne jederzeit Wärme folge, und also ist der Erfahrungssatz sofern allemal zufällig. Daß diese Erwärmung notwendig aus der Beleuchtung durch die Sonne erfolge, ist zwar in dem Erfahrungsurteile (vermöge des Begriffs der Ursache) enthalten, aber das lerne ich nicht durch Erfahrung, sondern umgekehrt, Erfahrung wird allererst, durch diesen Zusatz des Verstandesbegriffs (der Ursache) zur Wahrnehmung, erzeugt. Wie die Wahrnehmung zu diesem Zusatze komme, darüber muß die Kritik im Abschnitte von der transz. Urteilskraft, Seite 137 u. f. nachgesehen werden.

griffe bringen, die das empirische Urteil objektiv-gültig machen, so sind diese die Grundsätze a priori möglicher Erfahrung.

Die Grundsätze möglicher Erfahrung sind nun zugleich allgemeine Gesetze der Natur, welche a priori erkannt werden können. Und so ist die Aufgabe, die in unsrer vorliegenden zweiten Frage liegt: Wie ist reine Naturwissenschaft[65] möglich? aufgelöset. Denn das Systematische, was zur Form einer Wissenschaft erfodert wird, ist hier vollkommen anzutreffen, weil über die genannte formale Bedingungen aller Urteile überhaupt, mithin aller Regeln überhaupt, die die Logik darbietet, keine mehr möglich sind, und diese ein logisches System, die darauf gegründeten Begriffe aber, welche die Bedingungen a priori zu allen synthetischen und notwendigen Urteilen enthalten[66], eben darum ein transzendentales, endlich die Grundsätze, vermittelst deren alle Erscheinungen unter diese Begriffe subsumiert werden, ein physiologisches, d. i. ein Natursystem ausmachen, welches vor aller empirischen Naturerkenntnis vorhergeht, diese zuerst möglich macht, und daher die eigentliche allgemeine und reine Naturwissenschaft genannt werden kann. |

§ 24

Der[67] erste* jener physiologischen Grundsätze subsumiert alle Erscheinungen, als Anschauungen im Raum und Zeit, unter den Begriff der Größe, und ist sofern ein Prinzip der

---

* Diese drei aufeinander folgende Paragraphen werden schwerlich gehörig verstanden werden können, wenn man nicht das, was die Kritik über die Grundsätze sagt, dabei zur Hand nimmt; sie können aber den Nutzen haben, das Allgemeine derselben leichter zu übersehen und auf die Hauptmomente Acht zu haben.

[65] A: Vernunftwissenschaft
[66] A: erhalten
[67] A: Das

Anwendung der Mathematik auf Erfahrung. Der[68] zweite subsumiert das eigentlich Empirische, nämlich die Empfindung, die das Reale der Anschauungen bezeichnet, nicht geradezu unter den Begriff der G r ö ß e , weil Empfindung keine Anschauung ist, die Raum oder Zeit e n t h i e l t e , ob sie gleich den ihr korrespondierenden Gegenstand in beide setzt; allein es ist zwischen Realität (Empfindungsvorstellung) und der Null, d. i. dem gänzlich Leeren der Anschauung in der Zeit, doch[69] ein Unterschied, der eine Größe hat, da nämlich zwischen einem jeden gegebenen Grade Licht und der Finsternis, zwischen einem jeden Grade Wärme und der gänzlichen Kälte, jedem Grad der Schwere und der absoluten Leichtigkeit, jedem Grade der Erfüllung des Raumes und dem völlig leeren Raume, immer noch kleinere Grade gedacht werden können, so wie selbst zwischen einem Bewußtsein und dem völligen Unbewußtsein (psychologischer Dunkelheit) immer noch kleinere stattfinden; daher keine Wahrnehmung möglich ist, welche einen absoluten Mangel bewiese, z. B. keine psychologische Dun|kelheit, die nicht als ein Bewußtsein betrachtet werden könnte, welches nur von anderem stärkeren[70] überwogen wird, und so in allen Fällen der Empfindung, weswegen der Verstand sogar Empfindungen, welche die eigentliche Qualität der empirischen Vorstellungen (Erscheinungen) ausmachen, antizipieren kann, vermittelst des Grundsatzes, daß sie alle insgesamt, mithin das Reale aller Erscheinung Grade habe, welches die zweite Anwendung der Mathematik (mathesis intensorum) auf Naturwissenschaft ist.

[68] A: Das
[69] Ak: Anschauung, in der Zeit doch
[70] Ak: anderem, stärkerem

§ 25

In Ansehung des Verhältnisses der Erscheinungen, und zwar lediglich in Absicht auf ihr Dasein, ist die Bestimmung dieses Verhältnisses nicht mathematisch, sondern dynamisch, und kann niemals[71] objektiv gültig, mithin zu einer Erfahrung tauglich sein, wenn sie nicht unter Grundsätzen a priori steht, welche die Erfahrungserkenntnis in Ansehung derselben allererst möglich machen. Daher müssen Erscheinungen unter den Begriff der Substanz, welcher aller Bestimmung des Daseins, als ein Begriff vom Dinge selbst, zum Grunde liegt, oder zweitens, sofern eine Zeitfolge unter den Erscheinungen, d. i. eine Begebenheit angetroffen wird, unter den Begriff einer Wirkung in Beziehung auf Ursache, oder, sofern das Zugleichsein objektiv, d. i. durch ein Erfahrungsurteil erkannt werden soll, unter den Begriff der Gemeinschaft (Wechselwirkung) subsumiert werden, und so liegen Grundsätze a priori objektiv gültigen | obgleich empirischen Urteilen, d. i. der Möglichkeit der Erfahrung, sofern sie Gegenstände dem Dasein nach in der Natur verknüpfen soll, zum Grunde. Diese Grundsätze sind die eigentlichen Naturgesetze, welche dynamisch heißen können.

Zuletzt gehört auch zu den Erfahrungsurteilen die Erkenntnis der Übereinstimmung und Verknüpfung, nicht sowohl der Erscheinungen untereinander in der Erfahrung, als vielmehr ihr Verhältnis zur Erfahrung überhaupt, welches entweder ihre Übereinstimmung mit den formalen Bedingungen, die der Verstand erkennt, oder Zusammenhang mit dem Materialen der Sinne und der Wahrnehmung, oder beiden[72] in einen Begriff vereinigt, folglich Möglichkeit, Wirklichkeit und Notwendigkeit nach allgemeinen Naturgesetzen enthält, welches die physiologische Methodenlehre (Unterscheidung der Wahrheit und Hypothesen und die Grenzen der Zuverlässigkeit der letzteren) ausmachen würde.

[71] A: und niemals
[72] Ak *erwägt:* beides

§ 26

Obgleich die dritte aus der Natur des Verstandes selbst nach kritischer Methode gezogene Tafel der Grundsätze eine Vollkommenheit an sich zeigt, darin sie sich weit über jede andre erhebt, die von den Sachen selbst auf dogmatische Weise, obgleich vergeblich, jemals versucht worden ist, oder nur künftig versucht werden mag: nämlich daß sie alle synthetische Grundsätze a priori vollständig enthält und[73] nach einem Prinzip, nämlich dem Vermögen zu Urteilen[74] überhaupt, welches das Wesen der Erfahrung | in Absicht auf den Verstand ausmacht, ausgeführt worden, so daß man gewiß sein kann, es gebe keine dergleichen Grundsätze mehr, (eine Befriedigung, die die dogmatische Methode niemals verschaffen kann) so ist dieses doch bei weitem noch nicht ihr größtes Verdienst.

Man muß auf den Beweisgrund Acht geben, der die Möglichkeit dieser Erkenntnis a priori entdeckt, und alle solche Grundsätze zugleich auf eine Bedingung einschränkt, die niemals übersehen werden muß, wenn sie nicht mißverstanden und im Gebrauche weiter ausgedehnt werden soll, als der ursprüngliche Sinn, den der Verstand darin legt, es haben will: nämlich, daß sie nur die Bedingungen möglicher Erfahrung überhaupt enthalten, sofern sie Gesetzen a priori unterworfen sind. So sage ich nicht: daß Dinge an sich selbst eine Größe, ihre Realität einen Grad, ihre Existenz Verknüpfung der Akzidenzen in einer Substanz u. s. w. enthalte[75]; denn das kann niemand beweisen, weil eine solche synthetische Verknüpfung aus bloßen Begriffen, wo alle Beziehung auf sinnliche Anschauung einerseits, und alle Verknüpfung derselben in einer möglichen Erfahrung andererseits, mangelt, schlechterdings unmöglich ist. Die wesentliche Einschränkung der Begriffe also in diesen Grundsätzen ist: daß

---

[73] A: vollständig und
[74] Ak *erwägt:* urtheilen
[75] Ak *erwägt:* enthalten

alle Dinge nur als Gegenstände der Erfahrung
unter den genannten Bedingungen notwendig a priori stehen.

Hieraus folgt denn zweitens auch eine spezifisch eigentüm-
liche Beweisart derselben: daß die gedachte Grund|sätze
auch nicht geradezu auf Erscheinungen und ihr Verhältnis,
sondern auf die Möglichkeit der Erfahrung, wovon Erscheinungen nur die Materie, nicht aber die Form ausmachen, d. i.
auf objektiv- und allgemeingültige synthetische Sätze, worin
sich eben Erfahrungsurteile von bloßen Wahrnehmungs-
urteilen unterscheiden, bezogen werden. Dieses geschieht
dadurch, daß die Erscheinungen als bloße Anschauungen,
welche einen Teil von Raum und Zeit einneh-
men, unter dem Begriff der Größe stehen, welcher das Mannigfaltige derselben a priori nach Regeln synthetisch vereinigt, daß, sofern die Wahrnehmung außer der Anschauung
auch Empfindung enthält, zwischen welcher und der Null,
d. i. dem völligen Verschwinden derselben, jederzeit ein
Übergang durch Verringerung stattfindet, das Reale der
Erscheinungen einen Grad haben müsse, sofern sie nämlich
selbst keinen Teil von Raum oder Zeit ein-
nimmt,* aber doch der Übergang zu ihr von der leeren Zeit
oder Raum nur in der | Zeit möglich ist, mithin, obzwar
Empfindung, als die Qualität der empirischen Anschauung,
in Ansehung dessen, worin sie sich spezifisch von andern

---

* Die Wärme, das Licht etc. sind im kleinen Raume (dem Grade nach) ebenso
groß, als in einem großen; ebenso die innere Vorstellungen, der Schmerz, das
Bewußtsein überhaupt nicht kleiner[76] dem Grade nach, ob sie eine kurze oder
lange Zeit hindurch dauern. Daher ist die Größe hier in einem Punkte und in
einem Augenblicke ebenso groß als in jedem noch so großen Raume oder Zeit.
Grade sind also größer, aber nicht in der Anschauung, sondern der bloßen
Empfindung nach, oder auch der[77] Größe des Grundes einer Anschauung, und
können nur durch das Verhältnis von 1 zu 0, d. i. dadurch, daß eine jede derselben durch unendliche Zwischengrade bis zum Verschwinden, oder von der Null
durch unendliche Momente des Zuwachses bis zu einer bestimmten Empfindung, in einer gewissen Zeit erwachsen kann, als Größen geschätzt werden.
(Quantitas qualitatis est gradus.)

[76] A$^{2-4}$: keiner
[77] A: die

Empfindungen unterscheidet, niemals a priori erkannt werden kann, sie dennoch in einer möglichen Erfahrung überhaupt, als Größe der Wahrnehmung intensiv von jeder andern gleichartigen unterschieden werden könne; woraus denn die Anwendung der Mathematik auf Natur, in Ansehung der sinnlichen Anschauung, durch welche sie uns gegeben wird, zuerst möglich gemacht, und bestimmt wird.

Am meisten aber muß der Leser auf die Beweisart der Grundsätze, die unter dem Namen der Analogien der Erfahrung vorkommen, aufmerksam sein. Denn weil diese nicht, so wie die Grundsätze der Anwendung der Mathematik auf Naturwissenschaft überhaupt, die Erzeugung der Anschauungen, sondern die Verknüpfung ihres Daseins in einer Erfahrung betreffen, diese aber nichts[78] anders, als die Bestimmung der Existenz in der Zeit nach notwendigen Gesetzen sein kann, unter denen sie allein objektiv-gültig, mithin Erfahrung ist: so geht der Beweis nicht auf die synthetische Einheit in der Verknüpfung d e r D i n g e an sich selbst, sondern der W a h r n e h m u n g e n , und zwar dieser nicht in Ansehung ihres Inhalts, sondern der Zeitbestimmung und des Verhältnisses des Daseins in ihr, nach allgemeinen Gesetzen. Diese allgemeinen Gesetze enthalten also die Notwendigkeit der Bestimmung des Daseins in der Zeit überhaupt (folglich nach einer Regel | des Verstandes a priori), wenn die empirische Bestimmung in der relativen Zeit objektiv-gültig, mithin Erfahrung sein soll. Mehr kann ich hier als in Prolegomenen nicht anführen, als nur, daß ich dem Leser, welcher in der langen Gewohnheit steckt, Erfahrung vor eine bloß empirische Zusammensetzung der Wahrnehmungen zu halten, und daher daran gar nicht denkt, daß sie viel weiter geht, als diese reichen, nämlich empirischen Urteilen Allgemeingültigkeit gibt und dazu einer reinen Verstandeseinheit bedarf, die a priori vorhergeht, empfehle: auf diesen Unterschied der

[78] A: nicht

Erfahrung von einem bloßen Aggregat von Wahrnehmungen wohl Acht zu haben, und aus diesem Gesichtspunkte die Beweisart zu beurteilen.

§ 27

Hier ist nun der Ort, den Humischen[79] Zweifel aus dem Grunde zu heben. Er behauptete mit Recht: daß wir die Möglichkeit der Kausalität, d. i. der Beziehung des Daseins eines Dinges auf das Dasein von irgend etwas anderem, was durch jenes notwendig gesetzt werde, durch Vernunft auf keine Weise einsehen. Ich setze noch hinzu, daß wir ebenso wenig den Begriff der Subsistenz, d. i. der Notwendigkeit, darin einsehen, daß dem Dasein der Dinge ein Subjekt zum Grunde liege, das selbst kein Prädikat von irgend einem anderen Dinge sein könne, ja sogar, daß wir uns keinen Begriff von der Möglichkeit eines solchen Dinges machen können, (obgleich wir in der Er|fahrung Beispiele seines Gebrauchs aufzeigen können) imgleichen, daß eben diese Unbegreiflichkeit auch die Gemeinschaft der Dinge betreffe, indem gar nicht einzusehen ist, wie aus dem Zustande eines Dinges eine Folge auf den Zustand ganz anderer Dinge außer ihm, und so wechselseitig, könne gezogen werden, und wie Substanzen, deren jede doch ihre eigene abgesonderte Existenz hat, voneinander und zwar notwendig abhängen sollen. Gleichwohl bin ich weit davon entfernet, diese Begriffe als bloß aus der Erfahrung entlehnt, und die Notwendigkeit, die in ihnen vorgestellt wird, als angedichtet, und vor bloßen Schein zu halten, den uns eine lange Gewohnheit vorspiegelt; vielmehr habe ich hinreichend gezeigt, daß sie und die Grundsätze aus denselben a priori vor aller Erfahrung feststehen, und ihre ungezweifelte objektive Richtigkeit, aber freilich nur in Ansehung der Erfahrung haben.

[79] Ak: *gesperrt*

[97–98]

§ 28

Ob ich also gleich von einer solchen Verknüpfung der Dinge an sich selbst, wie sie als Substanz existieren, oder als Ursache wirken, oder mit andern (als Teile eines realen Ganzen) in Gemeinschaft stehen können, nicht den mindesten Begriff habe, noch weniger aber dergleichen Eigenschaften an Erscheinungen als Erscheinungen denken kann (weil jene Begriffe nichts, was in den Erscheinungen liegt, sondern was der Verstand allein denken muß, enthalten,) so haben wir doch von einer solchen Verknüpfung der Vorstellungen in un|serm Verstande, und zwar in Urteilen überhaupt, einen dergleichen Begriff, nämlich: daß Vorstellungen in einer Art Urteile als Subjekt in Beziehung auf Prädikate, in einer andren als Grund in Beziehung auf Folge, und in einer dritten als Teile, die zusammen ein ganzes mögliches Erkenntnis ausmachen, gehören. Ferner erkennen wir a priori: daß ohne die Vorstellung eines Objekts in Ansehung eines oder des andern[80] dieser Momente als bestimmt anzusehen, wir gar keine Erkenntnis, die von dem Gegenstande gelte, haben könnten, und, wenn wir uns mit dem Gegenstande an sich selbst beschäftigten, so wäre kein einziges Merkmal möglich, woran ich erkennen könnte, daß er[81] in Ansehung eines oder des andern gedachter Momente bestimmt sei, d. i. unter den Begriff der Substanz, oder der Ursache, oder (im Verhältnis gegen andere Substanzen) unter den Begriff der Gemeinschaft gehöre; denn von der Möglichkeit einer solchen Verknüpfung des Daseins habe ich keinen Begriff. Es ist aber auch die Frage nicht, wie Dinge an sich, sondern, wie Erfahrungserkenntnis der Dinge in Ansehung gedachter Momente der Urteile überhaupt bestimmt sei, d. i. wie Dinge, als Gegenstände der Erfahrung, unter jene Verstandesbegriffe können und sollen subsumiert werden. Und da ist es klar: daß ich nicht allein die Möglichkeit, sondern auch die Notwendig-

[80] A: einer oder der andern
[81] A: es

keit, alle Erscheinungen unter diese Begriffe zu subsumieren, d. i. sie zu Grundsätzen der Möglichkeit der Erfahrung zu brauchen, vollkommen einsehe. |

§ 29

Um einen Versuch an H u m e s problematischem Begriff (dieser seiner[82] crux metaphysicorum), nämlich[83] dem Begriffe der Ursache, zu machen, so ist mir erstlich vermittelst der Logik die Form eines bedingten Urteils überhaupt, nämlich, ein gegebenes Erkenntnis als Grund, und das andere als Folge zu gebrauchen, a priori gegeben. Es ist aber möglich, daß in der Wahrnehmung eine Regel des Verhältnisses angetroffen wird, die da sagt: daß auf eine gewisse Erscheinung eine andere, (obgleich nicht umgekehrt) beständig folgt, und dieses ist ein Fall, mich des hypothetischen Urteils zu bedienen, und z. B. zu sagen, wenn ein Körper lange gnug von der Sonne beschienen ist, so wird er warm. Hier ist nun freilich noch nicht eine Notwendigkeit der Verknüpfung, mithin der Begriff der Ursache. Allein ich fahre fort, und sage: wenn obiger Satz, der bloß eine subjektive Verknüpfung der Wahrnehmungen ist, ein Erfahrungssatz sein soll, so muß er als notwendig und allgemeingültig angesehen werden. Ein solcher Satz aber würde sein: Sonne ist durch ihr Licht die Ursache der Wärme. Die obige empirische Regel wird nunmehr als Gesetz angesehen, und zwar nicht als geltend bloß von Erscheinungen, sondern von ihnen zum Behuf einer möglichen Erfahrung, welche durchgängig und also notwendig gültige Regeln bedarf. Ich sehe also den Begriff der Ursache, als einen zur bloßen Form der Erfahrung notwendig gehörigen Begriff, und dessen Möglichkeit als | einer synthetischen Vereinigung der Wahrnehmungen in einem Bewußtsein überhaupt, sehr wohl ein; die Möglichkeit eines Dinges

---

[82] A: diesem seinem
[83] Ak: *gesperrt*

überhaupt aber, als einer Ursache, sehe ich gar nicht ein, und zwar darum, weil der Begriff der Ursache ganz und gar keine den Dingen, sondern nur der Erfahrung anhängende Bedingung andeutet, nämlich, daß diese nur eine objektiv-gültige Erkenntnis von Erscheinungen und ihrer Zeitfolge sein könne, sofern die vorhergehende mit der nachfolgenden nach der Regel hypothetischer Urteile verbunden werden kann.

§ 30

Daher haben auch die reine Verstandesbegriffe ganz und gar keine Bedeutung, wenn sie von Gegenständen der Erfahrung abgehen und auf Dinge an sich selbst (noumena) bezogen werden wollen. Sie dienen gleichsam nur, Erscheinungen zu buchstabieren, um sie als Erfahrung lesen zu können; die Grundsätze, die aus der Beziehung derselben auf die Sinnenwelt entspringen, dienen nur unserm Verstande zum Erfahrungsgebrauch; weiter hinaus sind es willkürliche Verbindungen, ohne objektive Realität, deren Möglichkeit man weder a priori erkennen, noch ihre Beziehung auf Gegenstände durch irgend ein Beispiel bestätigen, oder nur verständlich machen kann, weil alle Beispiele nur aus irgend einer möglichen Erfahrung entlehnt, mithin auch die Gegenstände jener Begriffe nirgend anders, als in einer möglichen Erfahrung angetroffen werden können. |

Diese vollständige, obzwar wider die Vermutung des Urhebers ausfallende Auflösung des Humischen[84] Problems rettet also den reinen Verstandesbegriffen ihren Ursprung a priori, und den allgemeinen Naturgesetzen ihre Gültigkeit, als Gesetzen des Verstandes, doch so, daß sie ihren Gebrauch nur auf Erfahrung einschränkt, darum, weil ihre Möglichkeit bloß in der Beziehung des Verstandes auf Erfahrung ihren Grund hat: nicht aber so, daß sie sich von Erfahrung, sondern

---

[84] Ak: *gesperrt*

daß Erfahrung sich von ihnen ableitet, welche ganz umge-
kehrte Art der Verknüpfung H u m e sich niemals einfallen
ließ.

Hieraus fließt nun folgendes Resultat aller bisherigen
Nachforschungen: »Alle synthetische Grundsätze a priori
sind nichts weiter, als Prinzipien möglicher Erfahrung« und
können niemals auf Dinge an sich selbst, sondern nur auf
Erscheinungen, als Gegenstände der Erfahrung, bezogen
werden. Daher auch reine Mathematik sowohl als reine
Naturwissenschaft niemals auf irgend etwas mehr als bloße
Erscheinungen gehen können, und nur das vorstellen, was
entweder Erfahrung überhaupt möglich macht, oder was,
indem es aus diesen Prinzipien abgeleitet ist, jederzeit in
irgend einer möglichen Erfahrung muß vorgestellt werden
können.

§ 31

Und so hat man denn einmal etwas Bestimmtes, und woran
man sich bei allen metaphysischen Unternehmungen, | die
bisher, kühn gnug, aber jederzeit blind, über alles ohne
Unterschied gegangen sind, halten kann. Dogmatische Denker haben sich es niemals einfallen lassen, daß das Ziel ihrer
Bemühungen so kurz sollte ausgesteckt werden, und selbst
diejenige nicht, die, trotzig auf ihre vermeinte gesunde Vernunft, mit zwar rechtmäßigen und natürlichen, aber zum bloßen Erfahrungsgebrauch bestimmten Begriffen und Grundsätzen der reinen Vernunft auf Einsichten ausgingen, vor die
sie keine bestimmte Grenzen kannten, noch kennen konnten,
weil sie über die Natur und selbst die Möglichkeit eines solchen reinen Verstandes niemals entweder nachgedacht hatten
oder nachzudenken vermochten.

Mancher Naturalist der reinen Vernunft (darunter ich den
verstehe, welcher sich zutraut, ohne alle Wissenschaft in
Sachen der Metaphysik zu entscheiden) möchte wohl vorge-
ben, er habe das, was hier mit so viel Zurüstung, oder, wenn

er lieber will, mit weitschweifigem pedantischen Pompe vorgetragen worden, schon längst durch den Wahrsagergeist seiner gesunden Vernunft nicht bloß vermutet, sondern auch
gewußt und eingesehen: »daß wir nämlich mit aller unserer
Vernunft über das Feld der Erfahrungen nie hinaus kommen
können«. Allein da er doch, wenn man ihm seine Vernunftprinzipien allmählich abfrägt, gestehen muß, daß darunter
viele sind, die er nicht aus Erfahrung geschöpft hat, die also
von dieser unabhängig und a priori gültig sind, wie und mit
welchen Gründen will er denn den Dogmatiker und sich
selbst in Schranken hal|ten, der sich dieser[85] Begriffe und
Grundsätze über alle mögliche Erfahrung hinaus bedient,
darum eben weil sie unabhängig von dieser erkannt werden.
Und selbst er, dieser Adept der gesunden Vernunft, ist so
sicher nicht, ungeachtet aller seiner angemaßten wohlfeil
erworbenen Weisheit, unvermerkt über Gegenstände der
Erfahrung hinaus in das Feld der Hirngespinste zu geraten.
Auch ist er gemeiniglich tief gnug drin verwickelt, ob er zwar
durch die populäre Sprache, da er alles bloß vor Wahrscheinlichkeit, vernünftige Vermutungen oder Analogie ausgibt,
seinen grundlosen Ansprüchen einigen Anstrich gibt.

§ 32

Schon von den ältesten Zeiten der Philosophie her, haben
sich Forscher der reinen Vernunft, außer den Sinnenwesen
oder Erscheinungen, (phaenomena) die die Sinnenwelt ausmachen, noch besondere Verstandeswesen, (noumena) welche eine Verstandeswelt ausmachen sollten, gedacht, und da
sie (welches einem noch unausgebildeten Zeitalter wohl zu
verzeihen war) Erscheinung und Schein vor einerlei hielten,
den Verstandeswesen allein Wirklichkeit zugestanden.

In der Tat, wenn wir die Gegenstände der Sinne, wie billig,
als bloße Erscheinungen ansehen, so gestehen wir hiedurch

[85] A: der dieser

doch zugleich, daß ihnen ein Ding an sich selbst zum Grunde liege, ob wir dasselbe gleich nicht, wie es an sich beschaffen sei, sondern nur seine Erscheinung, d. i. | die Art, wie unsre Sinnen von diesem unbekannten Etwas affiziert werden, kennen. Der Verstand also, eben dadurch, daß er Erscheinungen annimmt, gesteht auch das Dasein von Dingen an sich selbst zu, und sofern können wir sagen, daß die Vorstellung solcher Wesen, die den Erscheinungen zum Grunde liegen, mithin bloßer Verstandeswesen nicht allein zulässig, sondern auch unvermeidlich sei.

Unsere kritische Deduktion schließt dergleichen Dinge (Noumena) auch keineswegs aus, sondern schränkt vielmehr die Grundsätze der Ästhetik[86] dahin ein, daß sie sich ja nicht auf alle Dinge erstrecken sollen, wodurch alles in bloße Erscheinung verwandelt werden würde, sondern daß sie nur von Gegenständen einer möglichen Erfahrung gelten sollen. Also werden hiedurch Verstandeswesen zugelassen, nur mit Einschärfung dieser Regel, die gar keine Ausnahme leidet: daß wir von diesen reinen Verstandeswesen ganz und gar nichts Bestimmtes wissen, noch wissen können, weil unsere reine Verstandesbegriffe sowohl als reine Anschauungen auf nichts als Gegenstände möglicher Erfahrung, mithin auf bloße Sinnenwesen gehen, und, sobald man von diesen abgeht, jenen Begriffen nicht die mindeste Bedeutung mehr übrig bleibt.

§ 33

Es ist in der Tat mit unseren reinen Verstandesbegriffen etwas Verfängliches, in Ansehung der Anlockung zu einem transzendenten Gebrauch; denn so nenne ich den | jenigen, der über alle mögliche Erfahrung hinausgeht. Nicht allein, daß unsere Begriffe der Substanz, der Kraft, der Handlung, der Realität etc. ganz von der Erfahrung unabhängig sind,

---

[86] Ak *erwägt:* Analytik

[104–106]

imgleichen gar keine Erscheinung der Sinne enthalten, also in der Tat auf Dinge an sich selbst (noumena) zu gehen scheinen, sondern, was diese Vermutung noch bestärkt, sie enthalten eine Notwendigkeit der Bestimmung in sich, der die Erfahrung niemals gleich kommt. Der Begriff der Ursache enthält eine Regel, nach der aus einem Zustande ein anderer notwendiger Weise folgt; aber die Erfahrung kann uns nur zeigen, daß oft, und wenn es hoch kommt, gemeiniglich auf einen Zustand der Dinge ein anderer folge, und kann also weder strenge Allgemeinheit, noch Notwendigkeit verschaffen etc.

Daher scheinen Verstandesbegriffe viel mehr Bedeutung und Inhalt zu haben, als daß der bloße Erfahrungsgebrauch ihre ganze Bestimmung erschöpfte, und so baut sich der Verstand unvermerkt an das Haus der Erfahrung noch ein viel weitläufigeres Nebengebäude an, welches er mit lauter Gedankenwesen anfüllt, ohne es einmal zu merken, daß er sich mit seinen sonst richtigen Begriffen über die Grenzen ihres Gebrauchs verstiegen habe.

§ 34

Es waren also zwei wichtige, ja ganz unentbehrliche, obzwar äußerst trockene Untersuchungen nötig, welche Krit. Seite 137 etc. und 235 etc. angestellt worden, durch deren | erstere gezeigt wurde, daß die Sinne nicht die reine Verstandesbegriffe in concreto, sondern nur das Schema zum Gebrauche derselben an die Hand geben, und der ihm gemäße Gegenstand nur in der Erfahrung (als dem Produkte des Verstandes aus Materialien der Sinnlichkeit) angetroffen werde. In der zweiten Untersuchung (Krit. S. 235) wird gezeigt: daß ungeachtet der Unabhängigkeit unsrer reinen Verstandesbegriffe und Grundsätze von Erfahrung, ja selbst ihrem scheinbarlich größeren Umfange des Gebrauchs, dennoch durch dieselbe, außer dem Felde der Erfahrung, gar nichts gedacht werden könne, weil sie nichts tun können, als bloß die logische Form des Urteils in Ansehung gegebener Anschauungen bestimmen; da es aber über das Feld der Sinnlichkeit hinaus ganz und gar keine Anschauung gibt, jenen reinen Begriffen es ganz und gar an Bedeutung fehle, indem sie durch kein Mittel in concreto können dargestellt werden, folglich alle solche Noumena, zusamt dem Inbegriff derselben, einer intelligibeln* Welt, nichts als Vorstellungen einer Aufgabe | sind, deren Gegenstand an sich wohl möglich, deren Auflösung aber, nach der Natur unseres Verstandes, gänzlich unmöglich ist, indem unser Verstand kein Vermögen der Anschauung, sondern bloß der Verknüpfung gegebener Anschauungen in einer Erfahrung ist, und daß diese daher alle Gegenstände vor unsere Begriffe enthalten müsse, außer ihr aber alle Begriffe, da ihnen keine Anschauung unterlegt werden kann, ohne Bedeutung sein werden.

§ 35

Es kann der Einbildungskraft vielleicht verziehen werden, wenn sie bisweilen schwärmt, d. i. sich nicht behutsam innerhalb den Schranken der Erfahrung hält, denn wenigstens wird sie durch einen solchen freien Schwung belebt und gestärkt, und es wird immer leichter sein, ihre Kühnheit zu mäßigen, als ihrer Mattigkeit aufzuhelfen. Daß aber der Verstand, der d e n k e n soll, an dessen statt s c h w ä r m t, das kann ihm niemals verziehen werden; denn auf ihm beruht allein alle

---

* Nicht (wie man sich gemeiniglich audrückt) intellektuellen Welt. Denn i n t e l l e k t u e l l sind die Erkenntnisse durch den Verstand, und dergleichen gehen auch auf unsere Sinnenwelt; i n t e l l i g i b e l aber heißen G e g e n s t ä n d e sofern sie bloß d u r c h d e n V e r s t a n d vorgestellt werden können und auf die keine unserer sinnlichen Anschauungen gehen kann. Da aber doch jedem Gegenstande irgend eine mögliche Anschauung entsprechen muß, so würde man sich einen Verstand denken müssen, der unmittelbar Dinge anschauete; von einem solchen aber haben wir nicht den mindesten Begriff, mithin auch nicht von den V e r s t a n d e s w e s e n, auf die er gehen soll.

Hülfe, um der Schwärmerei der Einbildungskraft, wo es nötig ist, Grenzen zu setzen.

Er fängt es aber hiemit sehr unschuldig und sittsam an. Zuerst bringt er die Elementarerkenntnisse, die ihm vor aller Erfahrung beiwohnen, aber dennoch in der Erfahrung immer ihre Anwendung haben müssen, ins Reine. Allmählich läßt er diese Schranken weg, und was sollte ihn auch daran hindern, da der Verstand ganz frei seine | Grundsätze aus sich selbst genommen hat? und nun geht es zuerst auf neu erdachte Kräfte in der Natur, bald hernach auf Wesen außerhalb der Natur, mit einem Wort auf eine Welt, zu deren Einrichtung es uns an Bauzeug nicht fehlen kann, weil es durch fruchtbare Erdichtung reichlich herbeigeschafft, und durch Erfahrung zwar nicht bestätigt, aber auch niemals widerlegt wird. Das ist auch die Ursache, weswegen junge Denker Metaphysik in echter dogmatischer Manier so lieben, und ihr oft ihre Zeit und ihr sonst brauchbares Talent aufopfern.

Es kann aber gar nichts helfen, jene fruchtlose Versuche der reinen Vernunft durch allerlei Erinnerungen wegen der Schwierigkeit der Auflösung so tief verborgener Fragen, Klagen über die Schranken unserer Vernunft, und Herabsetzung der Behauptungen auf bloße Mutmaßungen, mäßigen zu wollen. Denn wenn die Unmöglichkeit derselben nicht deutlich dargetan worden, und die Selbsterkenntnis der Vernunft nicht wahre Wissenschaft wird, worin das Feld ihres richtigen von dem ihres nichtigen und fruchtlosen Gebrauchs sozusagen mit geometrischer Gewißheit unterschieden wird, so werden jene eitle Bestrebungen niemals völlig abgestellt werden.

§ 36

Wie ist Natur selbst möglich?

Diese Frage, welche der höchste Punkt ist, den transzendentale Philosophie nur immer berühren mag, und | zu welchem sie auch, als ihrer Grenze und Vollendung, geführt werden muß, enthält eigentlich zwei Fragen.

Erstlich: Wie ist Natur in m a t e r i e l l e r Bedeutung, nämlich der Anschauung nach, als der Inbegriff der Erscheinungen, wie ist Raum, Zeit, und das, was beide erfüllt, der Gegenstand der Empfindung, überhaupt möglich? Die Antwort ist: vermittelst der Beschaffenheit unserer Sinnlichkeit, nach welcher sie, auf die ihr eigentümliche Art, von Gegenständen, die ihr an sich selbst unbekannt, und von jenen Erscheinungen ganz unterschieden sind, gerührt wird. Diese Beantwortung ist, in dem Buche selbst, in der transzendentalen Ästhetik, hier aber in den Prolegomenen durch die Auflösung der ersten Hauptfrage, gegeben worden.

Zweitens: Wie ist Natur in formeller Bedeutung, als der Inbegriff der Regeln, unter denen alle Erscheinungen stehen müssen, wenn sie in einer Erfahrung als verknüpft gedacht werden sollen, möglich? Die Antwort kann nicht anders ausfallen, als: sie ist nur möglich vermittelst der Beschaffenheit unseres Verstandes, nach welcher alle jene Vorstellungen der Sinnlichkeit auf ein Bewußtsein notwendig bezogen werden, und wodurch allererst die eigentümliche Art unseres Denkens, nämlich durch Regeln, und vermittelst dieser die Erfahrung, welche von der Einsicht der Objekte an sich selbst ganz zu unterscheiden ist, möglich ist. Diese Beantwortung ist in dem Buche selbst, in der transzendentalen Logik, hier aber in den | Prolegomenen, in dem Verlauf der Auflösung der zweiten Hauptfrage gegeben worden.

Wie aber diese eigentümliche Eigenschaft unsrer Sinnlichkeit selbst, oder die unseres Verstandes und der ihm und allem Denken zum Grunde liegenden notwendigen Apperzeption, möglich sei, läßt sich nicht weiter auflösen und beantworten, weil wir ihrer zu aller Beantwortung und zu allem Denken der Gegenstände immer wieder nötig haben.

Es sind viele Gesetze der Natur, die wir nur vermittelst der Erfahrung wissen können, aber die Gesetzmäßigkeit in Verknüpfung der Erscheinungen, d. i. die Natur überhaupt, können wir durch keine Erfahrung kennen lernen, weil Erfahrung selbst solcher Gesetze bedarf, die ihrer Möglichkeit a priori zum Grunde liegen.

Die Möglichkeit der Erfahrung überhaupt ist also zugleich das allgemeine Gesetz der Natur, und die Grundsätze der erstern sind selbst die Gesetze der letztern. Denn wir kennen Natur nicht anders, als den Inbegriff der Erscheinungen, d. i. der Vorstellungen in uns, und können daher das Gesetz ihrer Verknüpfung nirgend anders, als von den Grundsätzen der Verknüpfung derselben in uns, d. i. den Bedingungen der notwendigen Vereinigung in einem Bewußtsein, welche die Möglichkeit der Erfahrung ausmacht, hernehmen.

Selbst der Hauptsatz, der durch diesen ganzen Abschnitt ausgeführt worden, daß allgemeine Naturgesetze a | priori erkannt werden können, führt schon von selbst auf den Satz: daß die oberste Gesetzgebung der Natur in uns selbst, d. i. in unserm Verstande liegen müsse, und daß wir die allgemeinen Gesetze derselben nicht von der Natur vermittelst der Erfahrung, sondern umgekehrt, die Natur ihrer allgemeinen Gesetzmäßigkeit nach, bloß aus den in unserer Sinnlichkeit und dem Verstande liegenden Bedingungen der Möglichkeit der Erfahrung suchen müssen; denn wie wäre es sonst möglich, diese Gesetze, da sie nicht etwa Regeln der analytischen Erkenntnis, sondern wahrhafte synthetische Erweiterungen derselben sind, a priori zu kennen? Eine solche und zwar notwendige Übereinstimmung der Prinzipien möglicher Erfahrung mit den Gesetzen der Möglichkeit der Natur, kann nur aus zweierlei Ursachen stattfinden: entweder diese Gesetze werden von der Natur vermittelst der Erfahrung entlehnt, oder umgekehrt die Natur wird von den Gesetzen der Möglichkeit der Erfahrung überhaupt abgeleitet, und ist mit der bloßen allgemeinen Gesetzmäßigkeit der letztern völlig einerlei. Das erstere widerspricht sich selbst, denn die allgemeinen Naturgesetze können und müssen a priori (d. i. unabhängig von aller Erfahrung) erkannt, und allem empirischen Gebrauche des Verstandes zum Grunde gelegt werden, also bleibt nur das zweite übrig.* |

Wir müssen aber empirische Gesetze der Natur, die jederzeit besondere Wahrnehmungen voraussetzen, von den reinen, oder allgemeinen Naturgesetzen, welche, ohne daß besondere Wahrnehmungen zum Grunde liegen, bloß die Bedingungen ihrer notwendigen Vereinigung in einer Erfahrung enthalten, unterscheiden, und in Ansehung der letztern ist Natur und m ö g l i c h e Erfahrung ganz und gar einerlei, und, da in dieser die Gesetzmäßigkeit auf der notwendigen Verknüpfung der Erscheinungen in einer Erfahrung (ohne welche wir ganz und gar keinen Gegenstand der Sinnenwelt erkennen können) mithin auf den ursprünglichen Gesetzen des Verstandes beruht, so klingt es zwar anfangs befremdlich, ist aber nichtsdestoweniger gewiß, wenn ich in Ansehung der letztern sage: d e r V e r s t a n d s c h ö p f t s e i n e G e - s e t z e (a p r i o r i) n i c h t a u s d e r N a t u r, s o n d e r n s c h r e i b t s i e d i e s e r v o r.

§ 37

Wir wollen diesen dem Anscheine nach gewagten Satz durch ein Beispiel erläutern, welches zeigen soll: daß Gesetze, die wir an Gegenständen der sinnlichen Anschauung

* C r u s i u s allein wußte einen Mittelweg: daß nämlich ein Geist, der nicht irren noch betriegen kann, uns diese Naturgesetze ursprünglich eingepflanzt habe. Allein, da sich doch oft auch trügliche Grundsätze einmischen, wovon das System dieses Man|nes selbst nicht wenig Beispiele gibt, so sieht es bei dem Mangel sicherer Kriterien, den echten Ursprung von dem unechten zu unterscheiden, mit dem Gebrauche eines solchen Grundsatzes sehr mißlich aus, indem man niemals sicher wissen kann, was der Geist der Wahrheit oder der Vater der Lügen uns eingeflößt haben möge.

[112–113]

entdecken; vornehmlich wenn sie als notwendig | erkannt
worden, von uns selbst schon vor solche gehalten werden, die
der Verstand hineingelegt, ob sie gleich den Naturgesetzen,
die wir der Erfahrung zuschreiben, sonst in allen Stücken
ähnlich sind.

§ 38

Wenn man die Eigenschaften des Zirkels betrachtet,
dadurch diese Figur so manche willkürliche Bestimmungen,
des Raums in ihr, sofort in einer allgemeinen Regel vereinigt,
so kann man nicht umhin, diesem geometrischen Dinge eine
Natur beizulegen. So teilen sich nämlich zwei Linien, die sich
einander und zugleich den Zirkel schneiden, nach welchem
Ohngefähr sie auch gezogen werden, doch jederzeit so regelmäßig: daß das Rektangel aus den Stücken einer jeden Linie
dem der andern gleich ist. Nun frage ich, »liegt dieses Gesetz
im Zirkel, oder liegt es im Verstande«, d. i. enthält diese
Figur, unabhängig vom Verstande, den Grund dieses Gesetzes in sich, oder legt der Verstand, indem er nach seinen
Begriffen (nämlich der Gleichheit der Halbmesser) die Figur
selbst konstruiert hat, zugleich das Gesetz der einander in
geometrischer Proportion schneidenden Sehnen in dieselbe
hinein? Man wird bald gewahr, wenn man den Beweisen dieses Gesetzes nachgeht, daß es allein von der Bedingung, die
der Verstand der Konstruktion dieser Figur zum Grunde
legte, nämlich der Gleichheit der Halbmesser könne abgeleitet werden. Erweitern wir diesen Begriff nun, die[87] Einheit
mannigfal | tiger Eigenschaften geometrischer Figuren unter
gemeinschaftlichen Gesetzen noch weiter zu verfolgen, und
betrachten den Zirkel als einen Kegelschnitt, der also mit
andern Kegelschnitten unter eben denselben Grundbedin-
gungen der Konstruktion steht, so finden wir, daß alle Sehnen, die sich innerhalb der letztern, der Ellipse, der Parabel

[87] Ak *erwägt:* Begriff nun, um die

und Hyperbel schneiden, es jederzeit so tun, daß die Rektangel aus ihren Teilen zwar nicht gleich, aber[88] doch immer in gleichen Verhältnissen gegeneinander stehen. Gehen wir von da noch weiter, nämlich zu den Grundlehren der physischen Astronomie, so zeigt sich ein über die ganze materielle Natur verbreitetes physisches Gesetz der wechselseitigen Attraktion, deren Regel ist, daß sie umgekehrt mit dem Quadrat der Entfernungen von jedem anziehenden Punkt ebenso abnimmt[89], wie die Kugelflächen, in die sich diese Kraft verbreitet, zunehmen, welches als notwendig in der Natur der Dinge selbst zu liegen scheint, und daher auch als a priori erkennbar vorgetragen zu werden pflegt. So einfach nun auch die Quellen dieses Gesetzes sein[90], indem sie bloß auf dem Verhältnisse der Kugelflächen[91] von verschiedenen Halbmessern beruhen, so ist doch die Folge davon so vortrefflich in Ansehung der Mannigfaltigkeit ihrer Zusammenstimmung und Regelmäßigkeit derselben, daß nicht allein alle mögliche Bahnen der Himmelskörper in Kegelschnitten, sondern auch ein solches Verhältnis derselben untereinander erfolgt, daß kein ander Gesetz der Attraktion, als das des umgekehrten Quadratverhältnisses der Entfer|nungen zu einem Weltsystem als schicklich erdacht werden kann.

Hier ist also Natur, die auf Gesetzen beruht, welche der Verstand a priori erkennt, und zwar vornehmlich aus allgemeinen Prinzipien der Bestimmung des Raums. Nun frage ich: liegen diese Naturgesetze im Raume, und lernt sie der Verstand, indem er den reichhaltigen Sinn, der in jenem liegt, bloß zu erforschen sucht, oder liegen sie im Verstande und in der Art, wie dieser den Raum nach den Bedingungen der synthetischen Einheit, darauf seine Begriffe insgesamt auslaufen, bestimmt. Der Raum ist etwas so Gleichförmiges und in Ansehung aller besondern Eigenschaften so Unbestimm-

---

[88] Ak: gleich sind, aber
[89] A: abnehmen
[90] Ak: sind
[91] A: Kugelfläche   Ak *erwägt:* den Verhältnissen der Kugelflächen

tes, daß man in ihm gewiß keinen Schatz von Naturgesetzen
suchen wird. Dagegen ist das, was den Raum zur Zirkelge-
stalt, der Figur des Kegels und der Kugel bestimmt, der Verstand, sofern er den Grund der Einheit der Konstruktion
derselben enthält. Die bloße allgemeine Form der Anschauung, die Raum heißt, ist also wohl das Substratum aller auf
besondere Objekte bestimmbaren Anschauungen, und in
jenem liegt freilich die Bedingung der Möglichkeit und Mannigfaltigkeit der letztern; aber die Einheit der Objekte wird
doch lediglich durch den Verstand bestimmt, und zwar nach
Bedingungen, die in seiner eigenen Natur liegen, und so ist
der Verstand der Ursprung der allgemeinen Ordnung der
Natur, indem er alle Erscheinungen unter seine eigene
Gesetze faßt, und dadurch allererst Erfahrung (ihrer Form |
nach) a priori zu Stande bringt, vermöge deren alles, was nur
durch Erfahrung erkannt werden soll, seinen Gesetzen notwendig unterworfen wird. Denn wir haben es nicht mit der
Natur der Dinge an sich selbst zu tun, die ist sowohl
von Bedingungen unserer Sinnlichkeit als des Verstandes
unabhängig, sondern mit der Natur, als einem Gegenstande
möglicher Erfahrung, und da macht es der Verstand, indem er
diese möglich macht, zugleich, daß Sinnenwelt entweder gar
kein Gegenstand der Erfahrung oder eine Natur ist.

§ 39
Anhang
zur reinen Naturwissenschaft
Von dem System der Kategorien

Es kann einem Philosophen nichts erwünschter sein, als
wenn er das Mannigfaltige der Begriffe oder Grundsätze, die
sich ihm vorher durch den Gebrauch, den er von ihnen in
concreto gemacht hatte, zerstreut dargestellt hatten, aus
einem Prinzip a priori ableiten, und alles auf solche Weise in
eine Erkenntnis vereinigen kann. Vorher glaubte er nur, daß,

was ihm nach einer gewissen Abstraktion übrig blieb, und, durch Vergleichung untereinander, eine besondere Art von Erkenntnissen auszumachen | schien, vollständig gesammlet sei, aber es war nur ein A g g r e g a t ; jetzt weiß er, daß gerade nur so viel, nicht mehr, nicht weniger, die Erkenntnisart ausmachen könne, und sahe[92] die Notwendigkeit seiner Einteilung ein, welches ein Begreifen ist, und nun hat er allererst ein S y s t e m .

Aus dem gemeinen Erkenntnisse die Begriffe heraussuchen, welche gar keine besondere Erfahrung zum Grunde liegen haben, und gleichwohl in aller Erfahrungserkenntnis vorkommen, von der sie gleichsam die bloße Form der Verknüpfung ausmachen, setzte kein größeres Nachdenken, oder mehr Einsicht voraus, als aus einer Sprache Regeln des wirklichen Gebrauchs der Wörter überhaupt heraussuchen und so Elemente zu einer Grammatik zusammentragen (in der Tat sind beide Untersuchungen einander auch sehr nahe verwandt), ohne doch eben Grund angeben zu können, warum eine jede Sprache gerade diese und keine andere formale Beschaffenheit habe, noch weniger aber, daß gerade so viel, nicht mehr noch weniger, solcher formalen Bestimmungen derselben überhaupt angetroffen werden können.

Aristoteles[93] hatte zehn solcher reinen Elementarbegriffe unter dem Namen der Kategorien* zusammengetragen. Diesen, welche auch Prädikamente genennt wurden, sahe er sich hernach genötigt, noch fünf Postprädikamente beizufügen**, die doch zum Teil schon in jenen liegen | (als prius, simul, motus); allein diese Rhapsodie konnte mehr vor einen Wink vor den künftigen Nachforscher, als vor eine regelmäßig ausgeführte Idee gelten, und Beifall verdienen, daher

---

[92] Ak: sah   Ak *erwägt:* sieht
[93] Ak: *gesperrt*

* 1. Substantia. 2. Qualitas. 3. Quantitas. 4. Relatio. 5. Actio.
6. Passio. 7. Quando. 8. Ubi. 9. Situs. 10. Habitus.
** Oppositum, Prius, Simul, Motus, Habere.

sie auch, bei mehrerer Aufklärung der Philosophie, als ganz unnütz verworfen worden.

Bei einer Untersuchung der reinen (nichts Empirisches enthaltenden) Elemente der menschlichen Erkenntnis gelang es mir allererst nach langem Nachdenken, die reinen Elementarbegriffe der Sinnlichkeit (Raum und Zeit) von denen des Verstandes mit Zuverlässigkeit zu unterscheiden und abzusondern. Dadurch wurden nun aus jenem Register die 7., 8., 9. Kategorien ausgeschlossen. Die übrigen konnten mir zu nichts nutzen, weil kein Prinzip vorhanden war, nach welchem der Verstand völlig ausgemessen und alle Funktionen desselben, daraus seine reine Begriffe entspringen, vollzählig und mit Präzision bestimmt werden könnten.

Um aber ein solches Prinzip auszufinden, sahe ich mich nach einer Verstandeshandlung um, die alle übrige enthält, und sich nur durch verschiedene Modifikationen oder Momente unterscheidet, das Mannigfaltige der Vorstellung unter die Einheit des Denkens überhaupt zu bringen, und da fand ich, diese Verstandeshandlung bestehe im Urteilen. Hier lag nun schon fertige, obgleich noch nicht ganz von Mängeln freie Arbeit der Logiker vor mir, dadurch ich in den Stand gesetzt wurde, eine vollständige Tafel reiner Verstandesfunktionen, die aber in Ansehung | alles Objekts unbestimmt waren, darzustellen. Ich bezog endlich diese Funktionen zu urteilen auf Objekte überhaupt, oder vielmehr auf die Bedingung, Urteile als objektiv-gültig zu bestimmen, und es entsprangen reine Verstandesbegriffe, bei denen ich außer Zweifel sein konnte, daß gerade nur diese, und ihrer nur so viel, nicht mehr noch weniger, unser ganzes Erkenntnis der Dinge aus bloßem Verstande ausmachen können. Ich nannte sie, wie billig, nach ihrem alten Namen Kategorien; wobei ich mir vorbehielt, alle von diesen abzuleitende Begriffe, es sei durch Verknüpfung untereinander, oder mit der reinen Form der Erscheinung (Raum und Zeit) oder mit ihrer Materie, sofern sie noch nicht empirisch bestimmt ist, (Gegenstand der Empfindung überhaupt) unter der Benennung der P r ä d i k a b i -

lien, vollständig hinzuzufügen, sobald ein Symstem der transzendentalen Philosophie, zu deren Behuf ich es jetzt nur mit der Kritik der Vernunft selbst zu tun hatte, zu Stande kommen sollte.

Das Wesentliche aber in diesem System der Kategorien, dadurch es sich von jener alten Rhapsodie, die ohne alles Prinzip fortging, unterscheidet, und warum es auch allein zur Philosophie gezählt zu werden verdient, besteht darin: daß vermittelst desselben[94] die wahre Bedeutung der reinen Verstandesbegriffe und die Bedingung ihres Gebrauchs genau bestimmt werden konnte. Denn da zeigte sich, daß sie vor sich selbst nichts als logische Funktionen sind, als solche aber nicht den mindesten Begriff von einem | Objekte an sich selbst ausmachen, sondern es bedürfen, daß sinnliche Anschauung zum Grunde liege, und alsdenn nur dazu dienen, empirische Urteile, die sonst in Ansehung aller Funktionen zu urteilen unbestimmt und gleichgültig sind, in Ansehung derselben zu bestimmen, ihnen dadurch Allgemeingültigkeit zu verschaffen, und vermittelst ihrer Erfahrungsurteile überhaupt möglich zu machen.

Von einer solchen Einsicht in die Natur der Kategorien, die sie zugleich auf den bloßen Erfahrungsgebrauch einschränkte, ließ sich weder ihr erster Urheber, noch irgend einer nach ihm etwas einfallen; aber ohne diese Einsicht (die ganz genau von der Ableitung oder Deduktion derselben abhängt) sind sie gänzlich unnütz und ein elendes Namenregister, ohne Erklärung und Regel ihres Gebrauchs. Wäre dergleichen jemals den Alten in den Sinn gekommen, ohne Zweifel das ganze Studium der reinen Vernunfterkenntnis, welches unter dem Namen Metaphysik viele Jahrhunderte hindurch so manchen guten Kopf verdorben hat, wäre in ganz anderer Gestalt zu uns gekommen, und hätte den Verstand der Menschen aufgeklärt, anstatt ihn, wie wirklich geschehen ist, in düstern und vergeblichen Grübeleien zu erschöpfen, und vor wahre Wissenschaft unbrauchbar zu machen.

[94] A: derselben

Dieses System der Kategorien macht nun alle Behandlung eines jeden Gegenstandes der reinen Vernunft selbst wiederum systematisch, und gibt eine ungezweifelte Anweisung oder Leitfaden ab, wie und durch welche Punk | te der Untersuchung jede metaphysische Betrachtung, wenn sie vollständig werden soll, müsse geführt werden: denn es erschöpft alle Momente des Verstandes, unter welche jeder andere Begriff gebracht werden muß. So ist auch die Tafel der Grundsätze entstanden, von deren Vollständigkeit man nur durch das System der Kategorien gewiß sein kann, und selbst in der Einteilung der Begriffe, welche über den physiologischen Verstandesgebrauch hinausgehen sollen, (Kritik S. 344, imgleichen S. 415) ist es immer derselbe Leitfaden, der, weil er immer durch dieselbe feste, im menschlichen Verstande a priori bestimmte Punkte geführt werden muß, jederzeit einen geschlossenen Kreis bildet, der keinen Zweifel übrig läßt, daß der Gegenstand eines reinen Verstandes- oder Vernunftbegriffs[95], sofern er philosophisch und nach Grundsätzen a priori erwogen werden soll, auf solche Weise vollständig erkannt werden könne. Ich habe sogar nicht unterlassen können, von dieser Leitung in Ansehung einer der abstraktesten ontologischen Einteilungen, nämlich der mannigfaltigen Unterscheidung der B e g r i f f e v o n E t w a s u n d N i c h t s Gebrauch zu machen, und darnach eine regelmäßige und notwendige Tafel (Kritik S. 292) zu Stande zu bringen*. |

---

[95] A: Verstandes oder Vernunftbegrifs

* Über eine vorgelegte Tafel der Kategorien lassen sich allerlei artige Anmerkungen machen, als: 1. daß die dritte aus der ersten und zweiten in einen Begriff verbunden entspringe, 2. daß in denen von der Größe und Qualität bloß ein Fortschritt von der Einheit zur Allheit, oder von dem Etwas zum Nichts (zu diesem Behuf müssen die Kategorien der Qualität so stehen: Re | alität, Einschränkung, völlige Negation) fortgehen[96], ohne correlata oder opposita, dagegen die der Relation und Modalität diese letztere bei sich führen, 3. daß, so wie im L o g i s c h e n kategorische Urteile allen andern zum Grunde liegen, so die Kategorie der Substanz allen Begriffen von wirklichen Dingen, 4. daß, so wie die

[96] Ak *erwägt:* stattfinde

Eben dieses System zeigt seinen nicht gnug anzupreisenden Gebrauch, so wie jedes auf ein allgemeines Prinzip gegründetes wahres System, auch darin, daß es alle fremdartige Begriffe, die sich sonst zwischen jene reine Verstandesbegriffe einschleichen möchten, ausstößt, und jedem Erkenntnis seine Stelle bestimmt. Diejenige Begriffe, welche ich unter dem Namen der Reflexionsbegriffe gleichfalls nach dem Leitfaden der Kategorien in eine Tafel gebracht hatte, mengen sich in der Ontologie, ohne Vergünstigung und rechtmäßige Ansprüche, unter die reinen Verstandesbegriffe, obgleich diese Begriffe der Verknüpfung, und dadurch des Objekts selbst, jene aber nur der bloßen Vergleichung schon gegebener Begriffe sind, und daher eine ganz andere Natur und Gebrauch haben; durch mein gesetzmäßige Einteilung (Kritik S. 260) werden sie aus | diesem Gemenge geschieden. Noch viel heller aber leuchtet der Nutzen jener abgesonderten Tafel der Kategorien in die Augen, wenn wir, wie es gleich jetzt geschehen wird, die Tafel transzendentaler Vernunftbegriffe, die von ganz anderer Natur und Ursprung sind, als jene Verstandesbegriffe, (daher auch eine andre Form haben muß,) von jenen trennen, welche so notwendige Absonderung doch niemals in irgend einem System der Metaphysik geschehen ist, wo jene[98] Vernunftideen mit Verstandesbegriffen, als gehöreten sie, wie Geschwister, zu einer Familie,

Modalität im Urteile kein besonderes Prädikat ist, so auch die Modalbegriffe[97] keine Bestimmung zu Dingen hinzutun, u. s. w. Dergleichen Betrachtungen alle ihren großen Nutzen haben. Zählt man überdem alle Prädikabilien auf, die man ziemlich vollständig aus jeder guten Ontologie (z. E. Baumgartens) ziehen kann und ordnet sie klassenweise unter die Kategorien, wobei man nicht versäumen muß, eine so vollständige Zergliederung aller dieser Begriffe, als möglich, hinzuzufügen, so wird ein bloß analytischer Teil der Metaphysik entspringen, der noch gar keinen synthetischen Satz enthält und vor dem zweiten (dem synthetischen) vorhergehen könnte, und durch seine Bestimmtheit und Vollständigkeit nicht allein Nutzen, sondern, vermöge des Systematischen in ihm, noch überdem eine gewisse Schönheit enthalten würde.

[97] A: Modelbegriffe
[98] A: ist, jene Ak: ist, wo daher jene *unsere Lesart folgt Vorländer*

ohne Unterschied durcheinander laufen, welche Vermengung, in Ermangelung eines besondern Systems der Kategorien, auch niemals vermieden werden könnte.

Der transzendentalen Hauptfrage
Dritter Teil
Wie ist Metaphysik überhaupt möglich?

§ 40

Reine Mathematik und reine Naturwissenschaft, hätten zum B e h u f i h r e r e i g e n e n S i c h e r h e i t und Gewißheit keiner dergleichen Deduktion bedurft, als wir bisher von beiden zu Stande gebracht haben; denn die erstere stützt sich auf ihre eigene Evidenz; die zweite aber, obgleich aus reinen Quellen des Verstandes entsprungen, dennoch auf Erfahrung und deren durchgängige Bestätigung, welcher letztern Zeugnis sie darum nicht gänzlich ausschlagen und entbehren kann, weil sie mit aller ihrer Gewißheit | dennoch, als Philosophie, es der Mathematik niemals gleich tun kann. Beide Wissenschaften hatten also die gedachte Untersuchung nicht vor sich, sondern vor eine andere Wissenschaft, nämlich Metaphysik, nötig.

Metaphysik hat es, außer mit Naturbegriffen, die in der Erfahrung jederzeit ihre Anwendung finden, noch mit reinen Vernunftbegriffen zu tun, die niemals in irgend einer nur immer möglichen Erfahrung gegeben werden, mithin mit Begriffen, deren objektive Realität (daß sie nicht bloße Hirngespinste sind) und mit Behauptungen, deren Wahrheit oder Falschheit durch keine Erfahrung bestätigt, oder aufgedeckt werden kann, und dieser Teil der Metaphysik ist überdem gerade derjenige, welcher den wesentlichen Zweck derselben, wozu alles andre nur Mittel ist, ausmacht, und so bedarf diese

Wissenschaft einer solchen Deduktion um i h r e r s e l b s t
w i l l e n. Die uns jetzt vorgelegte dritte Frage betrifft also
gleichsam den Kern und das Eigentümliche der Metaphysik,
nämlich die Beschäftigung der Vernunft bloß mit sich selbst,
und, indem sie über ihre eigene Begriffe brütet, die unmittelbar daraus vermeintlich entspringende Bekanntschaft mit
Objekten, ohne dazu der Vermittelung der Erfahrung nötig
zu haben, noch überhaupt durch dieselbe dazu gelangen zu
können*. |

Ohne Auflösung dieser Frage tut sich Vernunft niemals
selbst gnug. Der Erfahrungsgebrauch, auf welchen die Vernunft den reinen Verstand einschränkt, erfüllt nicht ihre
eigene ganze Bestimmung. Jede einzelne Erfahrung ist nur ein
Teil von der ganzen Sphäre ihres Gebietes, d a s a b s o l u t e
G a n z e a l l e r m ö g l i c h e n E r f a h r u n g ist aber selbst
keine Erfahrung, und dennoch ein notwendiges Problem vor
die Vernunft, zu dessen bloßer Vorstellung sie ganz anderer
Begriffe nötig hat, als jener reinen Verstandesbegriffe, deren
Gebrauch nur i m m a n e n t ist, d. i. auf Erfahrung geht, so
weit sie gegeben werden kann, indessen daß Vernunftbegriffe
auf die Vollständigkeit, d. i. die kollektive Einheit der ganzen
möglichen Erfahrung und dadurch über jede gegebne Erfahrung hinausgehen, und t r a n s z e n d e n t werden.

So wie also der Verstand der Kategorien zur Erfahrung
bedurfte, so enthält die Vernunft in sich den Grund zu Ideen,
worunter ich notwendige Begriffe verstehe, deren Gegenstand gleichwohl in keiner Erfahrung gegeben werden
k a n n. Die letztern sind eben sowohl in der Natur der Vernunft, als die erstere in der Natur des Verstandes gelegen,
und, wenn jene einen Schein bei sich führen, der leicht verlei-

---

* Wenn man sagen kann, daß eine Wissenschaft wenigstens in der Idee aller
Menschen wirklich sei, sobald es ausgemacht ist, daß die Aufgaben, die darauf
führen, durch die Natur der menschlichen Vernunft jedermann vorgelegt, und
daher auch jederzeit | darüber viele, obgleich fehlerhafte, Versuche unvermeid-
lich sind, so wird man auch sagen müssen: Metaphysik sei subjektive (und zwar
notwendiger Weise) wirklich, und da fragen wir also mit Recht, wie sie (objektive) möglich sei.

ten kann, so ist dieser Schein unvermeidlich, obzwar »daß er
nicht verführe« gar wohl verhütet werden kann. |

Da aller Schein darin besteht, daß der subjektive Grund des
Urteils vor objektiv gehalten wird, so wird ein Selbsterkenntnis der reinen Vernunft, in ihrem transzendenten (über-
schwenglichen) Gebrauch das einzige Verwahrungsmittel
gegen die Verirrungen sein, in welche die Vernunft gerät,
wenn sie ihre Bestimmung mißdeutet, und dasjenige tran-
szendenter Weise aufs Objekt an sich selbst bezieht, was nur
ihr eigenes Subjekt und die Leitung desselben in allem immanenten Gebrauche angeht.

§ 41

Die Unterscheidung der I d e e n , d. i. der reinen Vernunftbegriffe, von den Kategorien, oder reinen Verstandesbegriffen, als Erkenntnissen von ganz verschiedener Art,
Ursprung und Gebrauch, ist ein so wichtiges Stück zur
Grundlegung einer Wissenschaft, welche das System aller
dieser Erkenntnisse a priori enthalten soll, daß, ohne eine
solche Absonderung Metaphysik schlechterdings unmöglich
oder höchstens ein regelloser stümperhafter Versuch ist, ohne
Kenntnis der Materialien, womit man sich beschäftigt, und
ihrer Tauglichkeit zu dieser oder jener Absicht ein Kartenge-
bäude zusammenzuflicken. Wenn Kritik d. r. V. auch nur das
allein geleistet hätte, diesen Unterschied zuerst vor Augen zu
legen, so hätte sie dadurch schon mehr zur Aufklärung unseres Begriffs und der Leitung der Nachforschung im Felde der
Metaphysik beigetragen, als alle fruchtlose Bemühungen, den
transzendenten Aufgaben der r. V. ein | Gnüge zu tun, die
man von jeher unternommen hat, ohne jemals zu wähnen,
daß man sich in einem ganz andern Felde befände, als dem des
Verstandes, und daher Verstandes- und Vernunftbegriffe,
gleich als ob sie von einerlei Art wären, in einem Striche
hernannte.

§ 42

Alle reine Verstandeserkenntnisse haben das an sich, daß sich ihre Begriffe in der Erfahrung geben, und ihre Grundsätze durch Erfahrung bestätigen lassen; dagegen die transzendenten Vernunfterkenntnisse sich, weder was ihre Ideen betrifft, in der Erfahrung geben, noch ihre Sätze jemals durch Erfahrung bestätigen, noch widerlegen lassen; daher der dabei vielleicht einschleichende Irrtum durch nichts anders, als reine Vernunft selbst, aufgedeckt werden kann, welches aber sehr schwer ist, weil eben diese Vernunft vermittelst ihrer Ideen natürlicher Weise dialektisch wird, und dieser unvermeidliche Schein durch keine objektive und dogmatische Untersuchungen der Sachen, sondern bloß durch subjektive, der Vernunft selbst, als einem Quell[99] der Ideen, in Schranken gehalten werden kann.

§ 43

Es ist jederzeit in der Kritik mein größtes Augenmerk gewesen, wie ich nicht allein die Erkenntnisarten sorgfältig unterscheiden, sondern auch alle[100] zu jeder derselben gehörige Begriffe aus ihrem gemeinschaftlichen Quell ableiten könnte, | damit ich nicht allein dadurch, daß ich unterrichtet wäre, woher sie abstammen, ihren Gebrauch mit Sicherheit bestimmen könnte, sondern auch den noch nie vermuteten, aber unschätzbaren Vorteil hätte, die Vollständigkeit in der Aufzählung, Klassifizierung und Spezifizierung der Begriffe a priori, mithin nach Prinzipien zu erkennen. Ohne dieses ist in der Metaphysik alles lauter Rhapsodie, wo man niemals weiß, ob dessen, was man besitzt, gnug ist, oder ob, und wo, noch etwas fehlen möge. Freilich kann man diesen Vorteil

---

[99] A²⁻⁴: selbst als einem Quell   Ak: selbst, als eines Quells
[100] A: allein

auch nur in der reinen Philosophie haben, von dieser aber macht derselbe auch das Wesen aus.

Da ich den Ursprung der Kategorien in den vier logischen Funktionen aller Urteile des Verstandes gefunden hatte, so war es ganz natürlich, den Ursprung der Ideen in den drei Funktionen der Vernunftschlüsse zu suchen; denn wenn einmal solche reine Vernunftbegriffe (transz. Ideen) gegeben sind, so könnten sie, wenn man sie nicht etwa vor angeboren halten will, wohl nirgends anders, als in derselben Vernunfthandlung angetroffen werden, welche, sofern sie bloß die Form betrifft, das Logische der Vernunftschlüsse, sofern sie aber die Verstandesurteile in Ansehung einer oder der andern Form a priori als bestimmt vorstellt, transzendentale Begriffe der reinen Vernunft ausmacht.

Der formale Unterschied der Vernunftschlüsse macht die Einteilung derselben in kategorische, hypothetische und disjunktive notwendig. Die darauf gegründete Ver-|nunftbegriffe enthalten also erstlich die Idee des vollständigen Subjekts (Substantiale), zweitens die Idee der vollständigen Reihe der Bedingungen, drittens die Bestimmung aller Begriffe in der Idee eines vollständigen Inbegriffs des Möglichen.* Die erste Idee war psychologisch[102], die zweite kosmologisch, die dritte theologisch, und, da alle drei zu einer Dialektik Anlaß geben, doch jede auf ihre eigene Art, so gründete sich darauf die Einteilung der ganzen Dialektik der reinen Ver-

---

* Im disjunktiven Urteile betrachten wir alle Möglichkeit, respektiv auf einen gewissen Begriff, als eingeteilt. Das ontologische Prinzip der durchgängigen Bestimmung eines Dinges überhaupt (von allen möglichen entgegengesetzten Prädikaten kommt jedem Dinge eins zu) welches zugleich das Prinzip aller disjunktiven Urteile ist, legt den Inbegriff aller Möglichkeit zum Grunde, in welchem die Möglichkeit jedes Dinges überhaupt als bestimmter[101] angesehen wird. Dieses dient zu einer kleinen Erläuterung des obigen Satzes: daß die Vernunfthandlung in disjunktiven Vernunftschlüssen der Form nach mit derjenigen einerlei sei, wodurch sie die Idee eines Inbegriffs aller Realität zu Stande bringt, welche das Positive aller einander entgegengesetzten Prädikate in sich enthält.

---

101 Ak: bestimmbar
102 A: physiologisch

nunft: in den Paralogismus, die Antinomie, und endlich das Ideal derselben, durch welche Ableitung man völlig sicher gestellt wird, daß alle Ansprüche der reinen Vernunft hier ganz vollständig vorgestellt sind, und kein einziger fehlen kann, weil das Vernunftvermögen selbst, als woraus sie allen ihren Ursprung nehmen, dadurch gänzlich ausgemessen wird.

§ 44

Es ist bei dieser Betrachtung im Allgemeinen noch merkwürdig: daß die Vernunftideen[103] nicht etwa so wie die | Kategorien, uns zum Gebrauche des Verstandes in Ansehung der Erfahrung irgend etwas nutzen, sondern in Ansehung desselben völlig entbehrlich, ja wohl gar den Maximen des Vernunfterkenntnisses der Natur entgegen und hinderlich, gleichwohl aber doch in anderer noch zu bestimmender Absicht notwendig sein[104]. Ob die Seele eine einfache Substanz sei, oder nicht, das kann uns zur Erklärung der Erscheinungen derselben ganz gleichgültig sein; denn wir können den Begriff eines einfachen Wesens durch keine mögliche Erfahrung sinnlich, mithin in concreto verständlich machen, und so ist er, in Ansehung aller verhofften Einsicht in die Ursache der Erscheinungen, ganz leer, und kann zu keinem Prinzip der Erklärung dessen, was innere oder äußere Erfahrung an die Hand gibt, dienen. Ebenso wenig können uns die kosmologischen Ideen vom Weltanfange, oder der Weltewigkeit (a parte ante) dazu nutzen, um irgend eine Begebenheit in der Welt selbst daraus zu erklären. Endlich müssen wir, nach einer richtigen Maxime der Naturphilosophie, uns aller Erklärung der Natureinrichtung, die aus dem Willen eines höchsten Wesens gezogen worden, enthalten, weil dieses nicht mehr Naturphilosophie ist, sondern ein Geständnis,

---

[103] A: Vernunftidee
[104] Ak: sind

daß es damit bei uns zu Ende gehe. Es haben also diese Ideen eine ganz andere Bestimmung ihres Gebrauchs, als jene Kategorien, durch die, und die darauf gebauten Grundsätze, Erfahrung selbst allererst möglich ward. Indessen würde doch unsre mühsame Analytik des Verstandes, wenn unsre Absicht auf nichts anders | als bloße Naturerkenntnis, so wie sie in der Erfahrung gegeben werden kann, gerichtet wäre, auch ganz überflüssig sein; denn Vernunft verrichtet ihr Geschäfte sowohl in der Mathematik als Naturwissenschaft, auch ohne alle diese subtile Deduktion ganz sicher und gut: also vereinigt sich unsre Kritik des Verstandes mit den Ideen der reinen Vernunft zu einer Absicht, welche über den Erfahrungsgebrauch des Verstandes hinausgesetzt ist, von welchen wir doch oben gesagt haben, daß er in diesem Betracht gänzlich unmöglich, und ohne Gegenstand oder Bedeutung sei. Es muß aber dennoch zwischen dem, was zur Natur der Vernunft und des Verstandes gehört, Einstimmung sein, und jene muß zur Vollkommenheit der letztern beitragen, und kann sie unmöglich verwirren.

Die Auflösung dieser Frage ist folgende: Die reine Vernunft hat unter ihren Ideen nicht besondere Gegenstände, die über das Feld der Erfahrung hinausläugen, zur Absicht, sondern fodert nur Vollständigkeit des Verstandesgebrauchs im Zusammenhange der Erfahrung. Diese Vollständigkeit aber kann nur eine Vollständigkeit der Prinzipien, aber nicht der Anschauungen und Gegenstände sein. Gleichwohl, um sich jene bestimmt vorzustellen, denkt sie sich selbe, als die Erkenntnis eines Objekts, dessen Erkenntnis in Ansehung jener Regeln vollständig bestimmt ist, welches Objekt aber nur eine Idee ist, um die Verstandeserkenntnis der Vollständigkeit, die jene Idee bezeichnet, so nahe wie möglich zu bringen. |

§ 45
Vorläufige Bemerkung
zur Dialektik der reinen Vernunft

Wir haben oben Paragraph 33, 34 gezeigt: daß die Reinigkeit der Kategorien von aller Beimischung sinnlicher Bestimmungen die Vernunft verleiten könne, ihren Gebrauch gänzlich, über[105] alle Erfahrung hinaus, auf Dinge an sich selbst auszudehnen, wiewohl, da sie selbst keine Anschauung finden, welche ihnen Bedeutung und Sinn in concreto verschaffen könnte, sie als bloß logische Funktionen, zwar ein Ding überhaupt vorstellen, aber vor sich allein keinen bestimmten Begriff von irgend einem Dinge geben können. Dergleichen hyperbolische Objekte sind nun die, so man N o u m e n a oder reine Verstandeswesen (besser Gedankenwesen) nennt, als z. B. S u b s t a n z , welche aber o h n e B e h a r r l i c h - k e i t in der Zeit gedacht wird, oder eine U r s a c h e , die aber n i c h t i n d e r Z e i t wirkte, u. s. w. da man ihnen denn Prädikate beilegt, die bloß dazu dienen, die Gesetzmäßigkeit der Erfahrung möglich zu machen, und gleichwohl alle Bedingungen der Anschauung, unter denen allein Erfahrung möglich ist, von ihnen wegnimmt, wodurch jene Begriffe wiederum alle Bedeutung verlieren.

Es hat aber keine Gefahr, daß der Verstand von selbst, ohne durch fremde Gesetze gedrungen zu sein, über seine Grenzen so ganz mutwillig in das Feld von bloßen | Gedankenwesen ausschweifen werde. Wenn aber die Vernunft, die mit keinem Erfahrungsgebrauche der Verstandesregeln, als der immer noch bedingt ist, völlig befriedigt sein kann, Vollendung dieser Kette von Bedingungen fodert, so wird der Verstand aus seinem Kreise getrieben, um teils Gegenstände der Erfahrung in einer so weit erstreckten Reihe vorzustellen, dergleichen gar keine Erfahrung fassen kann, teils sogar (um sie zu vollenden) gänzlich außerhalb derselben N o u m e n a

---

[105] Ak: gänzlich über

zu suchen, an welche sie jene Kette knüpfen und dadurch von Erfahrungsbedingungen endlich einmal unabhängig, ihre Haltung gleichwohl vollständig machen könne. Das sind nun die transzendentalen Ideen, welche, sie mögen nun nach dem wahren, aber verborgenen Zwecke der Naturbestimmung unserer Vernunft, nicht auf überschwengliche Begriffe, sondern bloß auf unbegrenzte Erweiterung des Erfahrungsgebrauchs angelegt sein, dennoch durch einen unvermeidlichen Schein dem Verstande einen t r a n s z e n d e n t e n Gebrauch ablocken, der, obzwar betrüglich, dennoch durch keinen Vorsatz innerhalb den Grenzen der Erfahrung zu bleiben, sondern nur durch wissenschaftliche Belehrung und mit Mühe in Schranken gebracht werden kann.

§ 46
I. Psychologische Ideen (Kritik S. 341 u. f.)

Man hat schon längst angemerkt, daß uns an allen Substanzen das eigentliche Subjekt, nämlich das, was | übrig bleibt, nachdem alle Akzidenzen (als Prädikate) abgesondert worden, mithin das S u b s t a n t i a l e selbst, unbekannt sei, und über diese Schranken unsrer Einsicht vielfältig Klagen geführt. Es ist aber hiebei wohl zu merken, daß der menschliche Verstand darüber nicht in Anspruch zu nehmen sei: daß er das Substantiale der Dinge nicht kennt, d. i. vor sich allein bestimmen kann, sondern vielmehr darüber, daß er es, als eine bloße Idee, gleich einem gegebenenen Gegenstande bestimmt, zu erkennen verlangt. Die reine Vernunft fodert, daß wir zu jedem Prädikate eines Dinges sein ihm zugehöriges Subjekt, zu diesem aber, welches notwendiger Weise wiederum nur Prädikat ist, fernerhin sein Subjekt und so forthin ins Unendliche (oder so weit wir reichen) suchen sollen. Aber hieraus folgt, daß wir nichts, wozu wir gelangen können, vor ein letztes Subjekt halten sollen, und daß das Substantiale selbst niemals von unserm noch so tief eindringenden Ver-

Dritter Teil

stande, selbst wenn ihm die ganze Natur aufgedeckt wäre,
gedacht werden könne; weil die spezifische Natur unseres
Verstandes darin besteht, alles diskursiv, d. i. durch Begriffe,
mithin auch durch lauter Prädikate zu denken, wozu also das
absolute Subjekt jederzeit fehlen muß. Daher sind alle reale
Eigenschaften, dadurch wir Körper erkennen, lauter Akzidenzen, sogar die Undurchdringlichkeit, die man sich immer
nur als die Wirkung einer Kraft vorstellen muß, dazu uns das
Subjekt fehlt. |

Nun scheint es, als ob wir in dem Bewußtsein unserer
selbst (dem denkenden Subjekt) dieses Substantiale haben,
und zwar in einer unmittelbaren Anschauung; denn alle Prädikate des innern Sinnes beziehen sich auf das I c h , als Subjekt, und dieses kann nicht weiter als Prädikat irgend eines
andern Subjekts gedacht werden. Also scheint hier die Vollständigkeit in der Beziehung der gegebenen Begriffe als Prädikate auf ein Subjekt, nicht bloß Idee, sondern der Gegenstand, nämlich das a b s o l u t e S u b j e k t selbst, in der Erfahrung gegeben zu sein. Allein diese Erwartung wird ver-
eitelt. Denn das Ich ist gar kein Begriff*, sondern nur
Bezeichnung des Gegenstandes des innern Sinnes, sofern wir
es durch kein Prädikat weiter erkennen, mithin kann es zwar
an sich kein Prädikat von einem andern Dinge sein, aber
ebenso wenig auch ein bestimmter Begriff eines absoluten
Subjekts, sondern nur, wie in allen andern Fällen, die Beziehung der innern Erscheinungen auf das unbekannte Subjekt
derselben. Gleichwohl veranlaßt diese Idee (die gar wohl
dazu dient, als regulatives Prinzip alle materialistische Erklärungen der innern Erscheinungen unserer Seele gänzlich zu

* Wäre die Vorstellung der Apperzeption, das Ich, ein Begriff, wodurch
irgend etwas gedacht würde, so würde es auch als Prädikat von andern Dingen
gebraucht werden können, oder solche Prädikate in sich enthalten. Nun ist es
nichts mehr als Gefühl eines Daseins ohne den mindesten Begriff und nur Vorstellung desjenigen, worauf alles Denken in Beziehung (relatione accidentis)
steht.

106 [135–136]

vernichten)*[106] durch einen ganz natürlichen Mißverstand
ein sehr scheinba|res Argument, um, aus diesem vermeinten
Erkenntnis von dem Substantiale unseres denkenden Wesens,
seine Natur, sofern die Kenntnis derselben ganz außer den
Inbegriff der Erfahrung hinaus fällt, zu schließen.

§ 47

Dieses denkende Selbst (die Seele) mag nun aber auch als
das letzte Subjekt des Denkens, was selbst nicht weiter, als
Prädikat eines andern Dinges vorgestellt werden kann, Substanz heißen: so bleibt dieser Begriff doch gänzlich leer, und
ohne alle Folgen, wenn nicht von ihm die Beharrlichkeit, als
das, was den Begriff der Substanzen in der Erfahrung fruchtbar macht, bewiesen werden kann.

Die Beharrlichkeit kann aber niemals aus dem Begriffe
einer Substanz, als eines Dinges an sich, sondern nur zum
Behuf der Erfahrung bewiesen werden. Dieses ist bei der
ersten Analogie der Erfahrung hinreichend dargetan worden,
(Kritik S. 182) und, will man sich diesem Beweise nicht erge-
ben, so darf man nur den Versuch selbst anstellen, ob es
gelingen werde, aus dem Begriffe eines Subjekts, was selbst
nicht als Prädikat eines andern Dinges existiert, zu beweisen,
daß sein Dasein durchaus beharrlich sei, und daß es, weder an
sich selbst, noch durch irgend eine Naturursache entstehen,
oder vergehen könne. Dergleichen synthetische Sätze a priori
können niemals an sich selbst, sondern jederzeit nur in Bezie-
hung auf Dinge, | als Gegenstände einer möglichen Erfah-
rung, bewiesen werden.

---

[106] *Die Anmerkung zu diesem Stern fehlt in A.*

§ 48

Wenn wir also aus dem Begriffe der Seele als Substanz auf Beharrlichkeit derselben schließen wollen: so kann dieses von ihr doch nur zum Behuf möglicher Erfahrung, und nicht von ihr, als einem Dinge an sich selbst und über alle mögliche Erfahrung hinaus gelten. Nun ist die subjektive Bedingung aller unserer möglichen Erfahrung das Leben: folglich kann nur auf die Beharrlichkeit der Seele im Leben geschlossen werden, denn der Tod des Menschen ist das Ende aller Erfahrung, was die Seele als einen Gegenstand derselben betrifft, wofern nicht das Gegenteil dargetan wird, als wovon eben die Frage ist. Also kann die Beharrlichkeit der Seele nur im Leben des Menschen (deren Beweis man uns wohl schenken wird), aber nicht nach dem Tode (als woran uns eigentlich gelegen ist) dargetan werden, und zwar aus dem allgemeinen Grunde, weil der Begriff der Substanz, sofern er mit dem Begriff der Beharrlichkeit als notwendig verbunden angesehen werden soll, dieses nur nach einem Grundsatze möglicher Erfahrung und also auch nur zum Behuf derselben sein kann.* |

* Es ist in der Tat sehr merkwürdig, daß die Metaphysiker jederzeit so sorglos über den Grundsatz der Beharrlichkeit der Substanzen weggeschlüpft sind, ohne jemals einen Beweis davon zu versuchen; ohne Zweifel, weil sie sich, sobald sie es mit dem Begriffe Substanz anfingen, von allen Beweistümern gänzlich verlassen sahen. Der gemeine Verstand, der gar wohl inne ward, daß ohne diese Voraussetzung keine Vereinigung der | Wahrnehmungen in einer Erfahrung möglich sei, ersetzte diesen Mangel durch ein Postulat: denn aus der Erfahrung selbst konnte er diesen Grundsatz nimmermehr ziehen, teils weil die Materien, (Substanzen) bei allen ihren Veränderungen und Auflösungen, nicht so weit verfolgen kann, um den Stoff immer unvermindert anzutreffen, teils weil der Grundsatz N o t w e n d i g k e i t enthält, die jederzeit das Zeichen eines Prinzips a priori ist. Nun wandten sie diesen Grundsatz getrost auf den Begriff der Seele als einer S u b s t a n z an, und schlossen auf eine notwendige Fortdauer derselben nach dem Tode des Menschen, (vornehmlich da die Einfachheit dieser Substanz, welche aus der Unteilbarkeit des Bewußtseins gefolgert ward, sie wegen des Unterganges durch Auflösung sicherte). Hätten sie die echte Quelle dieses Grundsatzes gefunden, welches aber weit tiefere Untersuchungen erforderte, als sie jemals anzufangen Lust hatten, so würden sie gesehen haben: daß

§ 49

Daß unseren äußeren Wahrnehmungen etwas Wirkliches außer uns, nicht bloß korrespondiere, sondern auch korrespondieren müsse, kann gleichfalls niemals als Verknüpfung der Dinge an sich selbst, wohl aber zum Behuf der Erfahrung bewiesen werden. Dieses will so viel sagen: daß etwas auf empirische Art, mithin als Erscheinung im Raume außer uns sei, kann man gar wohl beweisen; denn mit andern Gegenständen, als denen, die zu einer möglichen Erfahrung gehören, haben wir es nicht zu tun, eben darum, weil sie uns in keiner Erfahrung gegeben werden können, und also vor uns nichts sein[107]. Empirisch außer mir ist das, was im Raume angeschaut wird, und | da dieser samt allen Erscheinungen, die er enthält, zu den Vorstellungen gehört, deren Verknüpfung nach Erfahrungsgesetzen ebenso wohl ihre objektive Wahrheit beweiset, als die Verknüpfung der Erscheinungen des innern Sinnes die Wirklichkeit meiner Seele (als eines Gegenstandes des innern Sinnes), so bin ich mir vermittelst der äußern Erfahrung ebenso wohl der Wirklichkeit der Körper, als äußerer Erscheinungen im Raume, wie vermittelst der innern Erfahrung des Daseins meiner Seele in der Zeit, bewußt, die ich auch nur, als einen Gegenstand des innern Sinnes, durch Erscheinungen, die einen innern Zustand ausmachen, erkennen kann, und[108] wovon mir das Wesen an sich selbst, das diesen Erscheinungen zum Grunde liegt, unbekannt ist. Der Cartesiänische[109] Idealism unterscheidet also nur äußere Erfahrung vom Traume, und die Gesetzmäßigkeit

---

jenes Gesetz der Beharrlichkeit der Substanzen nur zum Behuf der Erfahrung stattfinde, und daher nur auf Dinge, sofern sie in der Erfahrung erkannt und mit andern verbunden werden sollen, niemals aber von ihnen auch unangesehen aller möglichen Erfahrung, mithin auch nicht von der Seele nach dem Tode gelten könne.

[107] Ak: sind
[108] A: erkennen, und
[109] Ak: *gesperrt*

als ein Kriterium der Wahrheit der erstern, von der Regellosigkeit und dem falschen Schein des[110] letztern. Er setzt in
beiden Raum und Zeit als Bedingungen des Daseins der
Gegenstände voraus, und frägt nur, ob die Gegenstände
äußerer Sinne wirklich im Raum anzutreffen sein[111], die wir
darin im Wachen setzen, so wie der Gegenstand des innern
Sinnes, die Seele, wirklich in der Zeit ist, d. i. ob Erfahrung
sichere Kriterien der Unterscheidung von Einbildung bei sich
führe. Hier läßt sich der Zweifel nun leicht heben, und wir
heben ihn auch jederzeit im gemeinen Leben dadurch, daß
wir die Verknüpfung der Erscheinungen in beiden nach allge-
meinen Gesetzen der Erfahrung unter | suchen, und können,
wenn die Vorstellung äußerer Dinge damit durchgehends
übereinstimmt, nicht zweifeln, daß sie nicht wahrhafte Erfahrung ausmachen sollten. Der materiale Idealism, da Erscheinungen als Erscheinungen nur nach ihrer Verknüpfung in der Erfahrung betrachtet werden, läßt also sich sehr
leicht heben, und es ist eine ebenso sichere Erfahrung, daß
Körper außer uns (im Raume) existieren, als daß ich selbst,
nach der Vorstellung des innern Sinnes (in der Zeit) da bin:
Denn der Begriff: a u ß e r u n s, bedeutet nur die Existenz im
Raume. Da aber das Ich, in dem Satze: I c h b i n, nicht bloß
den Gegenstand der innern Anschauung (in der Zeit), sondern das Subjekt des Bewußtseins, so wie Körper nicht bloß
die äußere Anschauung (im Raume), sondern auch das Ding
a n s i c h s e l b s t bedeutet, was dieser Erscheinung zum
Grunde liegt; so kann die Frage: ob die Körper (als Erscheinungen des äußern Sinnes) a u ß e r m e i n e n G e d a n k e n
als Körper existieren, ohne alles Bedenken in der Natur verneinet werden; aber darin verhält es sich gar nicht anders mit
der Frage, ob ich selbst a l s E r s c h e i n u n g d e s i n n e r n
S i n n e s (Seele nach der empirischen Psychologie) außer
meiner Vorstellungskraft in der Zeit existiere, denn diese muß

---

[110] A: der
[111] Ak: seien

ebenso wohl verneinet werden. Auf solche Weise ist alles,
wenn es auf seine wahre Bedeutung gebracht wird, entschieden, und gewiß. Der formale Idealism (sonst von mir
transzendentale genannt) hebt wirklich den materiellen oder
Cartesianischen[112] auf. Denn wenn der | Raum nichts als
eine Form meiner Sinnlichkeit ist, so ist er als Vorstellung
in mir ebenso wirklich, als ich selbst, und es kommt nur noch
auf die empirische Wahrheit der Erscheinungen in demselben
an. Ist das aber nicht, sondern der Raum und Erscheinungen
in ihm sind etwas außer uns Existierendes, so können
alle Kriterien der Erfahrung außer unserer Wahrnehmung
niemals die Wirklichkeit dieser Gegenstände außer uns beweisen.

§ 50

II. Kosmologische Ideen (Krit. S. 405 u. f.)

Dieses Produkt der reinen Vernunft in ihrem transzendenten Gebrauch ist das merkwürdigste Phänomen derselben,
welches auch unter allen am kräftigsten wirkt, die Philosophie aus ihrem dogmatischen Schlummer zu erwecken, und
sie zu dem schweren Geschäfte der Kritik der Vernunft selbst
zu bewegen.

Ich nenne diese Idee deswegen kosmologisch, weil sie ihr
Objekt jederzeit nur in der Sinnenwelt nimmt, auch keine
andere als die, deren Gegenstand ein Objekt der Sinne ist,
braucht, mithin sofern einheimisch und nicht transzendent,
folglich bis dahin noch keine Idee ist; dahingegen, die Seele
sich als eine einfache Substanz denken, schon so viel heißt, als
sich einen Gegenstand denken (das Einfache) dergleichen den
Sinnen gar nicht vorgestellt werden können. Demungeachtet
erweitert doch die kosmologische Idee die Verknüpfung des
Bedingten mit seiner Bedingung (diese | mag mathematisch

---

[112] Ak: *gesperrt*

oder dynamisch sein) so sehr, daß Erfahrung ihr niemals
gleichkommen kann, und ist also in Ansehung dieses Punktes
immer eine Idee, deren Gegenstand niemals adäquat in irgend
einer Erfahrung gegeben werden kann.

§ 51

Zuerst zeigt sich hier der Nutzen eines Systems der Kategorien so deutlich und unverkennbar, daß, wenn es auch
nicht mehrere Beweistümer desselben gäbe, dieser allein ihre
Unentbehrlichkeit im System der reinen Vernunft hinreichend dartun würde. Es sind solcher transzendenten Ideen
nicht mehr als vier, so viel als Klassen der Kategorien; in jeder
derselben aber gehen sie nur auf die absolute Vollständigkeit
der Reihe der Bedingungen zu einem gegebenen Bedingten.
Diesen kosmologischen Ideen gemäß gibt es auch nur vierer-
lei dialektische Behauptungen der reinen Vernunft, die, da
sie dialektisch sind, dadurch selbst beweisen, daß einer
jeden, nach ebenso scheinbaren Grundsätzen der reinen
Vernunft, ein ihm widersprechender entgegensteht, welchen
Widerstreit keine metaphysische Kunst der subtilsten
Distinktion verhüten kann, sondern die den Philosophen
nötigt, zu den ersten Quellen der reinen Vernunft selbst
zurück zu gehen. Diese nicht etwa beliebig erdachte, sondern in der Natur der menschlichen Vernunft gegründete,
mithin unvermeidliche und niemals ein Ende nehmende
Antinomie, enthält nun folgende vier Sätze samt ihren
Gegensätzen. |

1.
Satz
Die Welt hat der Zeit und dem Raum nach
einen Anfang[113] (Grenze)

Gegensatz
Die Welt ist der Zeit und dem Raum nach
unendlich[114]

2.
Satz
Alles in der Welt besteht
aus dem
Einfachen

Gegensatz
Es ist nichts Einfaches, sondern
alles ist
zusammengesetzt

3.
Satz
Es gibt in der Welt Ur-
sachen durch
Freiheit

Gegensatz
Es ist keine Freiheit, sondern
alles ist
Natur

4.
Satz
In der Reihe der Welturachen ist irgend ein
notwendig Wesen

Gegensatz
Es ist in ihr nichts notwendig, sondern in dieser Reihe
ist alles zufällig.

[113] A: *nicht gesperrt*
[114] A: *nicht gesperrt*

§ 52

Hier ist nun das seltsamste Phänomen der menschlichen Vernunft, wovon sonst kein Beispiel in irgend einem andern Gebrauch derselben gezeigt werden kann. Wenn wir, wie es gewöhnlich geschieht, uns die Erscheinungen der Sinnenwelt als Dinge an sich selbst denken, wenn wir die Grundsätze ihrer Verbindung als allgemein von Dingen | an sich selbst und nicht bloß von der Erfahrung geltende Grundsätze annehmen, wie denn dieses ebenso gewöhnlich, ja ohne unsre Kritik unvermeidlich ist: so tut sich ein nicht vermuteter Widerstreit hervor, der niemals auf dem gewöhnlichen dogmatischen Wege beigelegt werden kann, weil sowohl Satz als Gegensatz durch gleich einleuchtende klare und unwiderstehliche Beweise dargetan werden können, – denn vor die Richtigkeit aller dieser Beweise verbürge ich mich, – und die Vernunft sich also mit sich selbst entzweit sieht, ein Zustand, über den der Skeptiker frohlockt, der kritische Philosoph aber in Nachdenken und Unruhe versetzt werden muß.

§ 52b

Man kann in der Metaphysik auf mancherlei Weise herumpfuschen, ohne eben zu besorgen, daß man auf Unwahrheit werde betreten[115] werden. Denn, wenn man sich nur nicht selbst widerspricht, welches in synthetischen, obgleich gänzlich erdichteten Sätzen gar wohl möglich ist: so können wir in allen solchen Fällen, wo die Begriffe, die wir verknüpfen, bloße Ideen sind, die gar nicht (ihrem ganzen Inhalte nach) in der Erfahrung gegeben werden können, niemals durch Erfahrung widerlegt werden. Denn wie wollten wir es durch Erfahrung ausmachen: ob die Welt von Ewigkeit her sei, oder einen Anfang habe, ob Materie ins Unendliche teilbar sei, oder aus

---

[115] Ak *erwägt:* betroffen

einfachen Teilen bestehe? Dergleichen[116] Begriffe lassen sich
in keiner, | auch der größtmöglichen Erfahrung geben, mithin
die Unrichtigkeit des behauptenden oder verneinenden Satzes durch diesen Probierstein nicht entdecken.

Der einzige mögliche Fall, da die Vernunft ihre geheime
Dialektik, die sie fälschlich vor Dogmatik ausgibt, wider
ihren Willen offenbarete, wäre der, wenn sie auf einen allgemein[117] zugestandenen Grundsatz eine Behauptung grün-
dete, und aus einem andern ebenso beglaubigten, mit der
größten Richtigkeit der Schlußart, gerade das Gegenteil fol-
gerte. Dieser Fall ist hier nun wirklich, und zwar in Ansehung
vier natürlicher Vernunftideen, woraus vier Behauptungen
einerseits, und ebenso viel Gegenbehauptungen andererseits,
jede mit richtiger Konsequenz aus allgemein zugestandnen
Grundsätzen, entspringen, und dadurch den dialektischen
Schein der reinen Vernunft im Gebrauch dieser Grundsätze
offenbaren, der sonst auf ewig verborgen sein müßte.

Hier ist also ein entscheidender Versuch, der uns notwendig eine Unrichtigkeit entdecken muß, die in den Vorausset-
zungen der Vernunft verborgen liegt*. Von | zwei einander
widersprechenden Sätzen können nicht alle beide falsch sein,
außer, wenn der Begriff selbst widersprechend ist, der beiden
zum Grunde liegt; z. B. die zwei Sätze: ein viereckigter Zirkel
ist rund, und ein viereckigter Zirkel ist nicht rund, sind beide
falsch. Denn, was den ersten betrifft, so ist es falsch, daß der
genannte Zirkel rund sei, weil er viereckigt ist; es ist aber auch

---

[116] A: bestehe, dergleichen
[117] A: allgemeinen

* Ich wünsche daher, daß der kritische Leser sich mit dieser Antinomie
hauptsächlich beschäftige, weil die Natur selbst sie aufgestellt zu haben scheint,
um die Vernunft in ihren dreisten Anmaßungen stutzig zu machen, und zur
Selbstprüfung zu nötigen. Jeden Beweis, den ich für die Thesis sowohl als Antithesis gegeben habe, mache ich mich anheischig zu verantworten, und dadurch
die Gewißheit der unvermeidlichen Antinomie der Vernunft darzutun. Wenn
der Leser nun durch diese seltsame Erscheinung dahin gebracht wird, zu der
Prüfung der dabei zum Grunde liegenden | Voraussetzung zurückzugehen, so
wird er sich gezwungen fühlen, die erste Grundlage aller Erkenntnis der reinen
Vernunft mit mir tiefer zu untersuchen.

falsch, daß er nicht rund, d. i. eckigt sei, weil er ein Zirkel ist.
Denn darin besteht eben das logische Merkmal der Unmöglichkeit eines Begriffs, daß unter desselben Voraussetzung
zwei widersprechende Sätze zugleich falsch sein würden,
mithin, weil kein Drittes zwischen ihnen gedacht werden
kann, durch jenen Begriff g a r   n i c h t s gedacht wird.

§ 52c

Nun liegt den zwei ersteren Antinomien, die ich mathematische nenne, weil sie sich mit der Hinzusetzung oder Teilung
des Gleichartigen beschäftigen, ein solcher widersprechender
Begriff zum Grunde; und daraus erkläre ich, wie es zugehe:
daß Thesis sowohl als Antithesis bei beiden falsch sind.

Wenn ich von Gegenständen in Zeit und Raum rede, so
rede ich nicht von Dingen an sich selbst, darum, weil ich von
diesen nichts weiß, sondern nur von Dingen in | der Erschei-
nung, d. i. von der Erfahrung, als einer besondern Erkenntnisart der Objekte, die dem Menschen allein vergönnet ist.
Was ich nun im Raume oder in der Zeit denke, von dem muß
ich nicht sagen: daß es an sich selbst, auch ohne diesen meinen
Gedanken, im Raume und der Zeit sei; denn da würde ich mir
selbst widersprechen; weil Raum und Zeit, samt den Erscheinungen in ihnen, nichts an sich selbst und außer meinen Vorstellungen Existierendes, sondern selbst nur Vorstellungsarten sind, und es offenbar widersprechend ist, zu sagen, daß
eine bloße Vorstellungsart auch außer unserer Vorstellung
existiere. Die Gegenstände also der Sinne existieren nur in der
Erfahrung; dagegen auch ohne dieselbe, oder vor ihr, ihnen
eine eigene vor sich bestehende Existenz zu geben, heißt so
viel, als sich vorstellen, Erfahrung sei auch ohne Erfahrung,
oder vor derselben wirklich.

Wenn ich nun nach der Weltgröße, dem Raume und der
Zeit nach, frage, so ist es vor alle meine Begriffe ebenso
unmöglich zu sagen, sie sei unendlich, als sie sei endlich.

Denn keines von beiden kann in der Erfahrung enthalten sein, weil weder von einem u n e n d l i c h e n Raume, oder unendlicher verflossener Zeit, noch[118] der B e g r e n z u n g der Welt durch einen leeren Raum, oder eine vorhergehende leere Zeit, Erfahrung möglich ist; das sind nur Ideen. Also müßte diese, auf die eine oder die andre Art bestimmte Größe der Welt in ihr selbst liegen, abgesondert von aller Erfahrung. Dieses widerspricht aber dem Begriffe einer | Sinnenwelt, die nur ein Inbegriff der Erscheinung ist, deren Dasein und Verknüpfung nur in der Vorstellung, nämlich der Erfahrung, stattfindet, weil sie nicht Sache an sich, sondern selbst nichts als Vorstellungsart ist. Hieraus folgt, daß, da der Begriff einer vor sich existierenden Sinnenwelt in sich selbst widersprechend ist, die Auflösung des Problems wegen ihrer Größe, auch jederzeit falsch sein werde, man mag sie nun bejahend oder verneinend versuchen.

Eben dieses gilt von der zweiten Antinomie, die die Teilung der Erscheinungen betrifft. Denn diese sind bloße Vorstellungen, und die Teile existieren bloß in der Vorstellung derselben, mithin in der Teilung, d. i. in einer möglichen Erfahrung, darin sie gegeben werden, und jene geht daher nur so weit, als diese reicht. Anzunehmen, daß eine Erscheinung, z. B. die des Körpers, alle Teile vor aller Erfahrung an sich selbst enthalte, zu denen nur immer mögliche Erfahrung gelangen kann, heißt: einer bloßen Erscheinung, die nur in der Erfahrung existieren kann, doch zugleich eine eigene vor Erfahrung vorhergehende Existenz geben, oder zu sagen[119], daß bloße Vorstellungen da sind, ehe sie in der Vorstellungskraft angetroffen werden, welches sich widerspricht, und mithin auch jede Auflösung der mißverstandenen Aufgabe[120], man mag darinne behaupten, die Körper bestehen an sich aus unendlich viel Teilen oder einer endlichen Zahl einfacher Teile. |

[118] A: nach
[119] Ak *erwägt:* oder sagen
[120] Ak *erwägt:* Aufgabe unmöglich macht

§ 53

In der ersten Klasse der Antinomie (der mathematischen) bestand die Falschheit der Voraussetzung darin: daß, was sich widerspricht (nämlich Erscheinung als Sache an sich selbst) als vereinbar in einem Begriffe vorgestellt würde. Was aber die zweite, nämlich dynamische Klasse der Antinomie betrifft, so besteht die Falschheit der Voraussetzung darin: daß, was vereinbar ist, als widersprechend vorgestellt wird, folglich, da im ersteren Falle alle beide einander entgegengesetzte Behauptungen falsch waren, hier wiederum solche, die durch bloßen Mißverstand einander entgegengesetzt werden, alle beide wahr sein können.

Die mathematische Verknüpfung nämlich setzt notwendig Gleichartigkeit des Verknüpften (im Begriffe der Größe) voraus, die dynamische erfordert dieses keineswegs. Wenn es auf die Größe des Ausgedehnten ankommt, so müssen alle Teile unter sich, und mit dem Ganzen gleichartig sein; dagegen in der Verknüpfung der Ursache und Wirkung kann zwar auch Gleichartigkeit angetroffen werden, aber sie ist nicht notwendig; denn der Begriff der Kausalität (vermittelst dessen durch Etwas etwas ganz davon Verschiedenes gesetzt wird) erfordert sie wenigstens nicht.

Würden die Gegenstände der Sinnenwelt vor Dinge an sich selbst genommen, und die oben angeführte Naturgesetze vor Gesetze der Dinge an sich selbst, so wäre | der Widerspruch unvermeidlich. Ebenso, wenn das Subjekt der Freiheit gleich den übrigen Gegenständen als bloße Erscheinung vorgestellt würde, so könnte ebenso wohl der Widerspruch nicht vermieden werden, denn es würde eben dasselbe von einerlei Gegenstande in derselben Bedeutung zugleich bejahet und verneinet werden. Ist aber Naturnotwendigkeit bloß auf Erscheinungen bezogen, und Freiheit bloß auf Dinge an sich selbst, so entspringt kein Widerspruch, wenn man gleich beide Arten von Kausalität annimmt, oder zugibt, so schwer oder unmöglich es auch sein möchte, die von der letzteren Art begreiflich zu machen.

In der Erscheinung ist jede Wirkung eine Begebenheit, oder etwas, das in der Zeit geschieht; vor ihr muß, nach dem allgemeinen Naturgesetze, eine Bestimmung der Kausalität ihrer Ursache (ein Zustand derselben) vorhergehen, worauf sie nach einem beständigen Gesetze folgt. Aber diese Bestimmung der Ursache zur Kausalität muß auch etwas sein, was sich ereignet oder geschieht; die Ursache muß angefangen haben zu handeln, denn sonst ließe sich zwischen ihr und der Wirkung keine Zeitfolge denken. Die Wirkung wäre immer gewesen, so wie die Kausalität der Ursache. Also muß unter Erscheinungen die Bestimmung der Ursache zum Wirken auch entstanden, und mithin ebenso wohl, als ihre Wirkung, eine Begebenheit sein, die wiederum ihre Ursache haben muß, u. s. w. und folglich Naturnotwendigkeit | die Bedingung sein, nach welcher die wirkende Ursachen bestimmt werden. Soll dagegen Freiheit eine Eigenschaft gewisser Ursachen der Erscheinungen sein, so muß sie, respektive auf die letztere, als Begebenheiten, ein Vermögen sein, sie von selbst (sponte) anzufangen, d. i. ohne daß die Kausalität der Ursache selbst anfangen dürfte, und daher keines andern ihren Anfang bestimmenden Grundes benötiget wäre. Alsdenn aber müßte die Ursache, ihrer Kausalität nach, nicht unter Zeitbestimmungen ihres Zustandes stehen, d. i. gar nicht Erscheinung sein, d. i. sie müßte als ein Ding an sich selbst, die Wirkungen aber allein als Erscheinungen angenommen werden*. Kann man einen

---

* Die Idee der Freiheit findet lediglich in dem Verhältnisse des Intellektuellen, als Ursache, zur Erscheinung, als Wirkung, statt. Daher können wir der Materie in Ansehung ihrer unaufhörlichen Handlung, dadurch sie ihren Raum erfüllt, nicht Freiheit beilegen, obschon diese Handlung aus innerem Prinzip geschieht. Ebenso wenig können wir vor reine Verstandeswesen, z. B. Gott, sofern seine Handlung immanent ist, keinen Begriff von Freiheit angemessen finden. Denn seine Handlung, obzwar unabhängig von äußeren bestimmenden Ursachen, ist dennoch in seiner ewigen Vernunft, mithin der göttlichen Natur, bestimmt. Nur wenn durch eine Handlung etwas anfangen soll,

solchen Einfluß der Verstan|deswesen auf Erscheinungen ohne Widerspruch denken, so wird zwar aller Verknüpfung der Ursache und Wirkung in der Sinnenwelt Naturnotwendigkeit anhangen, dagegen doch derjenigen Ursache, die selbst keine Erscheinung ist (obzwar ihr zum Grunde liegt), Freiheit zugestanden, Natur also und Freiheit eben demselben Dinge, aber in verschiedener Beziehung, einmal als Erscheinung, das andre Mal als einem Dinge an sich selbst ohne Widerspruch beigelegt werden können.

Wir haben in uns ein Vermögen, welches nicht bloß mit seinen subjektiv bestimmenden Gründen, welche die Naturursachen seiner Handlungen sind, in Verknüpfung steht, und sofern das Vermögen eines Wesens ist, das selbst zu den Erscheinungen gehört, sondern auch auf objektive Gründe, die bloß Ideen sind, bezogen wird, sofern sie dieses Vermögen bestimmen können, welche Verknüpfung durch S o l l e n ausgedrückt wird. Dieses Vermögen heißt V e r n u n f t, und sofern wir ein Wesen (den Menschen) lediglich nach dieser objektiv bestimmbaren Vernunft betrachten, kann es nicht als ein Sinnenwesen betrachtet werden, sondern die gedachte Eigenschaft ist die Eigenschaft eines Dinges an sich selbst, deren Möglichkeit, wie nämlich das S o l l e n, was doch noch nie geschehen ist, die Tätigkeit desselben bestimme, und Ursache von Handlungen sein könne, deren Wirkung Erscheinung in der Sinnenwelt ist, wir gar nicht begreifen können. Indessen würde doch die Kausalität der Ver|nunft in Ansehung der Wirkungen in der Sinnenwelt Freiheit sein, sofern o b j e k t i v e G r ü n d e, die selbst Ideen sind, in Ansehung ihrer als bestimmend angesehen werden. Denn

mithin die Wirkung in der Zeitreihe, folglich der Sinnenwelt anzutreffen sein soll, (z. B. Anfang der Welt) da erhebt sich die Frage, ob die Kausalität der Ursache selbst auch anfangen müsse, oder, ob die Ursache eine Wirkung anheben könne, ohne daß ihre Kausalität selbst anfängt. Im ersteren Falle ist der Begriff dieser Kausalität ein Begriff der Naturnotwendigkeit, im zweiten der Freiheit. Hieraus wird der Leser ersehen, daß, da ich Freiheit als das Vermögen, eine Begebenheit von selbst anzufangen erklärete, ich genau den Begriff traf, der das Problem der Metaphysik ist.

ihre Handlung hinge alsdann nicht an subjektiven, mithin auch keinen Zeitbedingungen und also auch nicht vom Naturgesetze ab, das diese zu bestimmen dient, weil Gründe der Vernunft allgemein, aus Prinzipien, ohne Einfluß der Umstände der Zeit oder des Orts, Handlungen die Regel geben.

Was ich hier anführe, gilt nur als Beispiel zur Verständlichkeit, und gehört nicht notwendig zu unserer Frage, welche, unabhängig von Eigenschaften, die wir in der wirklichen Welt antreffen, aus bloßen Begriffen entschieden werden muß.

Nun kann ich ohne Widerspruch sagen: alle Handlungen vernünftiger Wesen, sofern sie Erscheinungen sind, (in irgend einer Erfahrung angetroffen werden) stehen unter der Naturnotwendigkeit; eben dieselbe Handlungen aber, bloß respektive auf das vernünftige Subjekt, und dessen Vermögen nach bloßer Vernunft zu handeln, sind frei. Denn was wird zur Naturnotwendigkeit erfodert? Nichts weiter als die Bestimmbarkeit jeder Begebenheit der Sinnenwelt, nach beständigen Gesetzen, mithin eine Beziehung auf Ursache in der Erscheinung, wobei das Ding an sich selbst, was zum Grunde liegt, und dessen Kausalität unbekannt bleibt. Ich sage aber: das Naturgesetz bleibt, es mag nun das | vernünftige Wesen aus Vernunft, mithin durch Freiheit, Ursache der Wirkungen der Sinnenwelt sein, oder es mag diese auch nicht aus Vernunftgründen bestimmen. Denn, ist das erste, so geschieht die Handlung nach Maximen, deren Wirkung in der Erscheinung jederzeit beständigen Gesetzen gemäß sein wird: ist das zweite, und die Handlung geschieht nicht nach Prinzipien der Vernunft, so ist sie den empirischen Gesetzen der Sinnlichkeit unterworfen, und in beiden Fällen hängen die Wirkungen nach beständigen Gesetzen zusammen; mehr verlangen wir aber nicht zur Naturnotwendigkeit, ja mehr kennen wir an ihr auch nicht. Aber im ersten Falle ist Vernunft die Ursache dieser Naturgesetze, und ist also frei, im zweiten Falle laufen die Wirkungen nach bloßen Naturgesetzen der Sinnlichkeit, darum, weil die Vernunft keinen Einfluß auf sie ausübt: sie, die Vernunft, wird aber darum nicht selbst durch die Sinnlichkeit bestimmt, (welches unmöglich ist) und ist daher auch in diesem Falle frei. Die Freiheit hindert also nicht das Naturgesetz der Erscheinungen, so wenig, wie dieses der Freiheit des praktischen Vernunftgebrauchs, der mit Dingen an sich selbst, als bestimmenden Gründen, in Verbindung steht, Abbruch tut.

Hiedurch wird also die praktische Freiheit, nämlich diejenige, in welcher die Vernunft nach objektiv-bestimmenden Gründen Kausalität hat, gerettet, ohne daß | der Naturnotwendigkeit in Ansehung eben derselben Wirkungen, als Erscheinungen, der mindeste Eintrag geschieht. Eben dieses kann auch zur Erläuterung desjenigen, was wir wegen der transzendentalen Freiheit und deren Vereinbarung mit Naturnotwendigkeit (in demselben Subjekte, aber nicht in einer und derselben Beziehung genommen) zu sagen hatten, dienlich sein. Denn was diese betrifft, so ist ein jeder Anfang der Handlung eines Wesens aus objektiven Ursachen, respektive auf diese bestimmende Gründe, immer ein e r s t e r A n f a n g [121], obgleich dieselbe Handlung in der Reihe der Erscheinungen nur ein s u b a l t e r n e r Anfang ist, vor welchem ein Zustand der Ursache vorhergehen muß, der sie bestimmt, und selbst ebenso von einer noch [122] vorhergehenden bestimmt wird: so daß man sich an vernünftigen Wesen, oder überhaupt an Wesen, sofern ihre Kausalität in ihnen als Dingen an sich selbst bestimmt wird, ohne in Widerspruch mit Naturgesetzen zu geraten, ein Vermögen denken kann, eine Reihe von Zuständen von selbst anzufangen. Denn das Verhältnis der Handlung zu objektiven Vernunftgründen ist kein Zeitverhältnis: hier geht das, was die Kausalität bestimmt, nicht der Zeit nach vor der Handlung vorher, weil solche bestimmende Gründe nicht Beziehung der Gegen-

---

[121] Ak: *nicht gesperrt*
[122] A: nah

stände auf Sinne, mithin nicht auf Ursachen in der Erscheinung, sondern bestimmende Ursachen, als Dinge an sich selbst, die nicht unter Zeitbedingungen stehen, vorstellen. So kann die Handlung in | Ansehung der Kausalität der Vernunft als ein erster Anfang, in Ansehung der Reihe der Erscheinungen, aber doch zugleich als ein bloß subordinierter Anfang angesehen, und ohne Widerspruch in jenem Betracht als frei, in diesem (da sie bloß Erscheinung ist) als der Naturnotwendigkeit unterworfen, angesehen werden.

Was die vierte Antinomie betrifft, so wird sie auf die ähnliche[123] Art gehoben, wie der Widerstreit der Vernunft mit sich selbst in der dritten. Denn, wenn die Ursache in der Erscheinung, nur von der Ursache der Erscheinungen, sofern sie als Ding an sich selbst gedacht werden kann, unterschieden wird, so können beide Sätze wohl nebeneinander bestehen, nämlich, daß von der Sinnenwelt überall keine Ursache (nach ähnlichen Gesetzen der Kausalität) stattfinde, deren Existenz schlechthin notwendig sei, imgleichen andererseits, daß diese Welt dennoch mit einem notwendigen Wesen als ihrer Ursache (aber von anderer Art und nach einem andern Gesetze) verbunden sei; welcher zween Sätze Unverträglichkeit lediglich auf dem Mißverstande beruht, das, was bloß von Erscheinungen gilt, über Dinge an sich selbst auszudehnen, und überhaupt beide in einem Begriffe zu vermengen.

§ 54

Dies ist nun die Aufstellung und Auflösung der ganzen Antinomie, darin sich die Vernunft bei der An | wendung ihrer Prinzipien auf die Sinnenwelt verwickelt findet, und wovon auch jene (die bloße Aufstellung) sogar allein schon ein beträchliches Verdienst um die Kenntnis der menschli-

---

[123] Ak *erwägt:* nämliche

chen Vernunft sein würde, wenngleich die Auflösung dieses
Widerstreits den Leser, der hier einen natürlichen Schein zu
bekämpfen hat, welcher ihm nur neuerlich als ein solcher
vorgestellet worden, nachdem er ihn bisher immer vor wahr
gehalten, hiedurch noch nicht völlig befriedigt haben[124]
sollte. Denn eine Folge hievon ist doch unausbleiblich, nämlich daß, weil es ganz unmöglich ist, aus diesem Widerstreit
der Vernunft mit sich selbst herauszukommen, so lange man
die Gegenstände der Sinnenwelt vor Sachen an sich selbst
nimmt, und nicht vor das, was sie in der Tat sind, nämlich
bloße Erscheinungen, der Leser dadurch genötigt werde, die
Deduktion aller unsrer Erkenntnis a priori und die Prüfung
derjenigen, die ich davon gegeben habe, nochmals vorzuneh-
men, um darüber zur Entscheidung zu kommen. Mehr verlange ich jetzt nicht; denn wenn er sich bei dieser Beschäftigung nur allererst tief gnug in die Natur der reinen Vernunft
hineingedacht hat, so werden die Begriffe, durch welche die
Auflösung des Widerstreits der Vernunft allein möglich ist,
ihm schon geläufig sein, ohne welchen Umstand ich selbst
von dem aufmerksamsten Leser völligen Beifall nicht erwar-
ten kann. |

§ 55
III. Theologische Idee (Kritik S. 571 u. f.)

Die dritte transzendentale Idee, die zu dem allerwichtig-
sten, aber, wenn er bloß spekulativ betrieben wird, über-
schwenglichen (transzendenten) und eben dadurch dialektischen Gebrauch der Vernunft, Stoff gibt, ist das Ideal der
reinen Vernunft. Da die Vernunft hier nicht, wie bei der psychologischen und kosmologischen Idee, von der Erfahrung
anhebt, und durch Steigerung der Gründe, wo möglich, zur
absoluten Vollständigkeit ihrer Reihe zu trachten verleitet

---

[124] A: werden

wird, sondern gänzlich abbricht, und aus bloßen Begriffen
von dem, was die absolute Vollständigkeit eines Dinges überhaupt ausmachen würde, mithin vermittelst der Idee eines
höchst vollkommnen Urwesens zur Bestimmung der Möglichkeit, mithin auch der Wirklichkeit aller andern Dinge her-
abgeht; so ist hier die bloße Voraussetzung eines Wesens,
welches, obzwar nicht in der Erfahrungsreihe, dennoch zum
Behuf der Erfahrung, um der Begreiflichkeit der Verknüpfung, Ordnung und Einheit der letzteren willen gedacht
wird, d. i. die I d e e von dem Verstandesbegriffe leichter wie
in den vorigen Fällen zu unterscheiden. Daher konnte hier
der dialektische Schein, welcher daraus entspringt, daß wir
die subjektive Bedingungen unseres Denkens vor objektive
Bedingungen der Sachen selbst und eine notwendige Hypothese zur Befriedigung unserer Vernunft vor ein Dogma hal-
ten, leicht vor Augen gestellt | werden, und ich habe daher
nichts weiter über die Anmaßungen der transzendentalen
Theologie zu erinnern, da das, was die Kritik hierüber sagt,
faßlich, einleuchtend und entscheidend ist.

§ 56

Allgemeine Anmerkung
zu den transzendentalen Ideen

Die Gegenstände, welche uns durch Erfahrung gegeben
werden, sind uns in vielerlei Absicht unbegreiflich, und es
können viele Fragen, auf die uns das Naturgesetz führt, wenn
sie bis zu einer gewissen Höhe, aber immer diesen Gesetzen
gemäß getrieben werden, gar nicht aufgelöset werden, z. B.
woher Materien einander anziehen. Allein, wenn wir die
Natur ganz und gar verlassen, oder im Fortgange ihrer Verknüpfung alle mögliche Erfahrung übersteigen, mithin uns in
bloße Ideen vertiefen, alsdenn können wir nicht sagen, daß
uns der Gegenstand unbegreiflich sei, und die Natur der
Dinge uns unauflösliche Aufgaben vorlege; denn wir haben es

alsdenn gar nicht mit der Natur oder überhaupt mit gegebenen Objekten, sondern bloß mit Begriffen zu tun, die in unserer Vernunft lediglich ihren Ursprung haben, und mit bloßen Gedanken-Wesen, in Ansehung deren alle Aufgaben, die aus dem Begriffe derselben entspringen, | müssen aufgelöset[125] werden können, weil die Vernunft von ihrem eigenen Verfahren allerdings vollständige Rechenschaft geben kann, und muß*. Da die psychologische[126], kosmologische und theologische Ideen lauter reine Vernunftbegriffe sind, die in keiner Erfahrung gegeben werden können, so sind uns die Fragen, die uns die Vernunft in Ansehung ihrer vorlegt, nicht durch die Gegenstände, sondern durch bloße Maximen der Vernunft um ihrer Selbstbefriedigung willen aufgegeben, und müssen insgesamt hinreichend beantwortet werden können, welches auch dadurch geschieht, daß man zeigt, daß sie Grundsätze sind, unsern Verstandesgebrauch zur durchgängigen Einhelligkeit, Vollständigkeit und synthetischen Einheit zu bringen, und sofern bloß von der Erfahrung, aber im G a n z e n derselben gelten. Obgleich aber ein absolutes Ganze der Erfahrung unmöglich ist, so ist doch | die Idee eines Ganzen der Erkenntnis nach Prinzipien überhaupt dasjenige, was ihr allein eine besondere Art der Einheit, nämlich die von einem System, verschaffen kann, ohne die unser

---

[125] A: entspringen müssen, aufgelöset

* Herr Platner in seinen Aphorismen sagt daher mit Scharfsinnigkeit § 728, 729: »Wenn die Vernunft ein Kriterium ist, so kann kein Begriff möglich sein, welcher der menschlichen Vernunft unbegreiflich ist. – In dem Wirklichen allein findet Unbegreiflichkeit statt. Hier entsteht die Unbegreiflichkeit aus der Unzulänglichkeit der erworbenen Ideen.« – Es klingt also nur paradox und ist übrigens nicht befremdlich, zu sagen, in der Natur sei uns vieles unbegreiflich, (z. B. das Zeugungsvermögen) wenn wir aber noch höher steigen und selbst über die Natur hinausgehen, so werde uns wieder alles begreiflich; denn wir verlassen alsdenn ganz die G e g e n s t ä n d e, die uns gegeben werden können, und beschäftigen uns bloß mit Ideen, bei denen wir das Gesetz, welches die Vernunft durch sie dem Verstande, zu seinem Gebrauch in der Erfahrung vorschreibt, gar wohl begreifen können, weil es ihr eigenes Produkt ist.

[126] A: physiologische

[160–162]

Erkenntnis nichts als Stückwerk ist, und zum höchsten Zwecke (der immer nur das System aller Zwecke ist,) nicht gebraucht werden kann; ich verstehe aber hier nicht bloß den praktischen, sondern auch den höchsten Zweck des spekulativen Gebrauchs der Vernunft.

Die transzendentale Ideen drücken also die eigentümliche Bestimmung der Vernunft aus, nämlich als eines Prinzips der systematischen Einheit des Verstandesgebrauchs. Wenn man aber diese Einheit der Erkenntnisart davor ansieht, als ob sie dem Ojekte der Erkenntnis anhänge, wenn man sie, die eigentlich bloß r e g u l a t i v ist, vor k o n s t i t u t i v hält, und sich überredet, man könne vermittelst dieser Ideen seine Kenntnis weit über alle mögliche Erfahrung, mithin auf transzendente Art erweitern, da sie doch bloß dazu dient, Erfahrung in ihr selbst der Vollständigkeit so nahe wie möglich zu bringen, d. i. ihren Fortgang durch nichts einzuschränken, was zur Erfahrung nicht gehören kann, so ist dieses ein bloßer Mißverstand in Beurteilung der eigentlichen Bestimmung unserer Vernunft, und ihrer Grundsätze, und eine Dialektik, die teils den Erfahrungsgebrauch der Vernunft verwirrt, teils die Vernunft mit sich selbst entzweiet. |

Beschluß
Von der Grenzbestimmung der reinen Vernunft

§ 57

Nach den allerkläresten Beweisen, die wir oben gegeben haben, würde es Ungereimtheit sein, wenn wir von irgend einem Gegenstande mehr zu erkennen hoffeten, als zur möglichen Erfahrung desselben gehört, oder auch von irgend einem Dinge, wovon wir annehmen, es sei nicht ein Gegenstand möglicher Erfahrung, nur auf das mindeste Erkenntnis

Anspruch machten, es nach seiner Beschaffenheit, wie es an sich selbst ist, zu bestimmen; denn wodurch wollen wir diese Bestimmung verrichten, da Zeit, Raum, und alle Verstandesbegriffe, vielmehr aber noch die durch empirische Anschauung, oder W a h r n e h m u n g in der Sinnenwelt, gezogene Begriffe keinen andern Gebrauch haben, noch haben können, als bloß Erfahrung möglich zu machen, und lassen wir selbst von den reinen Verstandesbegriffen diese Bedingung weg, sie alsdenn ganz und gar kein Objekt bestimmen, und überall keine Bedeutung haben.

Es würde aber andererseits eine noch größere Ungereimtheit sein, wenn wir gar keine Dinge an sich selbst einräumen, oder unsere Erfahrung vor die einzig mögliche Erkenntnisart der Dinge, mithin unsre Anschauung in Raum und Zeit vor die allein mögliche An|schauung, unsern diskursiven Verstand aber vor das Urbild von jedem möglichen Verstande ausgeben wollten[127], mithin Prinzipien der Möglichkeit der Erfahrung vor allgemeine Bedingungen der Dinge an sich selbst wollten gehalten wissen.

Unsere Prinzipien, welche den Gebrauch der Vernunft bloß auf mögliche Erfahrung einschränken, könnten demnach selbst t r a n s z e n d e n t werden, und die Schranken unsrer Vernunft vor Schranken der Möglichkeit der Dinge selbst ausgeben, wie davon H u m e s Dialogen zum Beispiel dienen können, wenn nicht eine sorgfältige Kritik die Grenzen unserer Vernunft auch in Ansehung ihres empirischen Gebrauchs bewachte, und ihren Anmaßungen ihr Ziel setzte. Der Skeptizismus ist uranfänglich aus der Metaphysik und ihrer polizeilosen Dialektik entsprungen. Anfangs mochte er wohl bloß zu Gunsten des Erfahrungsgebrauchs der Vernunft, alles, was diesen übersteigt, vor nichtig und betrüglich ausgeben, nach und nach aber, da man inne ward, daß es doch eben dieselbe Grundsätze a priori sind, deren man sich bei der Erfahrung bedient, die unvermerkt, und, wie es schien, mit

---

[127] A: wollte

eben demselben Rechte noch weiter führeten, als Erfahrung reicht, so fing man an, selbst in Erfahrungsgrundsätze einen Zweifel zu setzen. Hiemit hat es nun wohl keine Not; denn der gesunde Verstand wird hierin wohl jederzeit seine Rechte behaupten, allein es entsprang doch eine besondere Verwirrung in der Wissenschaft, die nicht bestimmen | kann, wie weit und warum nur bis dahin und nicht weiter der Vernunft zu trauen sei, dieser Verwirrung aber kann nur durch förmliche und aus Grundsätzen gezogene Grenzbestimmung unseres Vernunftgebrauchs abgeholfen und allem Rückfall auf künftige Zeit vorgebeugt werden.

Es ist wahr: wir können über alle mögliche Erfahrung hinaus von dem, was Dinge an sich selbst sein mögen, keinen bestimmten Begriff geben. Wir sind aber dennoch nicht frei vor der Nachfrage nach diesen, uns gänzlich derselben zu enthalten; denn Erfahrung tut der Vernunft niemals völlig Gnüge; sie weiset uns in Beantwortung der Fragen immer weiter zurück, und läßt uns in Ansehung des völligen Aufschlusses derselben unbefriedigt, wie jedermann dieses aus der Dialektik der reinen Vernunft, die eben darum ihren guten subjektiven Grund hat, hinreichend ersehen kann. Wer kann es wohl ertragen, daß wir von der Natur unserer Seele bis zum klaren Bewußtsein des Subjekts und zugleich der Überzeugung gelangen, daß seine Erscheinungen nicht materialistisch können erklärt werden, ohne zu fragen, was denn die Seele eigentlich sei, und, wenn kein Erfahrungsbegriff hiezu zureicht, allenfalls einen Vernunftbegriff (eines einfachen immateriellen[128] Wesens) bloß zu diesem Behuf anzunehmen, ob wir gleich seine objektive Realität gar nicht dartun können? Wer kann sich bei der bloßen Erfahrungserkenntnis in allen kosmologischen Fragen, von der Weltdauer und Größe, der Freiheit | oder Naturnotwendigkeit, befriedigen, da, wir mögen es anfangen, wie wir wollen, eine jede nach Erfahrungsgrundgesetzen[129] gegebene Antwort immer

[128] A: materiellen
[129] Ak: Erfahrungsgrundsätzen

eine neue Frage gebiert, die ebenso wohl beantwortet sein
will, und dadurch die Unzulänglichkeit aller physischen Er-
klärungsarten zur Befriedigung der Vernunft deutlich dar-
tut? Endlich, wer sieht nicht bei der durchgängigen Zufällig-
keit und Abhängigkeit alles dessen, was er nur nach Erfah-
rungsprinzipien denken und annehmen mag, die Unmöglichkeit, bei diesen stehen zu bleiben, und fühlt sich nicht notge-
drungen, unerachtet alles Verbots, sich nicht in transzen-
dente Ideen zu verlieren, dennoch über alle Begriffe, die er
durch Erfahrung rechtfertigen kann, noch in dem Begriffe
eines Wesens Ruhe und Befriedigung zu suchen, davon die
Idee zwar an sich selbst der Möglichkeit nach nicht eingesehen, obgleich auch nicht widerlegt werden kann, weil sie ein
bloßes Verstandeswesen betrifft, ohne die aber die Vernunft
auf immer unbefriedigt bleiben müßte.

Grenzen (bei ausgedehnten Wesen) setzen immer einen
Raum voraus, der außerhalb einem gewissen bestimmten
Platze angetroffen wird, und ihn einschließt; Schranken bedürfen dergleichen nicht, sondern sind bloße Verneinungen,
die eine Größe affizieren, sofern sie nicht absolute Vollständigkeit hat. Unsre Vernunft aber sieht gleichsam um sich
einen Raum vor die Erkenntnis der Dinge an sich selbst, ob
sie gleich von ihnen niemals bestimm|te Begriffe haben kann,
und nur auf Erscheinungen eingeschränkt ist.

So lange die Erkenntnis der Vernunft gleichartig ist, lassen
sich von ihr keine bestimmte Grenzen denken. In der Mathematik und Naturwissenschaft erkennt die menschliche Vernunft zwar Schranken, aber keine Grenzen, d. i. zwar, daß
etwas außer ihr liege, wohin sie niemals gelangen kann, aber
nicht, daß sie selbst in ihrem innern Fortgange irgendwo vollendet sein werde. Die Erweiterung der Einsichten in der
Mathematik, und die Möglichkeit immer neuer Erfindungen
geht ins Unendliche; ebenso die Entdeckung neuer Natur-
eigenschaften, neuer Kräfte und Gesetze, durch fortgesetzte
Erfahrung und Vereinigung derselben durch die Vernunft.
Aber Schranken sind hier gleichwohl nicht zu verkennen,

denn Mathematik geht nur auf Erscheinungen, und was nicht ein Gegenstand der sinnlichen Anschauung sein kann, als die Begriffe der Metaphysik und Moral, das liegt ganz außerhalb ihrer Sphäre, und dahin kann sie niemals führen; sie bedarf aber derselben auch gar nicht. Es ist also kein kontinuierlicher Fortgang und Annäherung zu diesen Wissenschaften, und gleichsam ein Punkt oder Linie der Berührung. Naturwissenschaft wird uns niemals das Innere der Dinge, d. i. dasjenige, was nicht Erscheinung ist, aber doch zum obersten Erklärungsgrunde der Erscheinungen dienen kann, entdecken; aber sie braucht dieses auch nicht zu ihren physischen Erklärungen; ja, wenn ihr auch | dergleichen anderweitig angeboten würde, (z. B. Einfluß immaterieller Wesen) so soll sie es doch ausschlagen und gar nicht in den Fortgang ihrer Erklärungen bringen, sondern diese jederzeit nur auf das gründen, was als Gegenstand der Sinne zu Erfahrung gehören, und mit unsern wirklichen Wahrnehmungen nach Erfahrungsgesetzen in Zusammenhang gebracht werden kann.

Allein Metaphysik führet uns in den dialektischen Versuchen der reinen Vernunft (die nicht willkürlich, oder mutwilliger Weise angefangen werden, sondern dazu die Natur der Vernunft selbst treibt) auf Grenzen, und die transzendentale Ideen, eben dadurch, daß man ihrer nicht Umgang haben kann, daß sie sich gleichwohl niemals wollen realisieren lassen, dienen dazu, nicht allein uns wirklich die Grenzen des reinen Vernunftgebrauchs zu zeigen, sondern auch die Art, solche zu bestimmen, und das ist auch der Zweck und Nutzen dieser Naturanlage unserer Vernunft, welche Metaphysik, als ihr Lieblingskind, ausgeboren hat, dessen Erzeugung, so wie jede andere in der Welt, nicht dem ungefähren Zufalle, sondern einem ursprünglichen Keime zuzuschreiben ist, welcher zu großen Zwecken weislich organisiert ist. Denn Metaphysik ist vielleicht mehr, wie irgend eine andere Wissenschaft, durch die Natur selbst ihren Grundzügen nach in uns gelegt, und kann gar nicht als das Produkt einer beliebigen Wahl, oder als zufällige Erweiterung beim Fortgange | der Erfahrungen (von denen sie sich gänzlich abtrennt,) angesehen werden.

Die Vernunft, durch alle ihre Begriffe und Gesetze des Verstandes, die ihr zum empirischen Gebrauche, mithin innerhalb der Sinnenwelt, hinreichend sind, findet doch von sich dabei keine Befriedigung; denn durch ins Unendliche immer wiederkommende Fragen wird ihr alle Hoffnung zur vollendeten Auflösung derselben benommen. Die transzendentale Ideen, welche diese Vollendung zur Absicht haben, sind solche Probleme der Vernunft. Nun sieht sie klärlich: daß die Sinnenwelt diese Vollendung nicht enthalten könne, mithin ebenso wenig auch alle jene Begriffe, die lediglich zum Verständnisse derselben dienen: Raum und Zeit, und alles, was wir unter dem Namen der reinen Verstandesbegriffe angeführt haben. Die Sinnenwelt ist nichts als eine Kette nach allgemeinen Gesetzen verknüpfter Erscheinungen, sie hat also kein Bestehen vor sich, sie ist eigentlich nicht das Ding an sich selbst, und bezieht sich also notwendig auf das, was den Grund dieser Erscheinung enthält, auf Wesen, die nicht bloß als Erscheinung, sondern als Dinge an sich selbst erkannt werden können. In der Erkenntnis derselben kann Vernunft allein hoffen, ihr Verlangen nach Vollständigkeit im Fortgange vom Bedingten zu dessen Bedingungen einmal befriedigt zu sehen.

Oben (§ 33, 34) haben wir Schranken der Vernunft in Ansehung aller Erkenntnis bloßer Gedankenwesen | angezeigt, jetzt, da uns die transzendentale Ideen dennoch den Fortgang bis zu ihnen notwendig machen, und nur also gleichsam bis zur Berührung des vollen Raumes (der Erfahrung) mit dem leeren, (wovon wir nichts wissen können, den Noumenis) geführt haben, können wir auch die Grenzen der reinen Vernunft bestimmen; denn in allen Grenzen ist auch etwas Positives, (z. B. Fläche ist die Grenze des körperlichen Raumes, indessen doch selbst ein Raum, Linie ein Raum, der die Grenze der Fläche ist, Punkt die Grenze der Linie, aber doch noch immer ein Ort im Raume,) dahingegen Schranken bloße Negationen enthalten. Die im angeführten Paragraph angezeigte Schranken sind noch nicht genug, nachdem wir gefunden haben, daß noch über dieselbe etwas (ob wir es gleich, was es an sich selbst sei, niemals erkennen werden,) hinausliege. Denn nun frägt sich, wie verhält sich unsere Vernunft bei dieser Verknüpfung dessen, was wir kennen, mit dem, was wir nicht kennen, und auch niemals kennen werden? Hier ist eine wirkliche Verknüpfung des Bekannten mit einem völlig Unbekannten, (was es auch jederzeit bleiben wird) und, wenn dabei das Unbekannte auch nicht im Mindesten bekannter werden sollte – wie denn das in der Tat auch nicht zu hoffen ist –, so muß doch der Begriff von dieser Verknüpfung bestimmt, und zur Deutlichkeit gebracht werden können.

Wir sollen uns denn also ein immaterielles Wesen, eine Verstandeswelt, und ein höchstes aller Wesen (lauter | Noumena) denken, weil die Vernunft nur in diesen, als Dingen an sich selbst, Vollendung und Befriedigung antrifft, die sie in der Ableitung der Erscheinungen aus ihren gleichartigen Gründen, niemals hoffen kann, und weil diese sich wirklich auf etwas von ihnen Unterschiedenes (mithin gänzlich Ungleichartiges) beziehen, indem Erscheinungen doch jederzeit eine Sache an sich selbst voraussetzen, und also darauf Anzeige tun, man mag sie nun näher erkennen, oder nicht.

Da wir nun aber diese Verstandeswesen, nach dem, was sie an sich selbst sein mögen, d. i. bestimmt, niemals erkennen können, gleichwohl aber solche im Verhältnis auf die Sinnenwelt dennoch annehmen, und durch die Vernunft damit verknüpfen müssen, so werden wir doch wenigstens diese Verknüpfung vermittelst solcher Begriffe denken können, die ihr Verhältnis zur Sinnenwelt ausdrucken. Denn, denken wir das Verstandeswesen durch nichts als reine Verstandesbegriffe, so denken wir uns dadurch wirklich nichts Bestimmtes, mithin ist unser Begriff ohne Bedeutung: denken wir es uns durch Eigenschaften, die von der Sinnenwelt entlehnt sind, so ist es nicht mehr Verstandeswesen, es wird als eines von den Phänomenen gedacht und gehört zur Sinnenwelt. Wir wollen ein Beispiel vom Begriffe des höchsten Wesens hernehmen.

Der d e i s t i s c h e Begriff ist ein ganz reiner Vernunftbegriff, welcher aber nur ein Ding, das alle Realität | enthält, vorstellt, ohne deren eine einzige bestimmen zu können, weil dazu das Beispiel aus der Sinnenwelt entlehnt werden müßte, in welchem Falle ich es immer nur mit einem Gegenstande der Sinne, nicht aber mit etwas ganz Ungleichartigem, was gar nicht ein Gegenstand der Sinne sein kann, zu tun haben würde. Denn ich würde ihm z. B. Verstand beilegen; ich habe aber gar keinen Begriff von einem Verstande, als dem, der so ist, wie der meinige, nämlich ein solcher, dem durch Sinne Anschauungen müssen gegeben werden, und der sich damit beschäftigt, sie unter Regeln der Einheit des Bewußtseins zu bringen. Aber alsdenn würden die Elemente meines Begriffs immer in der Erscheinung liegen; ich wurde aber eben durch die Unzulänglichkeit der Erscheinungen genötigt, über dieselbe hinaus, zum Begriffe eines Wesens zu gehen, was gar nicht von Erscheinungen abhängig, oder damit, als Bedingungen seiner Bestimmung, verflochten ist. Sondere ich aber den Verstand von der Sinnlichkeit ab, um einen reinen Verstand zu haben; so bleibt nichts als die bloße Form des Denkens ohne Anschauung übrig, wodurch allein ich nichts Bestimmtes, also keinen Gegenstand erkennen kann. Ich müßte mir zu dem Ende einen andern Verstand denken, der die Gegenstände anschauete, wovon ich aber nicht den mindesten Begriff habe, weil der menschliche diskursiv ist, und nur durch allgemeine Begriffe erkennen kann. Eben das widerfährt mir auch, wenn ich dem höchsten Wesen einen | Willen beilege: Denn ich habe diesen Begriff nur, indem ich ihn aus meiner innern Erfahrung ziehe, dabei aber meiner Abhängigkeit der Zufriedenheit von Gegenständen, deren Existenz wir bedürfen, und also Sinnlichkeit zum Grunde liegt, welches dem reinen Begriffe des höchsten Wesens gänzlich widerspricht. [130]

Die Einwürfe des Hume[131] wider den Deismus sind schwach, und treffen niemals etwas mehr als die Beweistümer, niemals aber den Satz der deistischen Behauptung selbst. Aber in Ansehung des Theismus, der durch eine nähere Bestimmung unseres dort bloß transzendenten Begriffs vom höchsten Wesen zu Stande kommen soll, sind sie sehr stark, und, nachdem man diesen Begriff einrichtet, in gewissen (in der Tat, allen gewöhnlichen) Fällen unwiderleglich. Hume[132] hält sich immer daran: daß durch den bloßen Begriff eines Urwesens, dem wir keine andere als ontologische Prädikate (Ewigkeit, Allgegenwart, Allmacht) beilegen, wir wirklich gar nichts Bestimmtes denken, sondern es müßten Eigenschaften hinzukommen, die einen Begriff in concreto abgeben können: es sei nicht genug, zu sagen: er sei Ursache, sondern wie seine Kausalität beschaffen sei, etwa durch Verstand und Willen; und da fangen seine Angriffe der Sache selbst, nämlich des Theismus an, da er vorher nur die Beweisgründe des Deismus gestürmt hatte, welches keine sonderliche Gefahr nach sich ziehet. Seine gefährlichen Argumente beziehen sich insgesamt auf den Anthropomorphismus, | von dem er davor hält, er sei von dem Theism unabtrennlich, und mache ihn in sich selbst widersprechend, ließe man ihn aber weg, so fiele dieser hiemit auch, und es bliebe nichts als ein Deism übrig, aus dem man nichts machen, der uns zu nichts nützen und zu gar keinen Fundamenten der Religion und Sitten dienen kann. Wenn diese Unvermeidlichkeit des Anthropomorphismus gewiß wäre, so möchten die Beweise vom Dasein eines höchsten Wesens sein, welche sie wollen, und alle eingeräumt werden, der Begriff von diesem Wesen würde doch niemals von uns bestimmt werden können, ohne uns in Widersprüche zu verwickeln.

---

[130] *Satz nicht sinnvoll zu verbessern*
[131] Ak: *gesperrt*
[132] Ak: *gesperrt*

Wenn wir mit dem Verbot, alle transzendente Urteile der reinen Vernunft zu vermeiden, das damit, dem Anschein nach, streitende Gebot, bis zu Begriffen, die außerhalb dem Felde des immanenten (empirischen) Gebrauchs[133] liegen, hinauszugehen, verknüpfen, so werden wir inne, daß beide zusammen bestehen können, aber nur gerade auf der G r e n z e alles erlaubten Vernunftgebrauchs; denn diese gehöret ebenso wohl zum Felde der Erfahrung, als dem der Gedankenwesen, und wir werden dadurch zugleich belehrt, wie jene so merkwürdige Ideen lediglich zur Grenzbestimmung der menschlichen Vernunft dienen, nämlich, einerseits Erfahrungserkenntnis nicht unbegrenzt auszudehnen, so daß gar nichts mehr als bloß Welt von uns zu erkennen übrig bliebe, und andererseits dennoch nicht über die Grenze der Erfahrung hin|auszugehen, und von Dingen außerhalb derselben, als Dingen an sich selbst, urteilen zu wollen.

Wir halten uns aber nur auf dieser Grenze, wenn wir unser Urteil bloß auf das Verhältnis einschränken, welches die Welt zu einem Wesen haben mag, dessen Begriff selbst außer aller Erkenntnis liegt, deren wir innerhalb der Welt fähig sein[134]. Denn alsdenn eignen wir dem höchsten Wesen keine von den Eigenschaften a n s i c h s e l b s t zu, durch die wir uns Gegenstände der Erfahrung denken, und vermeiden dadurch den d o g m a t i s c h e n Anthropomorphismus, wir legen sie aber dennoch dem Verhältnisse desselben zur Welt bei, und erlauben uns einen s y m b o l i s c h e n Anthropomorphism, der in der Tat nur die Sprache und nicht das Objekt selbst angeht.

Wenn ich sage, wir sind genötigt, die Welt so anzusehen, a l s o b sie das Werk eines höchsten Verstandes und Willens sei, so sage ich wirklich nichts mehr, als: wie sich verhält[135] eine Uhr, ein Schiff, ein Regiment, zum Künstler, Baumeister, Befehlshaber, so die Sinnenwelt (oder alles das, was die

---

133 A: (empirischen Gebrauchs)
134 Ak: sind
135 A^{2–4}: verhält sich

Grundlage dieses Inbegriffs von Erscheinungen ausmacht) zu dem Unbekannten, das ich also hiedurch zwar nicht nach dem, was es an sich selbst ist, aber doch nach dem, was es vor mich ist, nämlich in Ansehung der Welt, davon ich ein Teil bin, erkenne. |

§ 58

Eine solche Erkenntnis ist die nach der Analogie, welche nicht etwa, wie man das Wort gemeiniglich nimmt, eine unvollkommene Ähnlichkeit zweener Dinge, sondern eine vollkomme Ähnlichkeit zweener Verhältnisse zwischen ganz unähnlichen Dingen bedeutet*. Vermittelst dieser Analogie bleibt doch ein vor uns hinlänglich bestimmter Begriff von dem höchsten Wesen übrig, ob wir gleich alles weggelassen haben, was ihn schlechthin und an sich selbst bestimmen könnte; denn wir bestimmen ihn doch respektiv auf die Welt und mithin auf uns, und mehr ist uns auch nicht nötig. Die Angriffe, welche H u m e auf diejenigen tut, welche diesen Begriff absolut bestimmen wollen,

---

* So ist eine Analogie zwischen dem rechtlichen Verhältnisse menschlicher Handlungen, und dem mechanischen Verhältnisse der bewegenden Kräfte: ich kann gegen einen andern niemals etwas tun, ohne ihm ein Recht zu geben, unter den nämlichen Bedingungen eben dasselbe gegen mich zu tun; ebenso wie kein Körper auf einen andern mit seiner bewegenden Kraft wirken kann, ohne dadurch zu verursachen, daß der andre ihm ebenso viel entgegen wirke. Hier sind Recht und bewegende Kraft ganz unähnliche Dinge, aber in ihrem Verhältnisse ist doch völlige Ähnlichkeit. Vermittelst einer solchen Analogie kann ich daher einen Verhältnisbegriff von Dingen, die mir absolut unbekannt sind, geben. Z. B. wie sich verhält die Beförderung des Glücks der Kinder = a zu der Liebe der Eltern = b, so der Wohlfahrt des menschlichen Geschlechts = c zu dem Unbekannten in Gott = x, welches wir Liebe nennen; nicht als wenn es die mindeste Ähnlichkeit mit irgend einer menschlichen Neigung hätte, sondern weil wir das Verhältnis derselben[136] zur Welt demjenigen ähnlich setzen können, was Dinge der Welt untereinander haben. Der Verhältnisbegriff aber ist hier eine bloße Kategorie, nämlich der Begriff der Ursache, der nichts mit Sinnlichkeit zu tun hat.

[136] Ak: desselben

indem sie die Materialien dazu von sich selbst und der Welt ent|lehnen, treffen uns nicht; auch kann er uns nicht vorwerfen, es bleibe uns gar nichts übrig, wenn man uns den objektiven Anthropomorphism von dem Begriffe des höchsten Wesens wegnähme.

Denn wenn man uns nur anfangs (wie es auch Hume[137] in der Person des Philo gegen den Kleanth in seinen Dialogen tut), als eine notwendige Hypothese, den d e i s t i s c h e n Begriff des Urwesens einräumt, in welchem man sich das Urwesen durch lauter ontologische Prädikate, der Substanz, Ursache etc. denkt, (w e l c h e s m a n t u n m u ß, weil die Vernunft in der Sinnenwelt durch lauter Bedingungen, die immer wiederum bedingt sind, getrieben, ohne das gar keine Befriedigung haben kann und w e l c h e s m a n a u c h f ü g - l i c h t u n k a n n, ohne in den Anthropomorphism zu geraten, der Prädikate aus der Sinnenwelt auf ein von der Welt ganz unterschiedenes Wesen überträgt, indem jene Prädikate bloße Kategorien sind, die zwar keinen bestimmten, aber auch eben dadurch keinen auf Bedingungen der Sinnlichkeit eingeschränkten Begriff desselben geben): so kann uns nichts hindern von diesem Wesen eine K a u s a l i t ä t d u r c h V e r - n u n f t in Ansehung der Welt zu prädizieren, und so zum Theismus überzuschreiten, ohne eben genötigt zu sein, ihm diese Vernunft an ihm selbst, als eine ihm anklebende Eigenschaft, beizulegen. Denn, was das E r s t e betrifft, so ist es der einzige mögliche Weg, den Gebrauch der Vernunft, in Ansehung aller möglichen Erfahrung, in der | Sinnenwelt durchgängig mit sich einstimmig auf den höchsten Grad zu treiben, wenn man selbst wiederum eine höchste Vernunft als eine Ursache aller Verknüpfungen in der Welt annimmt: ein solches Prinzip muß ihr durchgängig vorteilhaft sein, kann ihr aber nirgend in ihrem Naturgebrauche schaden. Z w e i - t e n s aber wird dadurch doch die Vernunft nicht als Eigenschaft auf das Urwesen an sich selbst übertragen, sondern nur

---

[137] Ak: *gesperrt*

auf das Verhältnis desselben zur Sinnenwelt und also der Anthropomorphism gänzlich vermieden. Denn hier wird nur die Ursache der Vernunftform betrachtet, die in der Welt allenthalben angetroffen wird, und dem höchsten Wesen, sofern es den Grund dieser Vernunftform der Welt enthält, zwar Vernunft beigelegt, aber nur nach der Analogie, d. i. sofern dieser Ausdruck nur das Verhältnis anzeigt, was die uns unbekannte oberste Ursache zur Welt hat, um darin alles im höchsten Grade vernunftmäßig zu bestimmen. Dadurch wird nun verhütet, daß wir uns der Eigenschaft der Vernunft nicht bedienen, um Gott, sondern um die Welt vermittelst derselben so zu denken, als es notwendig ist, um den größtmöglichen Vernunftgebrauch in Ansehung dieser nach einem Prinzip zu haben. Wir gestehen dadurch: daß uns das höchste Wesen nach demjenigen, was es an sich selbst sei, gänzlich unerforschlich und auf bestimmte Weise so gar undenkbar sei, und werden dadurch abgehalten, nach unseren Begriffen, die wir von der Vernunft als einer wirkenden | Ursache (vermittelst des Willens) haben, keinen transzendenten Gebrauch zu machen, um die göttliche Natur durch Eigenschaften, die doch immer nur von der menschlichen Natur entlehnt sind, zu bestimmen und uns in grobe oder schwärmerische Begriffe zu verlieren, andererseits aber auch nicht die Weltbetrachtung, nach unseren auf Gott übertragenden[138] Begriffen von der menschlichen Vernunft, mit hyperphysischen Erklärungsarten zu überschwemmen und von ihrer eigentlichen Bestimmung abzubringen, nach der sie ein Studium der bloßen Natur durch die Vernunft und nicht eine vermessene Ableitung ihrer Erscheinungen von einer höchsten Vernunft sein soll. Der unseren schwachen Begriffen angemessene Ausdruck wird sein: daß wir uns die Welt so denken, **als ob** sie von einer höchsten Vernunft ihrem Dasein und inneren Bestimmung nach abstamme, wodurch wir teils die Beschaffenheit, die ihr, der Welt, selbst zukommt, erken-

[138] Ak *erwägt:* übertragenen

nen, ohne uns doch anzumaßen, die ihrer Ursache an sich selbst bestimmen zu wollen, teils andererseits in das Verhältnis der obersten Ursache zur Welt den Grund dieser Beschaffenheit (der Vernunftform in der Welt) legen, ohne die Welt dazu vor sich selbst zureichend zu finden*. |

Auf solche Weise verschwinden die Schwierigkeiten, die dem Theismus zu widerstehen scheinen, dadurch: daß man mit dem Grundsatze des **Hume**, den Gebrauch der Vernunft nicht über das Feld aller möglichen Erfahrung dogmatisch hinaus zu treiben, einen anderen Grundsatz verbindet, den Hume[139] gänzlich übersah, nämlich: das Feld möglicher Erfahrung nicht vor dasjenige, was in den Augen unserer Vernunft sich selbst begrenzte, anzusehen. Kritik der Vernunft bezeichnet hier den wahren Mittelweg zwischen dem Dogmatism, den Hume[140] bekämpfte, und dem Skeptizism, den er dagegen einführen wollte, einen Mittelweg, der nicht, wie andere Mittelwege, die man gleichsam mechanisch (etwas von einem, und etwas von dem andern) sich selbst zu bestimmen anrät, und wodurch kein Mensch eines besseren belehrt wird, sondern einen solchen, den man nach Prinzipien genau bestimmen kann.

---

* Ich werde sagen: die Kausalität der obersten Ursache ist dasjenige in Ansehung der Welt, was menschliche Vernunft in Ansehung ihrer Kunstwerke ist. Dabei bleibt mir die Natur der obersten Ursache selbst unbekannt: ich vergleiche nur ihre mir bekannte Wirkung (die Weltordnung) und deren Vernunftmäßigkeit mit den mir bekannten Wirkungen menschlicher Vernunft, und nen|ne daher jene eine Vernunft, ohne darum eben dasselbe, was ich am Menschen unter diesem Ausdruck verstehe, oder sonst etwas mir Bekanntes ihr als ihre Eigenschaft beizulegen.

[139] Ak: *gesperrt*
[140] Ak: *gesperrt*

§ 59

Ich habe mich zu Anfange dieser Anmerkung des Sinnbildes einer G r e n z e bedient, um die Schranken der Vernunft in Ansehung ihres ihr angemessenen Gebrauchs festzusetzen. Die Sinnenwelt enthält bloß Erscheinungen, die noch[141] nicht Dinge an sich selbst sind, welche letztere (Noumena) also der Verstand, eben darum, | weil er die Gegenstände der Erfahrung vor bloße Erscheinungen erkennt, annehmen muß. In unserer Vernunft sind beide zusammen befaßt, und es frägt sich: wie verfährt Vernunft, den Verstand in Ansehung beider Felder zu begrenzen? Erfahrung, welche alles, was zur Sinnenwelt gehört, enthält, begrenzt sich nicht selbst: sie gelangt von jedem Bedingten immer nur auf ein anderes Bedingte. Das, was sie begrenzen soll, muß gänzlich außer ihr liegen, und dieses ist das Feld der reinen Verstandeswesen. Dieses aber ist vor uns ein leerer Raum, sofern es auf die B e s t i m m u n g der Natur dieser Verstandeswesen ankommt, und sofern können wir, wenn es auf dogmatischbestimmte Begriffe angesehen ist, nicht über das Feld möglicher Erfahrung hinaus kommen. Da aber eine Grenze selbst etwas Positives ist, welches sowohl zu dem gehört, was innerhalb derselben, als zum Raume der außer einem gegebenen Inbegriff liegt, so ist es doch eine wirkliche positive Erkenntnis, deren die Vernunft bloß dadurch teilhaftig wird, daß sie sich bis zu dieser Grenze erweitert, so doch, daß sie nicht über diese Grenze hinauszugehen versucht, weil sie daselbst einen leeren Raum vor sich findet, in welchem sie zwar Formen zu Dingen, aber keine Dinge selbst denken kann. Aber die B e g r e n z u n g des Erfahrungsfeldes durch etwas, was ihr sonst unbekannt ist, ist doch eine Erkenntnis, die der Vernunft in diesem Standpunkte noch übrig bleibt, dadurch sie nicht innerhalb der Sinnenwelt beschlossen, auch nicht | außer derselben schwärmend, sondern so, wie es einer

---

[141] Ak: doch

Kenntnis der Grenze zukommt, sich bloß auf das Verhältnis desjenigen, was außerhalb derselben liegt, zu dem, was innerhalb enthalten ist, einschränkt.

Die natürliche Theologie ist ein solcher Begriff auf der Grenze der menschlichen Vernunft, da sie sich genötigt sieht, zu der Idee eines höchsten Wesens (und, in praktischer Beziehung, auch auf die einer intelligibelen Welt) hinauszusehen, nicht, um in Ansehung dieses bloßen Verstandeswesens, mithin außerhalb der Sinnenwelt, etwas zu bestimmen, sondern nur um ihren eigenen Gebrauch innerhalb derselben nach Prinzipien der größt-möglichen (theoretischen sowohl als praktischen) Einheit zu leiten, und zu diesem Behuf sich der Beziehung derselben auf eine selbständige Vernunft, als der Ursache aller dieser Verknüpfungen, zu bedienen, hiedurch aber nicht etwa sich bloß ein Wesen zu e r d i c h t e n, sondern, da außer der Sinnenwelt notwendig Etwas, was nur der reine Verstand denkt, anzutreffen sein muß, dieses nur auf solche Weise, obwohl freilich bloß nach der Analogie, zu b e s t i m m e n.

Auf solche Weise bleibt unser obiger Satz, der das Resultat der ganzen Kritik ist: »daß uns Vernunft durch alle ihre Prinzipien a priori niemals etwas mehr, als lediglich Gegenstände möglicher Erfahrung und auch von diesen nichts mehr, als was in der Erfahrung erkannt werden kann, lehre«; aber diese Einschränkung hindert | nicht, daß sie uns nicht bis zur objektiven G r e n z e der Erfahrung, nämlich der B e z i e - h u n g auf etwas, was selbst nicht Gegenstand der Erfahrung, aber doch der oberste Grund aller derselben sein muß, führe, ohne uns doch von demselben etwas an sich, sondern nur in Beziehung auf ihren eigenen vollständigen und auf die höchsten Zwecke gerichteten Gebrauch im Felde möglicher Erfahrung, zu lehren. Dieses ist aber auch aller Nutzen, den man vernünftiger Weise hiebei auch nur wünschen kann, und mit welchem man Ursache hat zufrieden zu sein.

[182–183]

§ 60

So haben wir Metaphysik, wie sie wirklich i n d e r
N a t u r a n l a g e der menschlichen Vernunft gegeben ist, und
zwar in demjenigen, was den wesentlichen Zweck ihrer Bearbeitung ausmacht, nach ihrer subjektiven Möglichkeit aus-
führlich dargestellt. Da wir indessen doch fanden, daß dieser
b l o ß n a t ü r l i c h e Gebrauch einer solchen Anlage unserer
Vernunft, wenn keine Disziplin derselben, welche nur durch
wissenschaftliche Kritik möglich ist, sie zügelt und in Schranken setzt, sie in übersteigende, teils bloß scheinbare, teils
unter sich sogar strittige d i a l e k t i s c h e Schlüsse verwik-
kelt, und überdem diese vernünftelnde Metaphysik zur
Beförderung der Naturerkenntnis entbehrlich, ja wohl gar ihr
nachteilig ist, so bleibt es noch immer eine der Nachforschung würdige Aufgabe, die N a t u r z w e c k e, worauf
diese Anlage zu transzendenten Begrif | fen in unserer[142] Ver-
nunft abgezielt sein mag, auszufinden, weil alles, was in der
Natur liegt, doch auf irgend eine nützliche Absicht ursprünglich angelegt sein muß.

Eine solche Untersuchung ist in der Tat mißlich: auch
gestehe ich, daß es nur Mutmaßung sei, wie alles, was die
ersten Zwecke der Natur betrifft, was ich hievon zu sagen
weiß, welches mir auch in diesem Fall allein erlaubt sein mag,
da die Frage nicht die objektive Gültigkeit metaphysischer
Urteile, sondern die Naturanlage zu denselben angeht, und
also außer dem System der Metaphysik in der Anthropologie
liegt.

Wenn ich alle transzendentale Ideen, deren Inbegriff die
eigentliche Aufgabe der natürlichen reinen Vernunft ausmacht, welche sie nötigt, die bloße Naturbetrachtung zu verlassen, und über alle mögliche Erfahrung hinauszugehen und
in dieser Bestrebung das Ding (es sei Wissen oder Vernünf-
teln) was Metaphysik heißt, zu Stande zu bringen, so[143]

---

[142] A: unsere
[143] Ak: bringen, zusammennehme: so

glaube ich gewahr zu werden, daß diese Naturanlage dahin abgezielet sei, unseren Begriff von den Fesseln der Erfahrung und den Schranken der bloßen Naturbetrachtung so weit loszumachen, daß er wenigstens ein Feld vor sich eröffnet sehe, was bloß Gegenstände vor den reinen Verstand enthält, die keine Sinnlichkeit erreichen kann, zwar nicht in der Absicht, um uns mit diesen spekulativ zu beschäftigen (weil wir keinen Boden finden, worauf wir Fuß fassen können), sondern damit praktische Prinzipien, die, ohne einen solchen Raum vor | ihre notwendige Erwartung und Hoffnung vor sich zu finden, sich nicht zu der Allgemeinheit ausbreiten könnten, deren die Vernunft in moralischer Absicht unumgänglich bedarf.[144]

Da finde ich nun, daß die p s y c h o l o g i s c h e Idee, ich mag dadurch auch noch so wenig von der reinen und über alle Erfahrungsbegriffe erhabenen Natur der menschlichen Seele einsehen, doch wenigstens die Unzulänglichkeit der letzteren deutlich gnug zeige, und mich dadurch vom Materialism, als einem zu keiner Naturerklärung tauglichen, und überdem die Vernunft in praktischer Absicht verengenden psychologischen Begriffe abführe. So dienen die k o s m o l o g i s c h e Ideen durch die sichtbare Unzulänglichkeit aller möglichen Naturerkenntnis, die Vernunft in ihrer rechtmäßigen Nachfrage zu befriedigen, uns vom Naturalism, der die Natur vor sich selbst gnugsam ausgeben will, abzuhalten. Endlich da alle Naturnotwendigkeit in der Sinnenwelt jederzeit bedingt ist, indem sie immer Abhängigkeit der Dinge von andern voraussetzt, und die unbedingte Notwendigkeit nur in der Einheit einer von der Sinnenwelt unterschiedenen Ursache gesucht werden muß, die Kausalität derselben aber wiederum, wenn sie bloß Natur wäre, niemals das Dasein des Zufälligen als seine Folge begreiflich machen könnte, so macht sich die Vernunft vermittelst der t h e o l o g i s c h e n Idee vom Fatalism los, sowohl einer blinden Naturnotwen-

---

[144] Ak *erwägt als Fortsetzung:* bedarf, wenigstens als möglich angenommen werden können.

digkeit in | dem Zusammenhange der Natur selbst, ohne erstes Prinzip, als auch in der Kausalität dieses Prinzips selbst, und führt auf den Begriff einer Ursache durch Freiheit, mithin einer obersten Intelligenz. So dienen die transzendentale Ideen, wenngleich nicht dazu, uns positiv zu belehren, doch die freche und das Feld der Vernunft verengende Behauptungen des Materialismus, Naturalismus, und Fatalismus aufzuheben, und dadurch den moralischen Ideen außer dem Felde der Spekulation Raum zu verschaffen, und dieses würde, dünkt mich, jene Naturanlage einigermaßen erklären.

Der praktische Nutzen, den eine bloß spekulative Wissenschaft haben mag, liegt außerhalb den Grenzen dieser Wissenschaft, kann also bloß als ein Scholion angesehen werden, und gehört, wie alle Scholien, nicht als ein Teil zur Wissenschaft selbst. Gleichwohl liegt diese Beziehung doch wenigstens innerhalb den Grenzen der Philosophie, vornehmlich derjenigen, welche aus reinen Vernunftquellen schöpft, wo der spekulative Gebrauch der Vernunft in der Metaphysik mit dem praktischen in der Moral notwendig Einheit haben muß. Daher die unvermeidliche Dialektik der reinen Vernunft, in einer Metaphysik als Naturanlage betrachtet, nicht bloß als ein Schein, der aufgelöset zu werden bedarf, sondern auch als Naturanstalt seinem Zwecke nach, wenn man kann, erklärt zu werden verdient, wiewohl dieses Geschäfte, als | überverdienstlich, der eigentlichen Metaphysik mit Recht nicht zugemutet werden darf.

Vor ein zweites, aber mehr mit dem Inhalte der Metaphysik verwandtes Scholion, müßte die Auflösung der Fragen gehalten werden, die in der Kritik von Seite 642[145] bis 668 fortgehen. Denn da werden gewisse Vernunftprinzipien vorgetragen, die die Naturordnung oder vielmehr den Verstand, der ihre Gesetze durch Erfahrung suchen soll, a priori bestimmen. Sie scheinen konstitutiv und gesetzgebend in

[145] A: 647

Ansehung der Erfahrung zu sein, da sie doch aus bloßer Vernunft entspringen, welche nicht so, wie Verstand, als ein Prinzip möglicher Erfahrung angesehen werden darf. Ob nun diese Übereinstimmung darauf beruhe, daß, so wie Natur den Erscheinungen oder ihrem Quell, der Sinnlichkeit, nicht an sich selbst anhängt, sondern nur in der Beziehung der letzteren auf den Verstand angetroffen wird, so diesem Verstande die durchgängige Einheit seines Gebrauchs, zum Behuf einer gesamten möglichen Erfahrung (in einem System) nur mit Beziehung auf die Vernunft zukommen könne, mithin auch Erfahrung mittelbar unter der Gesetzgebung der Vernunft stehe, mag von denen, welche der Natur der Vernunft, auch außer ihrem Gebrauch in der Metaphysik, sogar in den allgemeinen Prinzipien eine Naturgeschichte überhaupt systematisch zu machen, nachspüren wollen, weiter erwogen werden; denn diese Aufgabe habe ich in der | Schrift selbst zwar als wichtig vorgestellt, aber ihre Auflösung nicht versucht*.

Und so endige ich die analytische Auflösung der von mir selbst aufgestellten Hauptfrage: Wie ist Metaphysik überhaupt möglich? indem ich von demjenigen, wo ihr Gebrauch wirklich, wenigstens in den Folgen gegeben ist, zu den Gründen ihrer Möglichkeit hinaufstieg.

---

* Es ist mein immerwährender Vorsatz durch die Kritik gewesen, nichts zu versäumen, was die Nachforschung der Natur der reinen Vernunft zur Vollständigkeit bringen könnte, ob es gleich noch so tief verborgen liegen möchte. Es steht nachher in jedermanns Belieben, wie weit er seine Untersuchung treiben will, wenn ihm nur angezeigt worden, welche noch anzustellen sein möchten, denn dieses kann man von demjenigen billig erwarten, der es sich zum Geschäfte gemacht hat, dieses ganze Feld zu übermessen, um es hernach zum künftigen Anbau und beliebigen Austeilung andern zu überlassen. Dahin gehören auch die beiden Scholien, welche sich durch ihre Trockenheit Liebhabern wohl schwerlich empfehlen dürften, und daher nur vor Kenner hingestellt worden.

Auflösung der allgemeinen Frage

der Prolegomenen:

Wie ist Metaphysik als Wissenschaft möglich?

Metaphysik, als Naturanlage der Vernunft, ist wirklich, aber sie ist auch vor sich allein (wie die analytische Auflösung der dritten Hauptfrage bewies) dialektisch und trüglich. Aus dieser also die Grundsätze hernehmen wollen, und in dem Gebrauche derselben dem zwar | natürlichen, nichts destoweniger aber falschen Scheine folgen, kann niemals Wissenschaft, sondern nur eitele dialektische Kunst hervorbringen, darin es eine Schule der andern zuvortun, keine aber jemals einen rechtmäßigen und dauernden Beifall erwerben kann.

Damit sie nun als Wissenschaft nicht bloß auf trügliche Überredung, sondern auf Einsicht und Überzeugung Anspruch machen könne, so muß eine Kritik der Vernunft selbst den ganzen Vorrat der Begriffe a priori, die Einteilung derselben nach den verschiedenen Quellen, der Sinnlichkeit, dem Verstande und der Vernunft, ferner eine vollständige Tafel derselben, und die Zergliederung aller dieser Begriffe, mit allem, was daraus gefolgert werden kann, darauf aber vornehmlich die Möglichkeit des synthetischen Erkenntnisses a priori, vermittelst der Deduktion dieser Begriffe, die Grundsätze ihres Gebrauchs, endlich auch die Grenzen desselben, alles aber in einem vollständigen System darlegen. Also enthält Kritik, und auch sie ganz allein, den ganzen wohlgeprüften und bewährten Plan, ja sogar alle Mittel der Vollziehung in sich, wornach Metaphysik als Wissenschaft zu Stande gebracht werden kann; durch andere Wege und Mittel ist sie unmöglich. Es frägt sich also hier nicht sowohl, wie dieses Geschäfte möglich, sondern nur wie es in Gang zu bringen, und gute Köpfe von der bisherigen verkehrten und fruchtlosen zu einer untrüglichen Bearbeitung zu bewegen sein[146], und wie eine solche Vereinigung auf den | gemeinschaftlichen Zweck am füglichsten gelenkt werden könne.

So viel ist gewiß: wer einmal Kritik gekostet hat, den ekelt auf immer alles dogmatische Gewäsche, womit er vorher aus Not vorlieb nahm, weil seine Vernunft etwas bedurfte, und nichts Besseres zu ihrer Unterhaltung finden konnte. Die Kritik verhält sich zur gewöhnlichen Schulmetaphysik gerade wie Chemie zur Alchimie, oder wie Astronomie zur wahrsagenden Astrologie. Ich bin davor gut, daß niemand, der die Grundsätze der Kritik auch nur in diesen Prolegomenen durchgedacht und gefaßt hat, jemals wieder zu jener alten und sophistischen Scheinwissenschaft zurückkehren werde; vielmehr wird er mit einem gewissen Ergötzen auf eine Metaphysik hinaussehen, die nunmehr allerdings in seiner Gewalt ist, auch keiner vorbereitenden Entdeckungen mehr bedarf, und die zuerst der Vernunft daurende Befriedigung verschaffen kann. Denn das ist ein Vorzug, auf welchen unter allen möglichen Wissenschaften Metaphysik allein mit Zuversicht rechnen kann, nämlich, daß sie zur Vollendung und in den beharrlichen Zustand gebracht werden kann, da sie sich weiter nicht verändern darf, auch keiner Vermehrung durch neue Entdeckungen fähig ist; weil die Vernunft hier die Quellen ihrer Erkenntnis nicht in den Gegenständen und ihrer Anschauung, (durch die sie nicht ferner eines Mehreren belehrt werden kann) sondern in sich selbst hat, und, wenn sie die Grundgesetze ihres Vermögens vollstän | dig und gegen alle Mißdeutung bestimmt dargestellt hat, nichts übrig bleibt, was reine Vernunft a priori erkennen, ja auch nur was sie mit Grunde fragen könnte. Die sichere Aussicht auf ein so bestimmtes und geschlossenes Wissen hat einen besondern Reiz bei sich, wenn man gleich allen Nutzen (von welchem ich hernach noch reden werde) beiseite setzt.

Alle falsche Kunst, alle eitele Weisheit dauert ihre Zeit; denn endlich zerstört sie sich selbst, und die höchste Kultur

[146] Ak: seien

derselben ist zugleich der Zeitpunkt ihres Unterganges. Daß in Ansehung der Metaphysik diese Zeit jetzt da sei, beweiset der Zustand, in welchen sie bei allem Eifer, womit sonst Wissenschaften aller Art bearbeitet werden, unter allen gelehrten Völkern verfallen ist. Die alte Einrichtung der Universitätsstudien erhält noch ihren Schatten, eine einzige Akademie der Wissenschaften bewegt noch dann und wann durch ausgesetzte Preise, einen[147] und anderen Versuch darin zu machen, aber unter gründliche Wissenschaften wird sie nicht mehr gezählet, und man mag selbst urteilen, wie etwa ein geistreicher Mann, den man einen großen Metaphysiker nennen wollte, diesen wohlgemeinten, aber kaum von jemanden beneideten Lobspruch aufnehmen würde.

Ob aber gleich die Zeit des Verfalls aller dogmatischen Metaphysik ungezweifelt da ist, so fehlt doch noch manches dran, um sagen zu können, daß die Zeit ihrer Wiedergeburt, vermittelst einer gründlichen und vollen|deten Kritik der Vernunft dagegen schon erschienen sei. Alle Übergänge von einer Neigung zu der ihr entgegengesetzten gehen durch den Zustand der Gleichgültigkeit, und dieser Zeitpunkt ist der gefährlichste vor einen Verfasser, aber, wie mich dünkt, doch der günstigste vor die Wissenschaft. Denn wenn durch gänzliche Trennung vormaliger Verbindungen der Parteigeist erloschen ist, so sind die Gemüter in der besten Verfassung, um[148] allmählich Vorschläge zur Verbindung nach einem anderen Plane anzuhören.

Wenn ich sage, daß ich von diesen Prolegomenen hoffe, sie werden die Nachforschung im Felde der Kritik vielleicht rege machen, und dem allgemeinen Geiste der Philosophie, dem es im spekulativen Teile an Nahrung zu fehlen scheint, einen neuen und viel versprechenden Gegenstand der Unterhaltung darreichen, so kann ich mir schon zum voraus vorstellen: daß jedermann, den[149] die dornigten Wege, die ich ihn in der

147 A: ein
148 A: nur
149 A: der

Kritik geführt habe, unwillig und überdrüssig gemacht haben, mich fragen werde, worauf ich wohl diese Hoffnung gründe? Ich antworte, auf das unwiderstehliche Gesetz der Notwendigkeit.

Daß der Geist des Menschen metaphysische Untersuchungen einmal gänzlich aufgeben werde, ist ebenso wenig zu erwarten, als daß wir, um nicht immer unreine Luft zu schöpfen, das Atemholen einmal lieber ganz und gar einstellen würden. Es wird also in der Welt | jederzeit, und was noch mehr, bei jedem, vornehmlich dem nachdenkenden Menschen Metaphysik sein, die, in Ermangelung eines öffentlichen Richtmaßes, jeder sich nach seiner Art zuschneiden wird. Nun kann das, was bis daher Metaphysik geheißen hat, keinem prüfenden Kopfe ein Gnüge tun, ihr aber gänzlich zu entsagen, ist doch auch unmöglich, also muß endlich eine Kritik der reinen Vernunft selbst versucht, oder, wenn eine da ist, untersucht, und in allgemeine Prüfung gezogen werden, weil es sonst kein Mittel gibt, dieser dringenden Bedürfnis, welche noch etwas mehr, als bloße Wißbegierde ist, abzuhelfen.

Seitdem ich Kritik kenne, habe ich am Ende des Durchlesens einer Schrift metaphysischen Inhalts, die mich durch Bestimmung ihrer Begriffe, durch Mannigfaltigkeit und Ordnung und einen leichten Vortrag so wohl unterhielt, als auch kultivierte, mich nicht entbrechen können, zu fragen: hat dieser Autor wohl die Metaphysik um einen Schritt weiter gebracht? Ich bitte die gelehrte Männer um Vergebung, deren Schriften mir in anderer Absicht genutzt, und immer zur Kultur der Gemütskräfte beigetragen haben, weil ich gestehe, daß ich weder in ihren noch in meinen geringeren Versuchen (denen doch Eigenliebe zum Vorteil spricht) habe finden können, daß dadurch die Wissenschaft im mindesten | weiter gebracht worden, und dieses zwar aus dem ganz natürlichen Grunde, weil die Wissenschaft noch nicht existierte, und auch nicht stückweise zusammengebracht werden kann, sondern ihr Keim in der

Kritik vorher völlig präformiert sein muß. Man muß aber, um alle Mißdeutung zu verhüten, sich aus dem vorigen wohl erinnern, daß durch analytische Behandlung unserer Begriffe zwar dem Verstande allerdings recht viel genutzt, die Wissenschaft (der Metaphysik)[150] aber dadurch nicht im mindesten weiter gebracht werde, weil jene Zergliederungen der Begriffe nur Materialien sind, daraus allererst Wissenschaft gezimmert werden soll. So mag man den Begriff von Substanz und Akzidenz noch so schön zergliedern und bestimmen; das ist recht gut als Vorbereitung zu irgend einem künftigen Gebrauche. Kann ich aber gar nicht beweisen, daß in allem, was da ist, die Substanz beharre, und nur die Akzidenzen wechseln, so war durch alle jene Zergliederung die Wissenschaft nicht im mindesten weiter gebracht. Nun hat Metaphysik weder diesen Satz, noch den Satz des zureichenden Grundes, viel weniger irgend einen zusammengesetztern, als z. B. einen zur Seelenlehre oder Kosmologie gehörigen, und überall gar keinen synthetischen Satz bisher a priori gültig beweisen können: also ist durch alle jene Analysis nichts ausgerichtet, nichts geschafft und gefördert worden, und die Wissenschaft ist nach so viel Gewühl und Geräusch noch immer da, wo | sie zu Aristoteles Zeiten war, obzwar die Veranstaltungen dazu, wenn man nur erst den Leitfaden zu synthetischen Erkenntnissen gefunden hätte, ohnstreitig viel besser, wie sonst getroffen worden.

Glaubt jemand sich hiedurch beleidigt, so kann er diese Beschuldigung leicht zu nichte machen, wenn er nur einen einzigen synthetischen, zur Metaphysik gehörigen Satz anführen will, den er auf dogmatische Art a priori zu beweisen sich erbietet, denn nur dann, wenn er dieses leistet, werde ich ihm einräumen, daß er wirklich die Wissenschaft weiter gebracht habe: sollte dieser Satz auch sonst durch die gemeine Erfahrung genug bestätigt sein. Keine Foderung kann gemäßigter und billiger sein, und, im (unausbleiblich gewissen)

---

150 A: der (Metaphysik)

Fall der Nichtleistung, kein Ausspruch gerechter, als der: daß Metaphysik als Wissenschaft bisher noch gar nicht existiert habe.

Nur zwei Dinge muß ich, im Fall, daß die Ausfoderung angenommen wird, verbitten: erstlich, das Spielwerk von Wahrscheinlichkeit und Mutmaßung, welches der Metaphysik ebenso schlecht ansteht, als der Geometrie: zweitens die Entscheidung vermittelst der Wünschelrute des so genannten gesunden Menschenverstandes, die nicht jedermann schlägt, sondern sich nach persönlichen Eigenschaften richtet. |

Denn was das erstere anlangt, so kann wohl nichts Ungereimteres gefunden werden, als in einer Metaphysik, einer Philosophie aus reiner Vernunft, seine Urteile auf Wahrscheinlichkeit und Mutmaßung gründen zu wollen. Alles, was a priori erkannt werden soll, wird eben dadurch vor apodiktisch gewiß ausgegeben, und muß also auch so bewiesen werden. Man könnte ebenso gut eine Geometrie, oder Arithmetik auf Mutmaßungen gründen wollen; denn was den calculus probabilium der letzteren betrifft, so enthält er nicht wahrscheinliche, sondern ganz gewisse Urteile über den Grad der Möglichkeit gewisser Fälle, unter gegebenen gleichartigen Bedingungen, die in der Summe aller möglichen Fälle ganz unfehlbar der Regel gemäß zutreffen müssen, ob diese gleich in Ansehung jedes einzelnen Zufalles nicht gnug bestimmt ist. Nur in der empirischen Naturwissenschaft können Mutmaßungen (vermittelst der Induktion und Analogie) gelitten werden, doch so, daß wenigstens die Möglichkeit dessen, was ich annehme, völlig gewiß sein muß.

Mit der Berufung auf den gesunden Menschenverstand, wenn von Begriffen und Grundsätzen, nicht sofern sie in Ansehung der Erfahrung gültig sein sollen, sondern sofern sie auch außer den Bedingungen der Erfahrung vor geltend ausgegeben werden wollen, ist es[151], wo möglich,

---

[151] Ak: wollen, die Rede ist, ist es

noch schlechter bewandt. Denn was ist der g e s u n d e V e r -
s t a n d ? Es ist der g e m e i n e Verstand, so | fern er rich-
tig urteilt. Und was ist nun der gemeine Verstand? Er ist das
Vermögen der Erkenntnis und des Gebrauchs der Regeln in
concreto, zum Unterschiede des s p e k u l a t i v e n V e r -
s t a n d e s , welcher ein Vermögen der Erkenntnis der Regeln
in abstracto ist. So wird der gemeine Verstand die Regel: daß
alles, was geschieht, vermittelst seiner Ursache bestimmt sei,
kaum verstehen, niemals aber so im allgemeinen einsehen
können. Er fordert daher ein Beispiel aus Erfahrung, und,
wenn er hört, daß dieses nichts anders bedeute, als was er
jederzeit gedacht hat, wenn ihm eine Fensterscheibe zerbro-
chen oder ein Hausrat verschwunden war, so versteht er den
Grundsatz und räumt ihn auch ein. Gemeiner Verstand hat
also weiter keinen Gebrauch, als sofern er seine Regeln
(obgleich dieselben ihm wirklich a priori beiwohnen) in der
Erfahrung bestätigt sehen kann, mithin sie a priori, und unabhängig von der Erfahrung einzusehen, gehört vor den spekulativen Verstand, und liegt ganz außer dem Gesichtskreise des
gemeinen Verstandes. Metaphysik hat es ja aber lediglich mit
der letzteren Art Erkenntnis zu tun, und es ist gewiß ein
schlechtes Zeichen eines gesunden Verstandes, sich auf jenen
Gewährsmann zu berufen, der hier gar kein Urteil hat, und
den man sonst wohl nur über die Achsel ansieht, außer, wenn
man sich im Gedränge sieht, und sich in seiner Spekulation
weder zu raten, noch zu helfen weiß. |

Es ist eine gewöhnliche Ausflucht, deren sich diese falsche
Freunde des gemeinen Menschenverstandes (die ihn gelegentlich hoch preisen, gemeiniglich aber verachten) zu bedienen
pflegen, daß sie sagen: Es müssen doch endlich einige Sätze
sein, die unmittelbar gewiß sein[152], und von denen man nicht
allein keinen Beweis, sondern auch überall keine Rechenschaft zu geben brauche, weil man sonst mit den Gründen
seiner Urteile niemals zu Ende kommen würde; aber zum

---

[152] Ak: sind

Beweise dieser Befugnis können sie (außer dem Satze des Widerspruchs, der aber die Wahrheit synthetischer Urteile darzutun nicht hinreichend ist) niemals etwas anderes Ungezweifeltes, was sie dem gemeinen Menschenverstande unmittelbar beimessen dürfen, anführen, als mathematische Sätze: z. B. daß zweimal zwei vier ausmachen, daß zwischen zwei Punkten nur eine gerade Linie sei, u. a. m. Das sind aber Urteile, die von denen der Metaphysik himmelweit unterschieden sein[153]. Denn in der Mathematik kann ich alles das durch mein Denken selbst machen, (konstruieren) was ich mir durch einen Begriff als möglich vorstelle: ich tue zu einer Zwei die andere Zwei nach und nach hinzu, und mache selbst die Zahl vier, oder ziehe in Gedanken von einem Punkte zum andern allerlei Linien, und kann nur eine einzige ziehen, die sich in allen ihren Teilen (gleichen sowohl als ungleichen) ähnlich ist. Aber ich kann aus dem Begriffe eines Dinges, durch meine ganze | Denkkraft, nicht den Begriff von etwas anderem, dessen Dasein notwendig mit dem ersteren verknüpft ist, herausbringen, sondern muß die Erfahrung zu Rate ziehen, und, obgleich mir mein Verstand a priori (doch immer nur in Beziehung auf mögliche Erfahrung) den Begriff von einer solchen Verknüpfung (der Kausalität) an die Hand gibt, so kann ich ihn doch nicht, wie die Begriffe der Mathematik, a priori, in der Anschauung darstellen, und also seine Möglichkeit a priori darlegen, sondern dieser Begriff, samt denen Grundsätzen seiner Anwendung, bedarf immer, wenn er a priori gültig sein soll – wie es doch in der Metaphysik verlangt wird – eine Rechtfertigung und Deduktion seiner Möglichkeit, weil man sonst nicht weiß, wie weit er gültig sei, und ob er nur in der Erfahrung oder auch außer ihr gebraucht werden könne. Also kann man sich in der Metaphysik, als einer spekulativen Wissenschaft der reinen Vernunft, niemals auf den gemeinen Menschenverstand berufen, aber wohl, wenn man genötigt ist, sie zu verlassen, und auf alles reine

[153] Ak: sind

spekulative Erkenntnis, welches jederzeit ein Wissen sein
muß, mithin auch auf Metaphysik selbst, und deren Belehrung (bei gewissen Angelegenheiten) Verzicht zu tun, und ein
vernünftiger Glaube uns allein möglich, zu unserm Bedürfnis
auch hinreichend (vielleicht gar heilsamer, als das Wissen
selbst) befunden wird. Denn alsdenn ist die Gestalt der Sache
ganz verändert. Metaphysik muß | Wissenschaft sein, nicht
allein im Ganzen, sondern auch allen ihren Teilen, sonst ist
sie gar nichts; weil sie, als Spekulation der reinen Vernunft,
sonst nirgends Haltung hat, als an allgemeinen Einsichten.
Außer ihr aber können Wahrscheinlichkeit und gesunder
Menschenverstand gar wohl ihren nützlichen und rechtmäßigen Gebrauch haben, aber nach ganz eigenen Grundsätzen,
deren Gewicht immer von der Beziehung aufs Praktische abhängt.

Das ist es, was ich zur Möglichkeit einer Metaphysik als
Wissenschaft zu fodern mich berechtigt halte.

Anhang
von dem, was geschehen kann, um
Metaphysik als Wissenschaft wirklich zu machen

Da alle Wege, die man bisher eingeschlagen ist, diesen
Zweck nicht erreicht haben, auch außer einer vorhergehenden Kritik der reinen Vernunft ein solcher wohl niemals
erreicht werden wird, so scheint die Zumutung nicht unbillig,
den Versuch, der hievon jetzt vor Augen gelegt ist, einer
genauen und sorgfältigen Prüfung zu unterwerfen, wofern
man es nicht für noch ratsamer hält, lieber alle Ansprüche auf
Metaphysik gänzlich auf | zugeben, in welchem Falle, wenn
man seinem Vorsatze nur treu bleibt, nichts dawider einzu-
wenden ist. Wenn man den Lauf der Dinge nimmt, wie er
wirklich geht, nicht, wie er gehen sollte, so gibt es zweierlei

Urteile, ein U r t e i l, d a s v o r d e r U n t e r s u c h u n g
v o r h e r g e h t, und dergleichen ist in unserm Falle dasjenige, wo der Leser aus seiner Metaphysik über die Kritik der
reinen Vernunft (die allererst die Möglichkeit derselben
untersuchen soll) ein Urteil fället, und dann ein anderes
U r t e i l, w e l c h e s a u f d i e U n t e r s u c h u n g f o l g t,
wo der Leser die Folgerungen aus den kritischen Untersuchungen, die ziemlich stark wider seine sonst angenommene
Metaphysik verstoßen dürften, eine Zeitlang bei Seite zu setzen vermag, und allererst die Gründe prüft, woraus jene Folgerungen abgeleitet sein mögen. Wäre das, was gemeine
Metaphysik vorträgt, ausgemacht gewiß (etwa wie Geometrie), so würde die erste Art zu urteilen gelten; denn wenn die
Folgerungen gewisser Grundsätze ausgemachten Wahrheiten
widerstreiten, so sind jene Grundsätze falsch, und ohne alle
weitere Untersuchung zu verwerfen. Verhält es sich aber
nicht so, daß Metaphysik von unstreitig gewissen (synthetischen) Sätzen einen Vorrat habe, und vielleicht gar so, daß
ihrer eine Menge, die ebenso scheinbar als die besten unter
ihnen, gleichwohl in ihren Folgerungen selbst unter sich
streitig sein[154], überall aber ganz und gar kein sicheres Krite-
rium der Wahrheit eigentlich-metaphy|sischer (syntheti-
scher) Sätze in ihr anzutreffen ist: so kann die vorhergehende
Art zu urteilen nicht statthaben, sondern die Untersuchung
der Grundsätze der Kritik muß vor allem Urteile über ihren
Wert oder Unwert vorhergehen.

Probe eines Urteils über die Kritik, das vor der Untersuchung vorhergeht

Dergleichen Urteil ist in den Göttingischen gelehrten
Anzeigen, der Zugabe dritten Stück, vom 19 Jenner 1782,
Seite 40 u. f. anzutreffen.

---

[154] Ak: sind

Wenn ein Verfasser, der mit dem Gegenstande seines Werks wohl bekannt ist, der durchgängig eigenes Nachdenken in die Bearbeitung desselben zu legen beflissen gewesen, einem Rezensenten in die Hände fällt, der seinerseits scharfsichtig gnug ist, die Momente auszuspähen, auf die der Wert oder Unwert der Schrift eigentlich beruht, nicht an Worten hängt, sondern den Sachen nachgeht, und nicht bloß die[155] Prinzipien, von denen der Verfasser ausging, sichtet und prüft, so mag dem letzteren zwar die Strenge des Urteils mißfallen, das Publikum ist dagegen gleichgültig, denn es gewinnt dabei; und der Verfasser selbst kann zufrieden sein, daß er Gelegenheit bekommt, seine von | einem Kenner frühzeitig geprüfte Aufsätze zu berichtigen, oder zu erläutern, und auf solche Weise, wenn er im Grunde Recht zu haben glaubt, den Stein des Anstoßes, der seiner Schrift in der Folge nachteilig werden könnte, bei Zeiten wegzuräumen.

Ich befinde mich mit meinem Rezensenten in einer ganz anderen Lage. Er scheint gar nicht einzusehen, worauf es bei der Untersuchung, womit ich mich (glücklich oder unglücklich) beschäftigte, eigentlich ankam, und, es sei nun Ungeduld ein weitläufig Werk durchzudenken, oder verdrießliche Laune über eine angedrohte Reform einer Wissenschaft, bei der er schon längstens alles ins Reine gebracht zu haben glaubte, oder, welches ich ungern vermute, ein wirklich eingeschränkter Begriff, daran Schuld, dadurch er sich über seine Schulmetaphysik niemals hinauszudenken vermag; kurz, er geht mit Ungestüm eine lange Reihe von Sätzen durch, bei denen man, ohne ihre Prämissen zu kennen, gar nichts denken kann, streut hin und wieder seinen Tadel aus, von welchem der Leser ebenso wenig den Grund sieht, als er die Sätze versteht, dawider derselbe gerichtet sein soll, und kann also weder dem Publikum zur Nachricht nützen, noch mir im Urteile der Kenner das mindeste schaden; daher ich diese Beurteilung gänzlich übergangen sein würde, wenn sie

---

[155] Ak *erwägt:* und blos die

mir nicht zu einigen Erläuterungen Anlaß gäbe, | die den Leser dieser Prolegomenen in einigen Fällen vor Mißdeutung bewahren könnten.

Damit Rezensent aber doch einen Gesichtspunkt fasse, aus dem er am leichtesten auf eine dem Verfasser unvorteilhafte Art das ganze Werk vor Augen stellen könne, ohne sich mit irgend einer besondern Untersuchung bemühen zu dürfen, so fängt er damit an, und endigt auch damit, daß er sagt: »dies Werk ist ein System des transzendenten[156] (oder, wie er es übersetzt, des höheren)* Idealismus«.

Beim Anblicke dieser Zeile sahe ich bald, was vor eine Rezension da herauskommen würde, ungefähr so, als wenn jemand, der niemals von Geometrie etwas gehört oder gesehen hätte, einen Euklid fände, und er | suchet würde, sein Urteil darüber zu fällen, nachdem er beim Durchblättern auf viel Figuren gestoßen, etwa sagte: »das Buch ist eine systematische Anweisung zum Zeichnen: der Verfasser bedient sich einer besondern Sprache, um dunkele, unverständliche Vorschriften zu geben, die am Ende doch nichts mehr ausrichten können, als was jeder durch ein gutes natürliches Augenmaß zu Stande bringen kann etc.«

Laßt uns indessen doch zusehen, was denn das vor ein Idealism sei, der durch mein ganzes Werk geht, obgleich bei weitem noch nicht die Seele des Systems ausmacht.

---

[156] Ak *(nach Wortlaut der Rezension):* transscendentellen

* Bei Leibe nicht der h ö h e r e. Hohe Türme, und die ihnen ähnliche metaphysisch-große Männer, um welche beide gemeiniglich viel Wind ist, sind nicht vor mich. Mein Platz ist das fruchtbare B a t h o s der Erfahrung, und das Wort, transzendental, dessen so vielfältig von mir angezeigte Bedeutung vom Rezensenten nicht einmal gefaßt worden, (so flüchtig hat er alles angesehen) bedeutet nicht etwas, das über alle Erfahrung hinausgeht, sondern, was vor ihr (a priori) zwar vorhergeht, aber doch zu nichts mehrerem bestimmt ist, als lediglich Erfahrungserkenntnis möglich zu machen. Wenn diese Begriffe die Erfahrung überschreiten, dann heißet ihr Gebrauch transzendent, welcher von dem immanenten, d. i. auf Erfahrung eingeschränkten Gebrauch unterschieden wird. Allen Mißdeutungen dieser Art ist in dem Werke hinreichend vorgebeugt worden: allein der Rezensent fand seinen Vorteil bei Mißdeutungen.

Der Satz aller echten Idealisten, von der eleatischen Schule an, bis zum Bischof Berkeley[157], ist in dieser Formel enthalten: »alle Erkenntnis durch Sinne und Erfahrung ist nichts als lauter Schein, und nur in den Ideen des reinen Verstandes und Vernunft ist Wahrheit.«

Der Grundsatz, der meinen Idealism durchgängig regiert und bestimmt, ist dagegen: »Alles Erkenntnis von Dingen, aus bloßem reinen Verstande, oder reiner Vernunft, ist nichts als lauter Schein, und nur in der Erfahrung ist Wahrheit.« |

Das ist ja aber gerade das Gegenteil von jenem eigentlichen Idealism, wie kam ich denn dazu, mich dieses Ausdrucks zu einer ganz entgegengesetzten Absicht zu bedienen, und wie der Rezensent, ihn allenthalben zu sehen?

Die Auflösung dieser Schwierigkeit beruht auf etwas, was man sehr leicht aus dem Zusammenhange der Schrift hätte einsehen können, wenn man gewollt hätte. Raum und Zeit, samt allem, was sie in sich enthalten, sind nicht die Dinge, oder deren Eigenschaften an sich selbst, sondern gehören bloß zu Erscheinungen derselben; bis dahin bin ich mit jenen Idealisten auf einem Bekenntnisse. Allein diese, und unter ihnen vornehmlich Berkeley[158], sahen den Raum vor eine bloße empirische Vorstellung an, die ebenso, wie die Erscheinungen in ihm, uns nur vermittelst der Erfahrung oder Wahrnehmung, zusamt allen seinen Bestimmungen bekannt würde; ich dagegen zeige zuerst: daß der Raum (und ebenso die Zeit, auf welche Berkeley[159] nicht Acht hatte) samt allen seinen Bestimmungen a priori von uns erkannt werden könne, weil er sowohl, als die Zeit uns vor aller Wahrnehmung, oder Erfahrung, als reine Form unserer Sinnlichkeit beiwohnt, und alle Anschauung derselben, mithin auch alle Erscheinungen möglich macht. Hieraus folgt: daß, da Wahrheit auf allgemeinen und notwendigen Gesetzen, als ih|ren Kriterien beruht, die Erfahrung bei B e r k e l e y keine Krite-

---

[157] Ak: *gesperrt*
[158] Ak: *gesperrt*
[159] Ak: *gesperrt*

rien der Wahrheit haben könne, weil den Erscheinungen derselben (von ihm) nichts a priori zum Grunde gelegt ward, woraus denn folgte, daß sie nichts als lauter Schein sei, dagegen bei uns Raum und Zeit (in Verbindung mit den reinen Verstandesbegriffen) a priori aller möglichen Erfahrung ihr Gesetz vorschreiben, welches zugleich das sichere Kriterium abgibt, in ihr Wahrheit von Schein zu unterscheiden*.

Mein so genannter (eigentlich kritischer) Idealism ist also von ganz eigentümlicher Art, nämlich[163] so, daß er den gewöhnlichen umstürzt, daß durch ihn alle Erkenntnis a priori, selbst die der Geometrie, zuerst objektive Realität bekömmt, welche ohne diese meine bewiesene Idealität des Raumes und der Zeit selbst von den eifrigsten Realisten gar nicht behauptet werden könnte. Bei solcher Bewandtnis der Sachen wünschte ich nun allen[164] Mißverstand | zu verhüten, daß ich diesen meinen Begriff anders benennen könnte; aber ihn ganz abzuändern will sich nicht wohl tun lassen. Es sei mir also erlaubt, ihn künftig, wie oben schon angeführt worden, den formalen, besser noch den kritischen Idealismus zu nennen, um ihn vom dogmatischen des B e r k e l e y und vom skeptischen des C a r t e s i u s zu unterscheiden.

Weiter finde ich in der Beurteilung dieses Buchs nichts Merkwürdiges. Der Verfasser derselben urteilt durch und durch en gros, eine Manier, die klüglich gewählt ist, weil man

---

* Der eigentliche Idealismus hat jederzeit eine schwärmerische Absicht, und kann auch keine andre haben, der meinige aber ist lediglich dazu, um die Möglichkeit unserer Erkenntnis a priori von Gegenständen der Erfahrung zu begreifen, welches ein Problem ist, das bisher noch nicht aufgelöset, ja nicht einmal aufgeworfen worden. Dadurch fällt nun der ganze schwärmerische Idealism, der immer (wie auch schon aus dem Plato[160] zu ersehen) aus unseren Erkenntnissen a priori (selbst derer[161] der Geometrie) auf eine andere, (nämlich intellektuelle) Anschauung[162] als die der Sinne schloß, weil man sich gar nicht einfallen ließ, daß Sinne auch a priori anschauen sollten.

[160] Ak: *gesperrt*
[161] Ak: denen
[162] A: (nämlich intellektuelle Anschauung)
[163] A$^{2-4}$: eigentümlicher nämlich
[164] Ak: ich, um allen

dabei sein eigen Wissen oder Nichtwissen nicht verrät: ein
einziges ausführliches Urteil en detail würde, wenn es, wie
billig, die Hauptfrage betroffen hätte, vielleicht meinen Irrtum, vielleicht auch das Maß der Einsicht des Rezensenten in
dieser Art von Untersuchungen aufgedeckt haben. Es war
auch kein übel ausgedachter Kunstgriff, um Lesern, welche
sich nur aus Zeitungsnachrichten von Büchern einen Begriff
zu machen gewohnt sind, die Lust zum Lesen des Buchs
selbst frühzeitig zu benehmen, eine Menge von Sätzen, die
außer dem Zusammenhange mit ihren Beweisgründen und
Erläuterungen gerissen (vornehmlich so antipodisch, wie
diese in Ansehung aller Schulmetaphysik sind) notwendig
widersinnisch lauten müssen, in einem Atem hintereinander
herzusagen, die Geduld des Lesers bis zum Ekel | zu bestür-
men, und denn, nachdem man mich mit dem sinnreichen
Satze, daß beständiger Schein Wahrheit sei, bekannt gemacht
hat, mit der derben, doch väterlichen Lektion zu schließen:
Wozu denn der Streit wider die angenommene[165] Sprache,
wozu denn und woher die idealistische Unterscheidung? Ein
Urteil, welches alles Eigentümliche meines Buchs, da es vorher metaphysisch-ketzerisch sein sollte, zuletzt in einer bloßen Sprachneuerung setzt, und klar beweist, daß mein angemaßter Richter auch nicht das mindeste davon, und obenein
sich selbst nicht recht verstanden habe*.

---

[165] Ak: die gemein angenommene

* Der Rezensent schlägt sich mehrenteils mit seinem eigenen Schatten. Wenn
ich die Wahrheit der Erfahrung dem Traum entgegensetze, so denkt er gar nicht
daran, daß hier nur von dem bekannten somnio obiective sumto der Wolffi-
schen[166] Philosophie die Rede sei; der bloß formal ist, und wobei es auf den
Unterschied des Schlafens und Wachens gar nicht angesehen ist, und in einer
Transzendentalphilosophie auch nicht gesehen werden kann. Übrigens nennt er
meine Deduktion der Kategorien und die Tafel der Verstandesgrundsätze:
»gemein bekannte Grundsätze der Logik und | Ontologie auf idealistische Art
ausgedrückt«. Der Leser darf nur darüber diese Prolegomenen nachsehen, um
sich zu überzeugen, daß ein elenderes und selbst historisch unrichtigeres Urteil
gar nicht könne gefället werden.

[166] Ak: *gesperrt*

Rezensent spricht indessen wie ein Mann, der sich wichtiger und vorzüglicher Einsichten bewußt sein muß, die er aber noch verborgen hält; denn mir ist in Ansehung der Metaphysik neuerlich nichts bekannt geworden, was zu einem solchen Tone berechtigen könnte. Daran tut er aber sehr unrecht, daß er der Welt seine Entdeckungen vorenthält; denn es geht ohne Zweifel noch mehreren so, | wie mir, daß sie, bei allem Schönen, was seit langer Zeit in diesem Fache geschrieben worden, doch nicht finden konnten, daß die Wissenschaft dadurch um einen Fingerbreit weiter gebracht worden. Sonst Definitionen anspitzen, lahme Beweise mit neuen Krücken versehen, dem Cento der Metaphysik neue Lappen, oder einen veränderten Zuschnitt geben, das findet man noch wohl, aber das verlangt die Welt nicht. Metaphysischer Behauptungen ist die Welt satt: man will die Möglichkeit dieser Wissenschaft, die Quellen, aus denen Gewißheit in derselben abgeleitet werden könne[167], und sichere Kriterien[168], den dialektischen Schein der reinen Vernunft von der Wahrheit zu unterscheiden. Hiezu muß der Rezensent den Schlüssel besitzen, sonst würde er nimmermehr aus so hohem Tone gesprochen haben.

Aber ich gerate auf den Verdacht, daß ihm ein solches Bedürfnis der Wissenschaft vielleicht niemals in Gedanken gekommen sein mag, denn sonst würde er seine Beurteilung auf diesen Punkt gerichtet, und selbst ein fehlgeschlagener Versuch in einer so wichtigen Angelegenheit, Achtung bei ihm erworben haben. Wenn das ist, so sind wir wieder gute Freunde. Er mag sich so tief in | seine Metaphysik hineindenken, als ihm gut dünkt, daran soll ihn niemand hindern, nur über das, was außer der Metaphysik liegt, die in der Vernunft befindliche Quelle derselben, kann er nicht urteilen. Daß mein Verdacht aber nicht ohne Grund sei, beweise ich dadurch, daß er von der Möglichkeit[169] der synthetischen

---

[167] Vorländer *(nach Kants Entwurf, s. Beilage S. 182)*: könne, untersucht wissen

[168] Vorländer *(nach Kants Entwurf, s. Beilage S. 188)*: Kriterien haben

[169] A: Metaphysik

Erkenntnis a priori, welche die eigentliche Aufgabe war, auf deren Auflösung das Schicksal der Metaphysik gänzlich beruht, und worauf meine Kritik (ebenso wie hier meine Prolegomena) ganz und gar hinauslief, nicht ein Wort erwähnete. Der Idealism, auf den er stieß, und an welchem er auch hängen blieb, war nur, als das einige Mittel jene Aufgabe aufzulösen, in den Lehrbegriff aufgenommen worden (wiewohl er denn auch noch aus andern Gründen seine[170] Bestätigung erhielt), und da hätte er zeigen müssen, daß entweder jene Aufgabe die Wichtigkeit nicht habe, die ich ihr (wie auch jetzt in den Prolegomenen) beilege, oder daß sie durch meinen Begriff von Erscheinungen gar nicht, oder auch auf andere Art besser könne aufgelöset werden, davon aber finde ich in der Rezension kein Wort. Der Rezensent verstand also nichts von meiner Schrift, und vielleicht auch nichts von dem Geist und dem Wesen der Metaphysik selbst, wofern nicht vielmehr, welches ich lieber annehme, Rezensenteneilfertigkeit, über die Schwierigkeit, sich durch so viel Hindernisse durchzuarbeiten, entrüstet, einen nachteiligen Schatten auf | das vor ihm liegende Werk warf, und es ihm in seinen Grundzügen unkenntlich machte.

Es fehlt noch sehr viel daran, daß eine gelehrte Zeitung, ihre Mitarbeiter mögen auch mit noch so guter Wahl und Sorgfalt ausgesucht werden, ihr sonst verdientes Ansehen im Felde der Metaphysik ebenso wie anderwärts behaupten könne. Andere Wissenschaften und Kenntnisse haben doch ihren Maßstab. Mathematik hat ihren in sich selbst, Geschichte und Theologie in weltlichen oder heiligen Büchern, Naturwissenschaft und Arzneikunst in Mathematik und Erfahrung, Rechtsgelehrsamkeit in Gesetzbüchern, und sogar Sachen des Geschmacks in Mustern der Alten. Allein zur Beurteilung des Dinges, das Metaphysik heißt, soll erst der Maßstab gefunden werden (ich habe einen Versuch gemacht, ihn sowohl als seinen Gebrauch zu bestimmen).

---

[170] A: ihre

Was ist nun, so lange, bis dieser ausgemittelt wird, zu tun, wenn doch über Schriften dieser Art geurteilt werden muß? Sind sie von dogmatischer Art, so mag man es halten wie man will: lange wird keiner hierin über den andern den Meister spielen, ohne daß sich einer findet, der es ihm wieder vergilt. Sind sie aber von kritischer Art, und zwar nicht in Absicht auf andere Schriften, sondern auf die Vernunft selbst, so daß der Maßstab der Beurteilung nicht schon angenommen werden kann, sondern | allererst gesucht wird; so mag Einwendung und Tadel unverbeten sein, aber Verträglichkeit muß dabei doch zum Grunde liegen, weil das Bedürfnis gemeinschaftlich ist, und der Mangel benötigter Einsicht ein richterlich-entscheidendes Ansehen unstatthaft macht.

Um aber diese meine Verteidigung zugleich an das Interesse des philosophierenden gemeinen Wesens zu knüpfen, schlage ich einen Versuch vor, der über die Art, wie alle metaphysische Untersuchungen auf ihren gemeinschaftlichen Zweck gerichtet werden müssen, entscheidend ist. Dieser ist nichts anders, als was sonst wohl Mathematiker getan haben, um in einem Wettstreit den Vorzug ihrer Methoden auszumachen, nämlich, eine Ausfoderung an meinen Rezensenten, nach seiner Art irgend einen einzigen von ihm behaupteten wahrhaftig metaphysischen, d. i. synthetischen und a priori aus Begriffen erkannten, allenfalls auch einen der unentbehrlichsten, als z. B. den Grundsatz der Beharrlichkeit der Substanz, oder der notwendigen Bestimmung der Weltbegebenheiten durch ihre Ursache, aber, wie es sich gebührt, durch Gründe a priori zu erweisen. Kann er dies nicht, (Stillschweigen aber ist Bekenntnis) so muß er einräumen: daß, da Metaphysik ohne apodiktische Gewißheit der Sätze dieser Art ganz und gar nichts ist, die Möglichkeit oder Unmöglichkeit derselben vor allen Dingen zuerst in einer Kri|tik der reinen Vernunft ausgemacht werden müsse, mithin ist er verbunden, entweder zu gestehen, daß meine Grundsätze der Kritik richtig sind, oder ihre Ungültigkeit zu beweisen. Da ich aber schon zum voraus sehe, daß, so unbesorgt er sich auch bisher auf die Gewißheit seiner Grundsätze verlassen hat, dennoch, da es auf eine strenge Probe ankommt, er in dem ganzen Umfange der Metaphysik auch nicht einen einzigen auffinden werde, mit dem er dreust auftreten könne, so will ich ihm die vorteilhafteste[171] Bedingung bewilligen, die man nur in einem Wettstreite erwarten kann, nämlich ihm das onus probandi abnehmen, und es mir auflegen lassen.

Er findet nämlich in diesen Prolegomenen, und in meiner Kritik S. 426–461 acht Sätze, deren zwei und zwei immer einander widerstreiten, jeder aber notwendig zur Metaphysik gehört, die ihn entweder annehmen oder widerlegen muß, (wiewohl kein einziger derselben ist, der nicht zu seiner Zeit von irgend einem Philosophen wäre angenommen worden). Nun hat er die Freiheit, sich einen von diesen acht Sätzen nach Wohlgefallen auszusuchen, und ihn ohne Beweis, den ich ihm schenke, anzunehmen; aber nur einen, (denn ihm wird Zeitverspillerung ebenso wenig dienlich sein wie mir) und alsdenn meinen Beweis des Gegensatzes anzugreifen. Kann ich nun diesen gleichwohl retten, und auf solche Art | zeigen, daß nach Grundsätzen, die jede dogmatische Metaphysik notwendig anerkennen muß, das Gegenteil des von ihm adoptierten Satzes gerade ebenso klar bewiesen werden könne, so ist dadurch ausgemacht, daß in der Metaphysik ein Erbfehler liege, der nicht erklärt, viel weniger gehoben werden kann, als wenn man bis zu ihrem Geburtsort, der reinen Vernunft selbst, hinaufsteigt, und so muß meine Kritik entweder angenommen, oder an ihrer Statt eine bessere gesetzt, sie also wenigstens studiert werden; welches das einzige ist, das ich jetzt nur verlange. Kann ich dagegen meinen Beweis nicht retten, so steht ein synthetischer Satz a priori aus dogmatischen Grundsätzen auf der Seite meines Gegners fest, meine Beschuldigung der gemeinen Metaphysik war darum ungerecht, und ich erbiete mich, seinen Tadel meiner Kritik (obgleich das lange noch nicht die Folge sein dürfte,) vor

---

[171] A^{2,3}: vortheilhafte

rechtmäßig zu erkennen. Hiezu aber würde es, dünkt mich, nötig sein, aus dem Inkognito zu treten[172], weil ich nicht absehe, wie es sonst zu verhüten wäre, daß ich nicht, statt einer Aufgabe von ungenannten und doch unberufenen Gegnern, mit mehreren beehrt oder bestürmt würde. |

Vorschlag zu einer Untersuchung der Kritik, auf welche das Urteil folgen kann

Ich bin dem gelehrten Publikum auch vor das Stillschweigen verbunden, womit es eine geraume Zeit hindurch meine Kritik beehrt hat; denn dieses beweiset doch einen Aufschub des Urteils, und also einige Vermutung, daß in einem Werke, was alle gewohnte Wege verläßt, und einen neuen einschlägt, in den man sich nicht sofort finden kann, doch vielleicht etwas liegen möge, wodurch ein wichtiger, aber jetzt abgestorbener Zweig menschlicher Erkenntnisse neues Leben und Fruchtbarkeit bekommen könne, mithin eine Behutsamkeit, durch kein übereiltes Urteil den noch zarten Propfreis abzubrechen und zu zerstören. Eine Probe eines aus solchen Gründen verspäteten Urteils kommt mir nur eben jetzt in der Gothaischen gelehrten Zeitung vor Augen, dessen Gründlichkeit (ohne mein hiebei verdächtiges Lob in Betracht zu ziehen) aus der faßlichen und unverfälschten Vorstellung eines zu den ersten Prinzipien meines Werks gehörigen Stücks jeder Leser von selbst wahrnehmen wird.

Und nun schlage ich vor, da ein weitläufig Gebäude unmöglich durch einen flüchtigen Überschlag sofort | im Ganzen beurteilt werden kann, es von seiner Grundlage an, Stück vor Stück zu prüfen, und hiebei gegenwärtige Prolegomena als einen allgemeinen Abriß zu brauchen, mit welchem denn gelegentlich das Werk selbst verglichen werden könnte. Dieses Ansinnen, wenn es nichts weiter, als meine

---

[172] Ak: *nicht gesperrt*

Einbildung von Wichtigkeit, die die Eitelkeit gewöhnlicher-
maßen allen eigenen Produkten leiht, zum Grunde hätte,
wäre unbescheiden, und verdiente mit Unwillen abgewiesen
zu werden. Nun aber stehen die Sachen der ganzen spekulativen Philosophie so, daß sie auf dem Punkte sind, völlig zu
erlöschen, obgleich die menschliche Vernunft an ihnen mit
nie erlöschender Neigung hängt, die nur darum, weil sie
unaufhörlich getäuscht wird, es jetzt, obgleich vergeblich,
versucht, sich in Gleichgültigkeit zu verwandeln.

In unserm denkenden Zeitalter läßt sich nicht vermuten,
daß nicht viele verdiente Männer jede gute Veranlassung
benutzen sollten, zu dem gemeinschaftlichen Interesse der
sich immer mehr aufklärenden Vernunft mitzuarbeiten,
wenn sich nur einige Hoffnung zeigt, dadurch zum Zweck zu
gelangen. Mathematik, Naturwissenschaft, Gesetze, Künste,
selbst Moral etc. füllen die Seele noch nicht gänzlich aus; es
bleibt immer noch ein Raum in ihr übrig, der vor die bloße
reine und spekulative Vernunft abgestochen ist, und dessen
Leere uns zwingt, in | Fratzen oder Tändelwerk, oder auch
Schwärmerei, dem Scheine nach, Beschäftigung und Unterhaltung, im Grunde aber nur Zerstreuung zu suchen, um den
beschwerlichen Ruf der Vernunft zu übertäuben, die ihrer
Bestimmung gemäß etwas verlangt, was sie vor sich selbst
befriedige, und nicht bloß zum Behuf anderer Absichten,
oder zum Interesse der Neigungen in Geschäftigkeit versetze.
Daher hat eine Betrachtung, die sich bloß mit diesem
Umfange der vor sich selbst bestehenden Vernunft beschäftigt, darum, weil eben in demselben alle andere Kenntnisse,
sogar Zwecke zusammenstoßen, und sich in[173] ein Ganzes
vereinigen müssen, wie ich mit Grunde vermute, vor jedermann, der es nur versucht hat, seine Begriffe so zu erweitern,
einen großen Reiz, und ich darf wohl sagen, einen größeren,
als jedes andere theoretische Wissen, welches man gegen jenes
nicht leichtlich eintauschen würde.

---

[173] A: und in

Ich schlage aber darum diese Prolegomena zum Plane und Leitfaden der Untersuchung vor, und nicht das Werk[174] selbst, weil ich mit diesem zwar, was den Inhalt, die Ordnung und Lehrart und die Sorgfalt betrifft, die auf jeden Satz gewandt worden, um ihn genau zu wägen und zu prüfen, ehe ich ihn hinstellte, auch noch jetzt ganz wohl zufrieden bin, (denn es haben Jahre dazu gehört, mich nicht allein von dem Ganzen, sondern bisweilen auch nur von einem einzigen Satze in Ansehung | seiner Quellen völlig zu befriedigen) aber mit meinem Vortrage in einigen Abschnitten der Elementarlehre, z. B. der Deduktion der Verstandesbegriffe, oder dem von den Paralogismen d. r. V., nicht völlig zufrieden bin, weil eine gewisse Weitläuftigkeit in denselben die Deutlichkeit hindert, an deren Statt man das, was hier die Prolegomenen in Ansehung dieser Abschnitte sagen, zum Grunde der Prüfung legen kann.

Man rühmt von den Deutschen, daß, wozu Beharrlichkeit und anhaltender Fleiß erforderlich sind, sie es darin weiter als andere Völker bringen können. Wenn diese Meinung gegründet ist, so zeigt sich hier nun eine Gelegenheit, ein Geschäfte, an dessen glücklichem Ausgange kaum zu zweifeln ist, und woran alle denkende Menschen gleichen Anteil nehmen, welches doch bisher nicht gelungen war, zur Vollendung zu bringen, und jene vorteilhafte Meinung zu bestätigen; vornehmlich, da die Wissenschaft, welche es betrifft, von so besonderer Art ist, daß sie auf einmal zu ihrer ganzen Vollständigkeit und in denjenigen b e h a r r l i c h e n Z u s t a n d[175] gebracht werden kann, da sie nicht im mindesten weiter gebracht, und durch spätere Entdeckung weder vermehrt, noch auch nur verändert werden kann, (den Ausputz durch hin und wieder vergrößerte Deutlichkeit oder angehängten Nutzen in allerlei Absicht rechne ich hieher nicht) ein Vor | teil, den keine andere Wissenschaft hat, noch haben kann, weil keine ein so völlig isoliertes, von andern unabhängiges und mit ihnen

---

[174] A: des Werks
[175] Ak: Zustand *nicht gesperrt*

unvermengtes Erkenntnisvermögen betrifft. Auch scheint dieser meiner Zumutung der jetzige Zeitpunkt nicht ungünstig zu sein, da man jetzt in Teutschland fast nicht weiß, womit man sich, außer den sogenannten nützlichen Wissenschaften noch sonst beschäftigen könne, so daß es doch nicht bloßes Spiel, sondern zugleich Geschäfte sei, wodurch ein bleibender Zweck erreicht wird.

Wie die Bemühungen der Gelehrten zu einem solchen Zweck vereinigt werden könnten, dazu die Mittel zu ersinnen, muß ich andern überlassen. Indessen ist meine Meinung nicht, irgend jemanden eine bloße Befolgung meiner Sätze zuzumuten, oder mir auch nur mit der Hoffnung derselben zu schmeicheln, sondern, es mögen sich, wie es zutrifft, Angriffe, Wiederholungen, Einschränkungen, oder auch Bestätigung, Ergänzung und Erweiterung, dabei zutragen, wenn die Sache nur von Grund aus untersucht wird, so kann es jetzt nicht mehr fehlen, daß nicht ein Lehrgebäude, wenngleich nicht das meinige, dadurch zu Stande komme, was ein Vermächtnis vor die Nachkommenschaft werden kann, davor sie Ursache haben wird, dankbar zu sein.

Was, wenn man nur allererst mit den Grundsätzen der Kritik in Richtigkeit ist, vor eine Metaphysik, ihr | zu Folge, könne erwartet werden und wie diese keinesweges dadurch, daß man ihr die falsche Federn abgezogen, armselig und zu einer nur kleinen Figur herabgesetzt erscheinen dürfe, sondern in anderer Absicht reichlich und anständig ausgestattet erscheinen könne, würde hier zu zeigen zu weitläufig sein; allein andere große Nutzen, die eine solche Reform nach sich ziehen würde, fallen sofort in die Augen. Die gemeine Metaphysik schaffte dadurch doch schon Nutzen, daß sie die Elementarbegriffe des reinen Verstandes aufsuchte, um sie durch Zergliederung deutlich und durch Erklärungen bestimmt zu machen. Dadurch ward sie eine Kultur vor die Vernunft, wohin diese sich auch nachher zu wenden gut finden möchte; allein das war auch alles Gute, was sie tat. Denn dieses ihr Verdienst vernichtete sie dadurch wieder, daß sie durch wag-

hälsige Behauptungen den Eigendünkel, durch subtile Aus-
flüchte und Beschönigung die Sophisterei, und durch die
Leichtigkeit, über die schwersten Aufgaben mit ein wenig
Schulweisheit wegzukommen, die Seichtigkeit begünstigte,
welche desto verführerischer ist, je mehr sie einerseits etwas
von der Sprache der Wissenschaft, andererseits von der Popularität anzunehmen die Wahl hat und dadurch allen alles, in
der Tat aber überall nichts ist. Durch Kritik dagegen wird
unserem Urteil der Maßstab zugeteilt, wodurch Wissen von
Scheinwissen mit Sicherheit unterschieden werden kann, und
diese grün|det dadurch, daß sie in der Metaphysik in ihre
volle Ausübung gebracht wird, eine Denkungsart, die ihren
wohltätigen Einfluß nachher auf jeden andern Vernunftge-
brauch erstreckt und zuerst den wahren philosophischen
Geist einflößt. Aber auch der Dienst, den sie der Theologie
leistet, indem sie solche von dem Urteil der dogmatischen
Spekulation unabhängig macht und sie eben dadurch wider
alle Angriffe solcher Gegner völlig in Sicherheit stellt, ist
gewiß nicht gering zu schätzen. Denn gemeine Metaphysik,
ob sie gleich jener viel Vorschub verhieß, konnte doch dieses
Versprechen nachher nicht erfüllen, und hatte noch überdem
dadurch, daß sie spekulative Dogmatik zu ihrem Beistand
aufgeboten, nichts anders getan, als Feinde wider sich selbst
zu bewaffnen. Schwärmerei, die in einem aufgeklärten Zeitalter nicht aufkommen kann, als nur wenn sie sich hinter einer
Schulmetaphysik verbirgt, unter deren Schutz sie es wagen
darf, gleichsam mit Vernunft zu rasen, wird durch kritische
Philosophie aus diesem ihrem letzten Schlupfwinkel vertrie-
ben, und über das alles kann es doch einem Lehrer der Metaphysik nicht anders als wichtig sein, einmal mit allgemeiner
Bestimmung sagen zu können, daß, was er vorträgt, nun endlich auch W i s s e n s c h a f t sei, und dadurch dem gemeinen
Wesen würklicher Nutzen geleistet werde. |

Nachwort des Herausgebers

I. Zur Entstehungs- und Textgeschichte der *Prolegomena*

1. Die Entstehungsgeschichte der *Prolegomena* läßt sich, wie Benno Erdmann in seiner Einleitung zur Akademie-Edition des Werkes bemerkt (Ak IV, S. 598), aus Mangel an Quellen nicht rekonstruieren. Insbesondere fehlt der entscheidende Brief Kants an den Verleger der *Prolegomena*, Johann Friedrich Hartknoch, vom 18. August 1781. Daß Kant zur Zeit des Erscheinens der *Kritik der reinen Vernunft* – in Fortsetzung früherer genereller Überlegungen über »Grundsätze der Popularität in Wissenschaften überhaupt« (Ak X, S. 247) – den Gedanken einer populären Darstellung des Kritizismus erwogen hat, zeigt der Brief an Marcus Herz vom 11. Mai 1781 (Ak IV, S. 600 f.) sowie der Brief an Johann Erich Biester vom 8. Juni 1781 (Ak IV, S. 601). Weitere direkte Quellen zur Entstehung der *Prolegomena* fehlen jedoch im Corpus der Kant-Briefe.

Wenn demgegenüber im Briefwechsel Johann Georg Hamanns zahlreiche Stellen zu finden sind, die sich mit den in statu nascendi befindlichen *Prolegomena* bzw. mit der Arbeit, an deren Ende die *Prolegomena* stehen, befassen, so sind sie doch nicht hinreichend geeignet, die Basis für eine genaue Nachzeichnung der Entstehungsgeschichte des Werkes abzugeben. Zwar geht aus Hamanns Briefen vom August 1781 an Hartknoch hervor, daß Kant »Willens [sei], einen populären Auszug seiner Critik auch für Laien auszugeben« (5. August 1781; Ak IV, S. 602), und daß er (so Hamann am 11. August 1781) »von einem Auszuge seiner Critik in populärem Geschmack« (ebd.) rede, doch erfährt man weder aus diesen noch aus den späteren Briefen Hamanns, die sich mit dem Kantischen Projekt (vgl. Ak IV, S. 602 ff.) beschäftigen,[1] etwas Eindeutiges und Detailliertes über die Eigenart und den Gang der Arbeit Kants an dem angesagten Werk.

Dieser Mangel an zulänglichen Quellen macht es vor allem unmöglich, Aufschluß über die Rolle zu erhalten, die das Erscheinen der Göttinger Rezension (s. Beilage 2) auf Kants Konzeption und Exposition einer populären Darstellung seiner Lehre hatte.[2] Die Rezension, eine von Johann Georg Heinrich Feder redigierte und verkürzte Fassung der Besprechung Christian Garves (s. Beilage 6), war am 19. Januar 1782 in den »Zugaben zu den Göttinger Gelehrten Anzeigen« erschienen. Von Kants empörter Reaktion zeugt die »Probe eines Urteils über die Kritik, das vor der Untersuchung vorhergeht« (s. unsere Ausgabe S. 156–166). Der Aufforderung Kants, der anonyme Autor der Rezension möge sich melden, folgte Garve mit seinem Brief an Kant vom 13. Juli 1783 (s. Beilage 4); Kant antwortete am 7. August 1783 versöhnlich (s. Beilage 5).[3] Die auf Indizien und Mutmaßungen beruhende Kontroverse zwischen Benno Erdmann und Emil Arnoldt[4] zur Frage einer möglichen Einwirkung der Göttinger Rezension auf die Entstehung der *Prolegomena* konnte keine befriedigende Lösung erbringen. Karl Vorländers Fazit aus dem Erdmann-Arnoldtschen Streit dürfte angesichts der mißlichen Quellenlage auch heute noch gelten: »Daß also Kant schon vor dem Erscheinen der Göttinger Rezension an den späteren *Prolegomena* gearbeitet hat, scheint uns, wenn auch nicht sicher, so doch wahrscheinlich. Daß sein Plan durch sie beeinflußt bzw. modifiziert worden ist, ebenso.

1 Vgl. die von Erdmann in Ak IV, S. 601 ff., zusammengestellten Texte.
2 Zur Göttinger Rezension und ihre Wirkung auf Kant vgl. die knappe und präzise Darstellung bei Vorländer, S. XII ff.
3 Damals freilich kannte Kant noch nicht den Text der ursprünglichen Garveschen Rezension. Er erhielt diese am 21. August 1783 (vgl. Johann Joachim Spalding an Kant, 16. August 1783; Ak X, S. 347 f., und Kant an Johann Schultz, 22. August 1783). Zu Kants Enttäuschung über den Garveschen Text vgl. Hamanns Brief an Herder vom 8. Dezember 1783 (abgedr. bei Vorländer, S. XIII).
4 Zur Kontroverse vgl. Vorländer, S. XIV ff. (mit Literaturangaben).

Näheres und Bestimmteres indes läßt sich in keiner Weise feststellen« (Vorländer, S. XIX).

2. Von den *Prolegomena* gibt es nur eine O r i g i n a l a u s - g a b e (Riga, bey Johann Friedrich Hartknoch. 1783), Benno Erdmann konnte allerdings in minutiöser Detailarbeit[5] nachweisen, daß es von der Originalausgabe fünf Reihen von Exemplaren, vier Auflagen und drei Drucklegungen gegeben hat. Die Abweichungen der Exemplare voneinander sind freilich »für den inneren Bestand des Werkes« (Ak IV, S. 608) ohne Bedeutung, handelt es sich doch lediglich um »typographische Äußerlichkeiten wie Vignetten, Drucktypen, oder orthographische und interpunktionelle Kleinigkeiten« (Vorländer, S. XXXV).

Von ungleich größerer Wichtigkeit für die Textgestalt des Werkes ist die von Hans Vaihinger entdeckte, von Sitzler mit drucktechnischen Argumenten bestätigte Blattversetzung: nach Vaihinger/Sitzler gehören die Abschnitte 2–6 des § 4 in den § 2 (als Fortsetzung des 7. Abschnittes, mit dem der § 2 in der Originalausgabe endet).[6]

3. Textausgaben

A. Originalausgaben

1. Riga, bey Johann Friedrich Hartknoch. 1783. [Warda[7] Nr. 75–77.]
2. Frankfurt und Leipzig 1794. [Unerlaubter Nachdruck; Warda Nr. 78.]
3. Neueste Auflage. Grätz, 1795. [Unerlaubter Nachdruck; Warda Nr. 79.]

5 Vgl. Ak IV, S. 607 ff.; Vorländer, S. XXV; weiter Georg Kullmann, »Die Reihenfolge der Prolegomenadrücke«, in: *Altpreußische Monatsschrift* 51 (1914) S. 193–215. – Generell zur Textverbesserung vgl. Vorländer, S. XXXVI f.
6 Vgl. Vorländer, S. XXVII ff. (mit Literaturangaben). – Vorländer und die vorliegende Ausgabe folgen der Blattversetzungs-Hypothese, Ak und Weischedel dem Text der Originalausgabe. Falsch eingesetzt sind die versetzten Abschnitte in den Einzelausgaben Nr. 4 und 5.
7 Arthur Warda, *Die Druckschriften Immanuel Kants (bis zum Jahre 1838)*, Wiesbaden 1919.

4. Neueste Auflage. Frankfurt und Leipzig 1798. [Unerlaubter Nachdruck; Warda Nr. 80.]

B. Editionen in Gesamtausgaben

1. Immanuel Kant's sämmtliche Werke. Hrsg. von Karl Rosenkranz und Friedrich Wilhelm Schubert. Bd. 3. Hrsg. von Karl Rosenkranz. Leipzig: L. Voss, 1838. S. 1–166.
2. Immanuel Kant's Werke, sorgfältig revidirte Gesammtausgabe in zehn Bänden. Hrsg. von Gustav Hartenstein. Bd. 3: Immanuel Kant's kleinere metaphysische Schriften. Leipzig: Modes und Baumann, 1838. S. 163–316.
3. Immanuel Kant's sämmtliche Werke. In chronologischer Reihenfolge hrsg. von G[ustav] Hartenstein. Bd. 4. Leipzig: L. Voss, 1867. S. 1–316.
4. Immanuel Kant's sämmtliche Werke. Hrsg. und erl. von J[ulius] H[ermann] Kirchmann. Bd. 3, Abt. 1. Berlin: L. Heimann, 1869. (Philosophische Bibliothek, oder Sammlung der Hauptwerke der Philosophie alter und neuer Zeit. 22.) – 2. Aufl. Leipzig: E. Koschny [L. Heimann], 1876. S. 1–152.
5. Kant's gesammelte Schriften. Hrsg. von der Königlich Preußischen Akademie der Wissenschaften. Abt. 1: Werke. Bd. 4. [Hrsg. und mit Einl. und Lesarten (S. 598–620), vers. von Benno Erdmann.] Berlin: G. Reimer, 1903. ²1911. S. 253–383. – Unveränd. photomechan. Nachdr.: Kants Werke. Akademie-Textausgabe. Berlin: de Gruyter, 1968. [Anm. der Bde. 1–9 als Erg.-Bd. ebd., 1977.]
6. Immanuel Kant's sämmtliche Werke. Hrsg. von P. Gedan, W. Kinkel, J. H. von Kirchmann, F. M. Schiele, Th. Valentiner, K. Vorländer. Bd. 3. 4. [gegenüber Nr. 4 neubearb.] Aufl. Hrsg. von Karl Vorländer. Leipzig: Dürr, 1905. (Philosophische Bibliothek. 40.) S. 1–163. – 6., unveränd. Aufl. u. d. T.: Immanuel Kant. Sämtliche Werke. In Verb. mit Hermann Cohen [...] hrsg. von Karl Vorländer. Bd. 3, Abt. 1. Leipzig: F. Meiner, 1920. (Philosophische Bibliothek. 40.) S. 1–163. – [Vgl. auch C, Nr. 3.]
7. Immanuel Kants Werke. In Gem. mit Hermann Cohen [...] hrsg. von Ernst Cassirer. Bd. 4. Hrsg. von Artur Buchenau und Ernst Cassirer. Berlin: B. Cassirer, 1913. S. 1–139.
8. Immanuel Kant. Werke in acht Büchern. Ausgew. und mit Einl. vers. von Hugo Renner. Buch 4. Berlin: A. Weichert, 1921. S. 1–122.

9. Immanuel Kant's sämtliche Werke in sechs Bänden. (Großherzog-Wilhelm-Ernst-Ausgabe.) Bd. 4: Kleinere philosophische Schriften. Hrsg. von Felix Groß. Leipzig: Insel Verlag, 1921. S. 369– 524.
10. Kants Werke in drei Bänden. Mit Zugrundelegung der Ausgabe der Preußischen Akademie der Wissenschaften hrsg. und eingel. von August Messer. Bd. 2. Berlin/Leipzig: Th. Knaur Nachf. [um 1925]. S. 195–326.
11. Immanuel Kant. Werke in sechs Bänden. Hrsg. von Wilhelm Weischedel. Bd. 3: Schriften zur Metaphysik und Logik. Wiesbaden: Insel Verlag, 1958 / Darmstadt: Wissenschaftliche Buchgesellschaft, 1959. S. 113–264. [Die Ausgabe der Wissenschaftlichen Buchgesellschaft wurde mehrfach überprüft; von Bd. 3 liegt der »5., erneut überprüfte reprographische Nachdruck« aus dem Jahre 1983 vor. Diese Ausgabe wurde 1968 auch als zehnbändige Taschenbuchausgabe (text- und seitenidentisch mit der sechsbändigen Ausgabe) herausgebracht; die *Prolegomena* finden sich in Bd. 5 (1983). – Die Weischedel-Ausgabe erschien 1968 (text- und seitenidentisch) im Suhrkamp Verlag als zwölfbändige Theorie-Werkausgabe (getrennt folgte 1969 ein Register von Rolf-Peter Horstmann); 1977 wurde diese Ausgabe zusammen mit dem Register in die Reihe »suhrkamp taschenbuch wissenschaft« übernommen. In dieser sind die *Prolegomena* in Bd. 6 abgedruckt.]

C. Einzelausgaben

1. Hrsg. und histor. erkl. von Benno Erdmann. Leipzig/Hamburg: L. Voß, 1878.
2. Hrsg. von Karl Schulz. Leipzig: Reclam, 1888. (Universal-Bibliothek. 2468–70.)
3. Hrsg. von Karl Vorländer. Leipzig: Dürr, 1905. (Philosophische Bibliothek. 40.) [Vgl. B, Nr. 6.] – 5., durchges. Aufl. Leipzig: F. Meiner, 1913. – 6., unveränd. Aufl. Ebd. 1920. – Unveränd. Neudr. der 6. Aufl. Ebd. 1953. – Durchges. Nachdr. »unter Berücksichtigung einer Druckfehlerliste von Herrn Prof. Dr. Norbert Hinske«. Ebd. 1976.
4. Hrsg. von Raymund Schmidt. Leipzig: Reclam, 1928. [2. Aufl. von Nr. 2.]
5. Hrsg. von Steffen Dietzsch. Leipzig: Reclam, 1979. [3., erw. Aufl. von Nr. 2.]

II. Zur Textgestalt

Die vorliegende Ausgabe legt die 1. Auflage der Originalausgabe zugrunde (A^1); sie berücksichtigt, wo es nötig erscheint, die von der Akademie-Ausgabe angegebenen Varianten in den drei weiteren Auflagen (A^2, A^3, A^4). Der Text wurde durchgängig mit der Akademie-Ausgabe verglichen. Zur Texteinrichtung wurden weiterhin die Ausgaben von Vorländer und Weischedel herangezogen. Wie Vorländer folgt der vorliegende Text in den Paragraphen 2 und 4 der Vaihinger/Sitzlerschen Blattversetzungs-Hypothese.

1. Um den Text möglichst lesbar zu machen, wurde die O r t h o g r a p h i e der Originalausgabe behutsam dem heutigen Gebrauch angeglichen, bei Wahrung des Lautstandes und sprachlicher Eigenheiten – Kants Schriften sind, aller Schwierigkeit zum Trotz, auch genuine Sprachkunstwerke, die ihren individuellen Klang und Rhythmus haben. Die Schreibung von Eigennamen wurde modernisiert. Offensichtliche Druckversehen wurden stillschweigend korrigiert, die Fraktur-Kürzel *2c* zu »etc.« aufgelöst.

2. Die I n t e r p u n k t i o n der Originalausgabe wurde weitgehend gewahrt. Nur bei eindeutigen Flüchtigkeitsfehlern ist sie korrigiert worden.

3. A u s z e i c h n u n g. Hervorhebungen im Kantischen Originaltext durch einen größeren Schriftgrad oder eine andere Schrift sind hier einheitlich durch Sperrung wiedergegeben. Halbfettdruck in vorliegender Ausgabe entspricht der Hervorhebung durch einen größeren Schriftgrad und gleichzeitige Sperrung im Originaltext.

4. F u ß n o t e n Kants sind mit einem Stern gekennzeichnet, Fußnoten des Herausgebers mit arabischen Ziffern. Die Übersetzung der lateinischen Zitate stammt vom Herausgeber.

5. Die P a g i n i e r u n g des Originals wurde in eckigen Klammern jeweils am Fuß der Seite ergänzt.

III. Siglen und Abkürzungen

A   Originalausgabe von 1783 (A^1–A^4)

Ak   Akademie-Ausgabe
              (Nr. 5 der Gesamtausgaben)

Vorländer   *Prolegomena*-Ausgabe (^{6}1976) von Vorländer
              (Nr. 6 der Gesamtausgaben; Nr. 3 der Einzel-
              ausgaben)

Weischedel   *Prolegomena*-Ausgabe von Weischedel
              (Nr. 11 der Gesamtausgaben)

Beilagen

1. Vorarbeiten zu den *Prolegomena*

Lose Blätter Warda (in: *Altpreussische Monatsschrift* 37, 1900, S. 533–553); Abdruck nach: Ak XXIII, S. 53–64 [unter Weglassung der Varianten].

Erster Bogen, 1. Seite

Strenge critische Beurtheilungen wenn sie auf die Principien eines Werks gerichtet und gründlich seyn interessiren wenigstens das Publicum dadurch daß sie den Verfasser nothigen seine Gedanken mehr zu bestimmen oder seine Fehler zu verbessern. Der Recensent meines Werks hat es nicht gut gefunden weder mich noch das Publicum durch seine Beurtheilung zu belehren es sey daß er uber einem weitläuftigen Werke welches mir jahre gekostet hat um es durchzudenken nicht lange weilen mochte oder daß eine unlustige Laune ihn bebrachte es aus einem unvortheilhaften Gesichtspuncte anzusehen oder welches ich ungerne annehmen mochte daß er sich so tief in seinen Schulbegrif von Metaphysik hineingedacht hat daß es ihm nunmehr ganzlich unmoglich ist seine Idee zu erweitern und eine schon einstudirte Wissenschaft einer Reform zu unterwerfen. Ich würde daher auch davon garnicht Worte machen da seine Beurtheilung mir nichts schadet wenn etc.

Er fängt davon an, von dem Werke diesen Begrif zu machen den er bis zu Ende des Werks verfolgt es sey namlich nichts mehr oder Weniger als ein System des Idealismus. Dieses Urtheil kommt ungefehr so hinaus wie wenn jemand etwa einen Euclid in die Hand bekommen hätte ohne jemals von Geometrie den mindesten Begrif gehabt zu haben und aufgefodert würde sein Urtheil davon zu fallen. Er würde dünkt mich indem er im Durchblättern so viel Figuren gesehen beym Anfange sich nicht verweilt und daher von dem weiteren keinen Begrif hatte etwa sagen dieses Buch ist eine Anweisung zum Zeichnen: der Verfasser bedient sich einer besonderen Sprache um sachen zu lehren die das gemeine Augenmaaß leicht und natürlich verrichten könte u.s.w.

Laßt uns aber doch zusehen ob denn auch wirklich ein Idealism in dem Sinne darinn ihn der Autor nimmt darin anzutreffen ist.

Der Satz der Idealisten von der Eleatischen Schule an bis auf Berkley lautete so: Alle Erkentnis durch Sinne und Erfahrung ist nichts als lauter Schein und nur in den Ideen des reinen Verstandes ist Warheit.

Der Satz der gewissermaaßen das Thema meines ganzen Werks ist und welchen ich unzählige mal und zwar auf das deutlichste eingescharft habe heißt dagegen: Alle Erkentnis durch bloßen reinen Verstand und reine Vernunft ist nichts als lauter Schein und nur in der Erfahrung.

Erster Bogen, 2. Seite

Das ist nun gerade das Gegentheil des Idealismus und wie geht es denn zu da ich doch selbst an einem Orte meinen Begrif von den Gegenstanden der Sinne einen transscendentalen Idealism den der Autor durch höhern übersetzt und den ich jetzt lieber den formalen nennen möchte genannt habe. Wenn man vornemlich auf den Anfang des Werks und überhaupt auf jeden Schritt den ich jederzeit mit viel Behutsamkeit gethan habe mit proportionirter Aufmerksamkeit Acht hat so wird man die Antwort von selbst finden. Mein so genannter Idealism ist von seiner ganz eigenthümlichen Art durch ihn allein bekommen alle unsere Erkenntnisse a priori selbst die Geometrie obiective Realität § d. i. sie können auf warhafte Gegenstände bezogen werden da sie sonst blos Vorstellungen eingebildeter idealischer Dinge seyn würden also ist es ein Idealism der den im eigentlichen Sinne so genannten vernichtet dadurch daß er dem Raum und der Zeit etc. aller Idealism als System ist auf schwärmerey angelegt (der der cartesianisten ist eigentlich nur Problem) man kan aber kein sicheres

1. Vorarbeiten zu den Prolegomena

Gegenmittel wieder schwärmerey einer seits oder auch Unglaube anderer seits erdenken als hier wenigstens versucht worden.

Nachdem der Recensent einmal diese verkehrte Idee in dem Kopf gefaßt hatte so verlies er sie nicht mehr sondern führte sie durch die ganze Beurtheilung durch und man kan leicht denken daß manche andere arme Sätze die von diesem Gifte doch nichts empfangen hatten wie Unkraut in der allgemeinen Niederlage ohne Verschonen mit weggemähet worden.

Mein System der Categorieen war (wie es der Name schon giebt) das alte des Aristoteles welches der Rec: vermuthlich das logisch-metaphysische nennt weil die Ausleger des Aristoteles bis auf die letzte sich nie recht einigen konnten ob sie es zur Logik oder Metaphysik zählen solten weil sie zur Logik nicht blos wie wir die Form des Verstandes sondern auch die allgemeine Themata die im Gebrauche desselben vorkommen zähleten die denn freylich auch in der Metaphysik vorkommen. Nun möchte ich doch gerne sehen wie Recens: Raum und Zeit die in die Liste der Categorieen des Aristoteles gehören unter den 4 logischen Functionen der Urtheile überhaupt antreffen will und doch besteht das Wesen meiner Categorieen eben darinn daß sie lediglich aus der Form der Urtheile überhaupt nur so daß sie zur Bestimmung der Obiecte überhaupt angewandt werden entspringen also waren des Aristoteles Categorieen nicht meine Categorieen.

Er wolte nicht einen besondern Satz angreifen er besorgte in einen Kampf verwickelt zu werden darin er keine Gefahr liefe der Criticus en gros aber nicht im Detail.

Erster Bogen, 3. Seite

Weiterhin ist nichts merkwürdiges als daß Recens: aus einem Buche welches in Ansehung der Schulmetaphysik durch und durch aber mit Grunde antipodisch ist sätze die

181

ohne Beweis nothwendig wiedersinnisch lauten müssen her-
ausnimt und an ein ander reihet freylich eine Schnur die eher
einer Kette von Insecten als einer Schnur Perlen ähnlich sieht
und vor der mir beynahe selber ekeln solte und endigt indem
er zu seinem Idealismus zurück kehrt und mich mit dem
sinreichen Satze bekant macht das beständige Schein Warheit
damit daß er mir eine derbe aber nach dem vorhergehenden
zu Urtheilen noch zu gelinde Lection giebt: Wozu denn der
Streit gegen die gemeine angenommene Sprache wozu denn
und woher die idealistische Unterscheidung

Recens. spricht als Mann der sich wichtiger aber bis jetzt
von ihm noch verborgen gehaltener Einsichten und dadurch
einer Überlegenheit bewust seyn muß die einem jeden Furcht
einflößen kan. Denn mir ist in Sachen dieser Art neuerlich
nichts bekant geworden was jemand zu einem solchen Tone
berechtigen konnte. Sonst wenn Definitionen anspitzen lahme Beweise mit neuen Krücken versehen oder einen Cento
von Metaphysik bey jeder Auflage mit neuen Lappen flicken
(metaphysischer Sätze ist man satt und will die Möglichkeit
derselben untersucht wissen), ein Verdienst ist was zu solcher
Selbstzuversicht berechtigt so schmeichle ich mir die günstige
Meinung des Publici vor mich zu finden als wenn ich auch
wohl wenn ich es darauf anlegen wolte einigen Antheil an
solcher Ehre verdienen könte Rec.: sagt gleich im Anfange
daß das Werk welches er beurtheilt den Verstand immer übe
wenn auch nicht immer (solte wohl heißen gar nicht, denn
sonst wäre es billig gewesen davon auch etwas anzuführen)
unterrichte. Nun kan man freylich nicht wissen wie weit sich
die im verborgenen gehaltene Einsicht anderer erstrecken
möge doch wenn ein Mann der so strenge beurtheilen kan
auch irgend etwas geschrieben hat was selbst eine Beurtheilung aushalt und dieses mir bekant würde so müßte mich die
Eigenliebe sehr täuschen oder ich getrauete ihm vieles und
nicht Unerhebliches zu zeigen was gar nicht zu dem verhaß-
ten Idealism gehort und was er seiner Überlegenheit in vielen
andern Stücken unbeschadet doch aus diesem Werke lernen

könnte wenn es ihm so beliebte; wie ich denn auch vielleicht aus manchem seiner Werke gelernet haben wie unter Gelehrten gewöhnlich ist (damus petimusque vicissim.) und noch zu lernen wünsche nur nicht aus der Moral deren Princip er eben so wenig als denen Principien der Moglichkeit einer Metaphysik nachgegangen oder es getroffen zu haben scheint, und wo der Nachtheil aus verfehlten Grundsätzen so gar practisch nachtheilig ist, da meine aller Welt so klar vor Augen gelegten Irrthümer doch höchstens nur die unschuldige Speculation betreffen.

Aber indem ich von Principien rede so besinne ich mich daß Recensent eine lange mühsame Beurtheilung aufgesetzt hat ohne doch im mindesten die Principien zu untersuchen. Ich finde nicht daß er die Unterscheidung der synthetischen von den analytischen Sätzen die wichtige Aufgabe wie synthetische Sätze a priori moglich seyn welche doch die Seele des ganzen Werks ausmachen und die doch wie aus diesen Prolegomenen zu sehen ist zu Annehmung aller der Paradoxen die ihn so sehr aufbringen unwiederstehlich zwingen im mindesten nur angeführt viel weniger mit seinen Einwürfen oder besser Verurtheilung beehrt hätte. Es scheint so gar er habe sie übersehen oder sich nicht Zeit genommen ihnen nachzudenken oder sie nicht verstanden und da wundere ich mich nicht mehr da er immer in dem Glauben stand ich befinde mich mit ihm im Felde der Metaphysik indeßen ich mich ganz außerhalb derselben in einen Standpunkt versetzt hatte von da ich die Moglichkeit der Metaphysik selber beurtheilen könte er immer über mich nach dem Codex der Metaphysik sein Urtheil sprach wieder dessen gültigkeit ich eben in dem ganzen Werk protestire bis sie erst denen Principien gemäß die ich daselbst und hier in den prol: aufgeführt habe ausgemacht worden. Die Folgerungen aber anzugreifen ohne die Principien zu berühren kan niemals was anders als ein Geklätsche geben Er hat also niemals über die Möglichkeit solcher Erkentnis a priori nachgedacht ob ihm gleich HE. Tetens hätte anlaß geben können. Er ist also noch zurück

Beilagen

selbst ein fehlgeschlagener Versuch dieser Art müßte bey ihm
Achtung und Beyfall verdient haben denn zum wenigsten
hätte er die Aufmerksamkeit darauf rege gemacht.

Erster Bogen, 4. Seite

Es fehlt sehr viel daran daß eine gelehrte Zeitung sie mag in
noch so wohl verdientem Guten Rufe stehen
    Wie zu einer Wirkung
    Raum und Zeit sind nicht Gegenstände an sich selbst und
auch nicht in ihnen liegenden Eigenschaften sie liegen nur in
den Sinnen bis so weit bin ich mit allen Idealisten einstimmig.
Aber Raum und Zeit sind nicht Eindrücke meiner Sinne die
wir blos durch Erfahrung kennen lernen und also empirische
Formen sondern sind Formen der Sinlichkeit die a priori vor
aller Erfahrung vorhergehen und die Gegenstände derselben
als Erscheinungen möglich machen Darin unterscheidet sich
mein System von Berkleys und anderen und eben dadurch
hört es auch auf idealistisch zu seyn. Denn da kan ich verstehen wie ich a priori und mit apodictischer Gewisheit von
Gegenständen der Sinne urtheilen könne und in meiner sinnlichen Vorstellung ist so fern Warheit d. i. Zusammenhang
nach gesetzen die ich a priori erkenne. Berkley fand nichts
beständiges und konte auch nichts finden was der Verstand
nach principien a priori begriffe daher mußte er noch eine
andere Anschauung namlich die mystische der gottlichen
Ideen suchen die einen zwiefachen Verstand einen der die
Erscheinungen in Erfahrung verknüpft den anderen der
Dinge an sich selbst erkennt. Ich brauche nur eine Sinlichkeit
und einen Verstand
    Nutzen der Metaphys: 1. Vollständige und syste-
matische Analysis der Begriffe klärt sehr die Begriffe auf. Alle
Vernunftwissenschaften enthalten eine Metaphysik die den
Geist derselben ausmacht. Schönheit eines Systems aus Principien. Nutze einer Beschützung der Religion
wider Angrif in Abhaltung der Schwärmerey,

184

die allein dadurch aus dem Grunde curirt wird in Abhaltung guter Köpfe von vermeintlicher Wissenschafts-reinigung der Religion von leerer speculation. Schaden der dogmatisch gewohnten rechthaberey. Cultur der Vernunft durch Critik und wahre Philosophie ja wenn sie mit der Metaphysik der Sitten zusammen genommen wird die Ganze. Sie kan sehr populair und ins Klare gebracht werden. Man kan dem Verstande junger Leute nicht mehr schaden als wenn man ihnen ein unermeßlich Feld zu Einsichten und Entdeckungen öfnet darin sie doch niemals das mindeste als ihre eigene Hirngeschöpfe finden werden. Man schadet ihnen aber auch wenn man sie nicht von dem Umfang und Grenzen ihrer Vernunft belehrt

Man muß nicht glauben daß diese unsere Critik die Rohigkeit immer haben werde die sie jetzt im Anfange hat.

Swifts Haus

Setzt Religion in Sicherheit – die gemeine Metaphysik cultivirt durch analysis und degradirt durch die synthesis.

Zum Schlusse den Maaßstab der Beurtheilung zu liefern war meine Absicht

Die Beruhigung besteht in der Sicherheit gegen Angriffe und die kan nur durch befriedigende Wissenschaften erhalten werden.

Ich bin ein enthusiastischer Vertheidiger des gesunden Menschenverstandes

Ob jemand nach seinem Augenmaaße ein fingerbreit oder tausend meilen weit von der Gewißheit entfernt ist ist hier ganz einerley. Der Satz des zureichenden Grundes ob er einem Dinge an sich selbst gelte.

Hier ist allein wahrer philosophischer Geist

Eine philosophische Geschichte der philosophie

Infelix operis summa

Gesunder Verstand als princip bringt schwärmerey hervor Tetens nämlich that es sich vorsetzt recht mit Vernunft zu rasen, die einzige die in einem Zeitalter der Philosophie Mode werden kan.

Er rec: das nur zeigen daß er im mindesten (nicht analytisch) die metaphysik weiter gebracht habe auch so gar in Ansehung der Schranken

Andere könen die Gabe der Deutlichkeit im Vortrage und also Deutlichkeit mehr haben als ich

Der dogmatische sceptische und critische Idealism des Berkley des Carthesius und der meinige. Der letztere ist in Ansehung des Urtheils blos negativ ich sage nicht es ist die Vorstellung anders sondern meine sinliche gilt nur nicht obiectiv. Nutze. die Critik macht die R e l i g i o n f r e y v o n d e r s p e c u l a t i o n so daß indem sie sich davon los sagt sie den G e g n e r zugleich alles A n s p r u c h s auf E i n w ü r f e beraubt.

Ich habe bisher lauter Gutes von meiner Schrift gesagt. Nun ich muß doch auch etwas böses davon sagen.

Im recensiren urtheilt der recensent entweder en gros oder en detail. Das letztere würde seine Einsicht entdeckt haben. Die Zeit zu diesen Untersuchungen ist nicht gewünscht man weiß sich nicht zu beschäftigen in der philosophie

Den Maaßstab zum Urtheil zu liefern bin ich eben begriffen

Belehrung des rec: in der Moral

Es ist hier ein Ganzes möglich was einen besonderen Reitz hat weil die Erkentnis geschlossen ist und von anthropologie frey

Der Verfasser sagt er habe wenig gelernt doch hätte er manches lernen könen wenn er gewollt hätte ich lerne auch aber nur nicht Moral

Das publicum wird aus diesem Streit nutzen ziehen und belehrt werden mein Gegner vielleicht nicht

Beständiger Schein ist Warheit

Ausfoderung

Es haben schon längst Moralisten Eingesehen daß das Princip der Glückseeligkeit niemals eine reine Moral sondern nur eine Klugheitslehre die sich auf ihren Vortheil versteht gebe. Daß bey dieser alle Imperative bedingt sind und nichts anderes als die Mittel gebieten zu einem oder anderm Zwecke den die Neigung oder die Summe aller Neigungen aufgiebt zu gelangen daß aber der moralische Imperativ unbedingt seyn müsse z. E. Du solt nicht lügen (obgleich es dir keinen Nachtheil bringen würde).

Nun ist die Frage wie ist ein categorischer Imperativ möglich wer diese Aufgabe auflöset der hat das echte princip der Moral gefunden. Der Rec: wird sich vermutlich eben so wenig daran wagen wie an das wichtige Problem der Transscendental philos. welches mit jenem der Moral eine auffallende Aehnlichkeit hat. Ich werde die Auflösung in Kurzem darlegen aber man darf hier nicht Idealismus und categorieen besorgen.

Meine Schrift hat große Fehler aber nicht dem Inhalte nach sondern blos im Vortrage und zwar Fehler die man theils jedermann bey Anfange einer schweren Untersuchung leicht verzeihen wird theils mir insonderheit der ich vielleicht zwar das Talent habe meine Begriffe genau zu bestimmen, aber nicht meinem Vortrage Leichtigkeit zu geben, das können nur andere

Zweiter Bogen, 1. Seite

Weiter finde ich in dieser Beurtheilung meines Buchs nichts merkwürdiges. Der Verfasser derselben urtheilt durch und durch en gros, einer Manier die klüglich gewählt ist, weil man dabey sein eigen Wissen, oder nicht wissen nicht verräth; ein einziges ausfürliches Urtheil im detail würde, wenn es, wie billig, die Hauptfrage betroffen hätte, vielleicht meinen Irrthum, vielleicht auch das Maas der Einsicht des Rec: in dieser Art von Untersuchungen aufgedeckt haben. Es war auch kein übel ausgedachter Kunstgriff, um Lesern, welche sich nur aus Zeitungsnachrichten von Büchern einen Begrif zu machen gewohnt sind die Lust zum Lesen des Buchs selbst frühzeitig zu benehmen, eine Menge von Sätzen, die außer dem Zusammenhange mit ihren Beweisgründen und Erläuterungen gerissen (vornehmlich so antipodisch, wie diese in Ansehung aller Schulmetaphysik sind) nothwendig widersinnisch lauten müssen, in einem Athem hinter einander her zu sagen, die Gedult des Lesers bis zum Ekel zu bestürmen, und denn, nachdem man mich mit dem sinnreichenden Satze daß beständiger Schein Wahrheit sey bekannt gemacht hat mit der derben doch väterlichen Lection zu schließen: Wozu denn der Streit wider die angenommene Sprache, wozu denn und woher die idealistische Unterscheidung? Ein Urtheil welches alles Eigenthümliche meines Buchs da es vorher metaphysische Ketzerey seyn solte, zuletzt in einer bloßen Sprachneuerung setzt und klar beweist daß mein angemaßter Richter auch nicht das Mindeste davon und oben ein sich selbst nicht recht verstanden habe.

Rec: spricht indessen wie ein Mann, der sich wichtiger und vorzüglicher Einsichten bewußt seyn muß, die er aber noch verborgen hält; denn mir ist in Sachen der Metaphysik neuerlich nichts bekannt geworden, was zu einem solchen Tone berechtigen könnte. Daran thut er aber sehr unrecht, daß er der Welt seine Entdeckungen vorenthält; denn es geht ohne Zweifel noch mehreren so, wie mir, daß sie, bey allem Schönen, was seit langer Zeit in diesem Fache geschrieben worden, doch nicht finden konnten, daß die Wissenschaft dadurch um einen fingerbreit weiter gebracht worden. Sonst: Definitionen anspitzen, lahme Beweise mit neue Krücken versehen, dem Cento der Metaphysik neue Lappen, oder einen veränderten Zuschnitt geben, das findet man noch wohl, aber das verlangt die Welt nicht. Metaphysischer

Zweiter Bogen, 2. Seite

Behauptungen ist man satt: man will die Möglichkeit dieser Wissenschaft, die Qvellen, aus denen Gewisheit in derselben abgeleitet werden könne, und sichere Criterien haben, den dialectischen Schein der reinen Vernunft von der Warheit zu unterscheiden. Hierzu muß der Recens: den Schlüssel besitzen, sonst würde er nimmermehr aus so hohem Tone gesprochen haben.

Aber ich gerathe auf den Verdacht, daß ihm ein solches Bedürfnis der Wissenschaft vielleicht niemals in Gedanken gekommen seyn mag, denn sonst würde er seine Beurtheilung auf diesen Punct gerichtet und selbst ein fehlgeschlagener Versuch, in einer so wichtigen Angelegenheit, bey ihm Achtung erworben haben. Wenn das ist, so sind wir wieder gute Freunde. Er mag sich so tief in seine Metaphysik hinein denken als ihm gut dünkt, daran soll ihn niemand hindern, nur über das, was außer der Metaphysik liegt, die in der Vernunft befindliche Qvelle derselben, kan er nicht urtheilen. Daß mein Verdacht aber nicht ohne Grund sey, beweise ich dadurch: daß er von der Moglichkeit der synthetischen Erkentnis a priori, welche die eigentliche Aufgabe war, auf deren Auflösung das Schicksal der Metaphysik gänzlich beruht und worauf meine Critik (eben so wie hier meine Prolegomena) ganz und gar hinauslief, nicht ein Wort erwähnete. Der Idealism, auf den er stieß und an welchem er auch hängen blieb, war nur, als das einige mögliche Mittel jene Aufgabe aufzulösen, in den Lehrbegrif aufgenommen (wiewohl er dann auch noch aus anderen Gründen vor sich selbst Bestätigung erhielt); und da hätte er zeigen müssen, daß entweder jene Aufgabe die Wichtigkeit nicht habe, die ich ihr (wie auch jetzt in den Prolegomena) in meinem ganzen Werke beylege, oder daß sie durch meinen Begrif von Erscheinungen gar nicht, oder auch auf andere Art besser könne aufgelöset werden, davon aber finde ich in der Recension kein Wort. Der Rec: verstand also nichts von meiner Schrift und vielleicht auch nichts von dem Geiste und dem Wesen der Metaphysik selbst, wofern nicht vielmehr, welches ich lieber annehme, Recensenteneilfertigkeit über die Schwierigkeit, sich durch so viel Hindernisse durchzuarbeiten, entrüstet, einen nachtheiligen Schatten auf das vor ihm liegende Werk warf und es ihm in seinen Grundzügen unkentlich machte.

Zweiter Bogen, 3. Seite

Es fehlt noch sehr viel daran, daß eine gelehrte Zeitung, ihre Mitarbeiter mögen auch mit noch so guter Wahl und Sorgfalt ausgesucht werden ihr sonst verdientes Ansehen im Felde der Metaphysik, eben so wie anderwerts, behaupten könne. Andere Wissenschaften und Kenntnisse haben doch ihren Maasstab. Mathematik hat ihn in sich selbst, Geschichte und Theologie in weltlichen oder heiligen Büchern, Naturwissenschaft und Arzneykunst, in Mathematik und Erfahrung, Rechtsgelehrsamkeit in Gesetzbüchern und sogar Sachen des Geschmacks in Mustern der Alten. Allein zur Beurtheilung des Dinges, was Metaphysik heißt, soll erst der Maasstab gefunden werden (ich habe einen Versuch gemacht ihn so wohl als seinen Gebrauch zu bestimmen). Was ist nun, so lange, bis dieser ausgemittelt wird, zu thun, wenn doch über Schriften dieser Art geurtheilt werden muß? Sind sie von dogmatischer Art, so mag man es halten wie man will; lange wird keiner über den Andern hierin den Meister spielen, ohne daß sich einer findet, der es ihm wiedervergilt. Sind sie aber von critischer Art und zwar nicht in Absicht auf andere Schriften, sondern auf die Vernunft selbst, so daß der Maasstab der Beurtheilung nicht schon angenommen werden kan, sondern allererst gesucht wird, so mag Einwendung und Tadel zwar unverboten seyn, aber Verträglichkeit muß dabei doch zum Grunde liegen, weil das Bedürfnis gemeinschaftlich ist und der Mangel benöthigter Einsicht ein richterlich = entscheidendes Ansehen unstatthaft macht.

Um aber diese meine Vertheidigung zugleich an das Interesse des Gemeinen Wesens zu knüpfen, so schlage ich einen Versuch vor, der über die Art, wie alle metaphysische Untersuchungen auf ihren gemeinschaftlichen Zweck gerichtet werden müssen, entscheidend ist. Dieser ist nichts anders, als was sonst wohl Mathematiker gethan haben, um in einem Wettstreit den Vorzug ihrer Methoden auszumachen, nämlich eine Ausfoderung an meinen Recensenten, nach seine Art

190

irgend einen einzigen von ihm behaupteten wahrhaftig metaphysischen Satz (S. §) den er sich selbst aussuchen mag,
allenfals auch einen der unentbehrlichsten, als z. B. den
Grundsatz der Beharrlichkeit der Substanz, oder der nothwendigen Bestimmung der Weltbegebenheiten durch ihre
Ursache, aber, wie es sich gebührt, aus Gründen a priori zu
beweisen. Kan er dieses nicht, (Stillschweigen aber ist
Bekenntnis) so muß er einräumen: daß, da Metaphysik ohne
apodictische Gewisheit der Sätze dieser Art ganz und gar
nichts ist, die Möglichkeit oder Unmöglich- derselben vor
allen Dingen zuerst in einer Critik der reinen Vernunft ausgemacht

Zweiter Bogen, 4. Seite

werden müsse, mithin ist er verbunden entweder zu gestehen,
daß meine Grundsätze der Critik richtig sind, oder ihre
Ungültigkeit zu beweisen. Da ich aber schon zum voraus
sehe, daß, so unbesorgt er sich auch bisher auf die Gewisheit
seiner Grundsatze verlassen hat, dennoch da es auf eine
strenge Probe ankommt, er in dem gantzen Umfange der
Metaphysik auch nicht einen einzigen auffinden werde, mit
dem er dreust auftreten könne, so will ich ihm die vortheilhaf-
teste Bedingung bewilligen, die man nur in einem Wettstreite
erwarten kan nämlich ihm das onus probandi abnehmen und
es dagegen mir auflegen lassen.

Er findet nämlich in diesen Prolegomenen und in meiner
Critik S. 426–461 Acht Sätze, deren zwey und zwey immer
einander wiederstreiten, jeder aber nothwendig zur Metaphysik gehört, die ihn entweder annehmen oder widerlegen
muß, (wiewohl kein einziger derselben ist, der nicht von
irgend einem Philosophen zu seiner Zeit wäre angenommen
worden). Nun hat er die Freyheit, sich einen von diesen acht
Sätzen nach seinem Wohlgefallen auszusuchen und ihn ohne
Beweis, den ich ihm schenke, anzunehmen, aber nur einen
(denn ihm wird Zeitverspillerung eben so wenig dienlich

seyn, wie mir) und alsden meinen Beweis des Gegensatzes anzugreifen. Kan ich nun diesen gleichwohl retten und auf solche Art zeigen, daß nach Grundsätzen, die jede dogmatische Metaphysik nothwendig anerkennen muß, das Gegentheil des von ihm adoptirten Satzes gerade eben so klar bewiesen werden könne, so ist dadurch ausgemacht, daß in der Metaphysik ein Erbfehler liege der nicht erklärt, viel weniger gehoben werden kan, als wenn man bis zu ihrem Geburthsort der reinen Vernunft selbst hinauf steigt und so muß meine Critik entweder angenommen, oder an ihrer Statt eine bessere gesetzt, sie also wenigstens studirt werden, welches das einzige ist, das ich jetzt nur verlange. Kan ich dagegen meinen Beweis nicht retten, so steht ein synthetischer Satz a priori aus dogmatischen Grundsätzen auf der Seite meines Gegners fest, meine Beschuldigung der gemeinen Metaphysik war darum ungerecht und ich erbiete mich, seinen Tadel meiner Critik (obgleich das lange noch nicht die Folge seyn dürfte) vor rechtmäßig zu erkennen. Hiezu aber würde es, dünkt mich, nöthig seyn aus dem Incognito zu treten weil ich nicht absehe, wie es sonst zu verhüten wäre, daß ich nicht, statt einer Aufgabe von ungenannten und doch unberufenen Gegnern mit mehreren, beehrt oder bestürmt würde.

2. Die Göttinger Rezension (Garve/Feder)

Göttingische Anzeigen von gelehrten Sachen. 1782. Zugabe Bd. 1., S. 40–48 (3. Stück, den 19. Januar 1782).

Riga.

Critik der reinen Vernunft. Von Imman. Kant. 1781. 856 S. Octav. Dieses Werk, das den Verstand seiner Leser immer übt, wenn auch nicht immer unterrichtet, oft die Aufmerksamkeit bis zur Ermüdung anstrengt, zuweilen ihr durch glückliche Bilder zu Hülfe kömmt, oder sie durch unerwartete gemeinnützige Folgerungen belohnt, ist ein

System des höhern, oder, wie es der Verf. nennt, des tran-
scendentellen Idealismus; eines Idealismus, der Geist und
Materie auf gleiche Weise umfaßt, die Welt und uns selbst in
Vorstellungen verwandelt, und alle Objecte aus Erscheinungen dadurch entstehen läßt, daß sie der Verstand zu e i n e r
Erfahrungsreihe verknüpft, und daß sie die Vernunft in e i n
ganzes und vollständiges Weltsystem auszubreiten und zu
vereinigen, nothwendig, obwol vergeblich, versucht. Das
System des V. beruht ohngefähr auf folgenden Hauptsätzen.
Alle unsere Erkenntnisse entspringen aus gewissen Modificationen unserer selbst, die wir Empfindungen nennen. Worin
diese befindlich sind, woher sie rühren, das ist uns im Grunde
völlig unbekannt. Wenn es ein wirkliches Ding giebt, dem die
Vorstellungen inhäriren; wirkliche Dinge unabhängig von
uns, die dieselben hervorbringen: so wissen wir doch von
dem einen so wenig, als von dem andern, das mindeste Prädicat. Demohnerachtet nehmen wir Objecte an; wir reden von
uns selbst, wir reden von den Körpern, als wirklichen Dingen, wir glauben beyde zu kennen, wir urtheilen über sie. Die
Ursache hievon ist nichts anders, als daß die mehrern Erscheinungen etwas mit einander gemein haben. Dadurch vereinigen sie sich unter einander, und unterscheiden sich von dem,
was wir u n s s e l b s t nennen. So sehen wir die Anschauungen der äussern Sinne als Dinge und Begebenheiten ausser uns
an; weil sie alle in einem gewissen Raume neben einander und
in einer gewissen Zeit auf einander erfolgen. Das ist für uns
wirklich, was wir uns irgend wo und irgend wann vorstellen.
Raum und Zeit selbst sind nichts wirkliches ausser uns, sind
auch keine Verhältnisse, auch keine abstrahirte Begriffe; sondern subjective Gesetze unsers Vorstellungsvermögens, Formen der Empfindungen, subjective Bedingungen der sinnlichen Anschauung. Auf diesen Begriffen, von den Empfindungen als blossen Modificationen unserer selbst, (worauf
auch B e r k e l e y seinen Idealismus hauptsächlich baut) vom
Raum und von der Zeit beruht der eine Grundpfeiler des
Kantschen Systems. – Aus den s i n n l i c h e n E r s c h e i -

n u n g e n , die sich von andern Vorstellungen nur durch die subjective Bedingung, daß Zeit und Raum damit verbunden sind, unterscheiden, macht der V e r s t a n d Objecte. Er m a c h t sie. Denn er ist es erstlich, der mehrere successive kleine Veränderungen der Seele in ganze vollständige Empfindungen vereinigt; er ist es, der diese Ganzen wieder so mit einander in der Zeit verbindet, daß sie als Ursache und Wirkung auf einander folgen; wodurch jedes seinen bestimmten Platz in der unendlichen Zeit, und alle zusammen die Haltung und Festigkeit wirklicher Dinge bekommen; er ist es endlich, der durch einen neuen Zusatz von Verknüpfung, die zugleich seyenden Gegenstände, als wechselseitig in einander wirkende, von den successiven, als nur einseitig von einander abhängigen, unterscheidet; und auf diese Weise, indem er in die Anschauungen der Sinne Ordnung, Regelmässigkeit der Folge und wechselseitigen Einfluß hineinbringt, die Natur im eigentlichen Verstande schafft, ihre Gesetze nach den seinigen bestimmt. Diese Gesetze des Verstandes sind älter, als die Erscheinungen, bey welchen sie angewandt werden: es giebt also Verstandesbegriffe a priori. Wir übergehen den Versuch des Verf, das ganze Geschäfte des Verstandes noch weiter aufzuklären, durch eine Reduction desselben auf vier Hauptfunctionen, und davon abhängige vier Hauptbegriffe, nemlich Qualität, Quantität, Relation und Modalität; die wieder einfachere unter sich begreifen, und in der Verbindung mit den Vorstellungen von Zeit und Raum die Grundsätze zur Erfahrungskenntniß geben sollen. Es sind die gemein bekannten Grundsätze der Logik und Ontologie nach den idealistischen Einschränkungen des Verf. ausgedruckt. Gelegenheitlich wird gezeigt, wie Leibnitz auf seine Monadologie gekommen sey, und es werden ihr Bemerkungen entgegengesezt, die größtentheils auch unabhängig von dem transcendentellen Idealismus des V. erhalten werden können. Das Hauptresultat aus allem, was der V. über das Geschäft des Verstandes angemerkt hat, soll denn dieß seyn; daß der rechte Gebrauch des reinen Verstandes darinne bestehe, seine Begriffe auf sinnliche Erscheinungen anzuwenden, und durch Verbindung beyder Erfahrungen zu formiren; und daß es ein Mißbrauch desselben und ein nie gelingendes Geschäfte seyn wird, aus Begriffen das Daseyn und die Eigenschaften von Objecten zu schliessen, die wir nie erfahren können. (Erfahrungen, im Gegensatz auf blosse Einbildungen und Träumereyen, sind dem Verf. sinnliche Anschauungen, mit Verstandesbegriffen verbunden. Aber wir gestehen, daß wir nicht einsehen, wie die dem Menschenverstande insgemein so leichte Unterscheidung des Wirklichen vom Eingebildeten, bloß Möglichen, ohne ein Merkmal des Erstern in der Empfindung selbst anzunehmen, durch blosse Anwendung der Verstandesbegriffe zureichend gegründet werden könne; da ja auch Visionen und Phantasien, bey Träumenden und Wachenden, als äusserliche Erscheinungen im Raume und in der Zeit, und überhaupt unter sich selbst aufs ordentlichste verbunden vorkommen können; ordentlicher bisweilen, dem Anscheine nach, als die wirklichen Ereignisse.) – Ausser dem Verstande tritt nun aber noch zur Bearbeitung der Vorstellungen eine neue Kraft hinzu, die Vernunft. Diese bezieht sich auf die gesammleten Verstandesbegriffe, wie der Verstand auf die Erscheinungen. So wie der Verstand die Regeln enthält, nach welchen die einzelnen Phänomene in Reihen einer zusammenhängenden Erfahrung gebracht werden: so sucht die Vernunft die obersten Principien, durch welche diese Reihen in ein vollständiges Weltganze vereinigt werden können. So wie der Verstand aus den Empfindungen eine Kette von Objecten macht, die an einander hängen, wie die Theile der Zeit und des Raums, wovon aber das lezte Glied immer noch auf frühere oder entferntere zurückweiset: so will die Vernunft diese Kette bis zu ihrem ersten oder äussersten Gliede verlängern; sie sucht den Anfang und die Gränze der Dinge. Das erste Gesetz der Vernunft ist, daß, wo es etwas Bedingtes giebt, die Reihe der Bedingungen vollständig gegeben seyn oder bis zu etwas Unbedingtem hinaufsteigen müsse. Zufolge desselben geht

sie auf eine zwiefache Art über die Erfahrung hinaus. Einmal
will sie die Reihe der Dinge, die wir erfahren, viel weiter
hinaus verlängern, als die Erfahrung selbst reicht; weil sie bis
zur Vollendung der Reihen gelangen will. Sodann will sie uns
auch auf Dinge führen, deren ähnliche wir nie erfahren
haben, auf das Unbedingte, absolut Nothwendige, Uneingeschränkte. Aber alle Grundsätze der Vernunft führen auf
Schein, oder auf Widersprüche, wenn sie ausgedehnt werden,
wirkliche Dinge und ihre Beschaffenheiten zu zeigen; da sie
bloß dem Verstande zur Regel dienen sollten, in der Erforschung der Natur o h n e E n d e f o r t z u g e h e n. Dieß allgemeine Urtheil wendet der Verf. auf alle Hauptuntersuchun-
gen der speculativen Psychologie, Kosmologie und Theologie an; wie er es überall bestimmt und zu rechtfertigen sucht,
wird nicht vollständig, doch einigermassen durch das Nach-
folgende begreiflich werden. Bey der Seelenlehre entstehn die
Trugschlüsse, wenn Bestimmungen, die bloß den Gedanken
als Gedanken zukommen, für Eigenschaften des denkenden
Wesens angesehen werden. Der Satz: I c h d e n k e, die einzige Quelle der ganzen räsonnirenden Psychologie, enthält
kein Prädicat von dem I c h, von dem Wesen selbst. Er sagt
bloß eine gewisse Bestimmung der Gedanken, nemlich den
Zusammenhang derselben durch das Bewußtseyn, aus. Es
läßt sich also aus demselben nichts von den reellen Eigenschaften des Wesens, das unter dem Ich vorgestellt werden
soll, schliessen. Daraus, daß der Begriff vom M i r das Sub-
ject vieler Sätze ist, und nie das Prädicat irgend eines werden
kann, wird geschlossen, daß I c h, das denkende Wesen, eine
Substanz sey; da doch dieß leztere Wort bloß das Beharrliche
in der äussern Anschauung anzuzeigen bestimmt ist. Daraus,
daß in meinen Gedanken sich nicht Theile ausser Theilen
finden, wird auf die Einfachheit der Seele geschlossen. Aber
keine Einfachheit kann in dem, was als wirklich, d. h. als ein
Object äusserer Anschauung, betrachtet werden soll, statt
finden; weil die Bedingung davon ist, daß es im Raum sey,
einen Raum erfülle. Aus der Identität des Bewußtseyns wird

auf die Personalität der Seele geschlossen. Aber könnte nicht
eine Reihe Substanzen einander ihr Bewußtseyn und ihre
Gedanken übertragen, wie sie einander ihre Bewegungen
mittheilen? (Ein auch von Hume und längst vor ihm schon
gebrauchter Einwurf.) Endlich wird aus dem Unterschiede
zwischen dem Bewußtseyn unserer selbst, und der Anschauung äusserer Dinge ein Trugschluß auf die Idealität der lez-
tern gemacht; da doch die innern Empfindungen uns eben so
wenig absolute Prädicate von uns selbst, als die äussern von
den Körpern angeben. So wäre also der gemeine, oder, wie
ihn der Verf. nennt, der empirische Idealismus entkräftet,
nicht durch die bewiesene Existenz der Körper, sondern
durch den verschwundenen Vorzug, den die Ueberzeugung
von unserer eigenen Existenz vor jener haben sollte. – Unvermeidlich seyn die Widersprüche in der Kosmologie; so lange
wir die Welt als eine objective Realität betrachten, und als ein
vollständiges Ganzes umfassen wollen. Unendlichkeit ihrer
vergangenen Dauer, ihrer Ausdehnung und ihrer Theilbarkeit seyn dem Verstande unbegreiflich, beleidigen ihn, weil er
den Ruhepunct nicht findet, den er sucht. Und die Vernunft
findet keinen hinlänglichen Grund, irgendwo stehen zu bleiben. Die Vereinigung, die der Verf. hiebey ausfindet, das
ächte Gesetz der Vernunft, soll, wenn wir ihn recht verstehen, darinne bestehen, daß diese den Verstand zwar anweise,
Ursache von Ursachen, Theile von Theilen ohne Ende aufzusuchen, in der Absicht, die Vollständigkeit des Systems der
Dinge zu erreichen; ihn doch aber zugleich auch warne, keine
Ursache, keinen Theil, den er je durch Erfahrung findet, für
den lezten und ersten anzunehmen. Es ist das Gesetz der
Approximation, das Unerreichbarkeit und beständige Annäherung zugleich in sich schließt. – Das Resultat von der Kritik
der natürl. Theologie ist den bisherigen sehr ähnlich. Sätze,
die Wirklichkeit auszusagen scheinen, werden in Regeln verwandelt, die nur dem Verstande ein gewisses Verfahren vorschreiben. Alles, was der Verf. hier Neues hinzusezt, ist, daß
er das praktische Interesse zu Hülfe ruft, und moralische

197

Ideen den Ausschlag geben läßt, wo die Speculation beyde
Schaalen gleich schwer, oder vielmehr gleich leer gelassen
hatte. Was diese leztere herausbringt, ist folgendes. Aller
Gedanke von einem Eingeschränkten Reellen ist dem von
einem Eingeschränkten Raume ähnlich. So wie dieser nicht
möglich seyn würde, wenn nicht ein unendlicher allgemeiner Raum wäre: so wäre kein bestimmtes endliches Reelles
möglich, wenn es nicht ein allgemeines unendliches Reelles
gäbe, das den Bestimmungen, d. h. den Einschränkungen
der einzelnen Dinge zum Grunde läge. Beydes aber ist nur
wahr von unsern Begriffen, ein Gesetz unsers Verstandes, in
wie fern eine Vorstellung die andere voraussezt – Alle andere
Beweise, die mehr darthun sollen, findet der Verf. bey seiner
Prüfung fehlerhaft oder unzulänglich. Die Art, wie der Verf.
endlich der gemeinen Denkart durch moralische Begriffe
Gründe unterlegen will, nachdem er ihr die speculativen ent-
zogen hat, übergehen wir lieber ganz; weil wir uns darein
am wenigsten finden können. Es giebt allerdings eine Art,
die Begriffe vom Wahren und die allgemeinsten Gesetze des
Denkens an die allgemeinsten Begriffe und Grundsätze vom
Rechtverhalten anzuknüpfen, die in unserer Natur Grund
hat, und vor den Ausschweifungen der Speculation bewah-
ren oder von demselben zurückbringen kann. Aber diese
erkennen wir in der Wendung und Einkleidung des Verf.
nicht.

Der lezte Theil des Werks, der die Methodenlehre enthält,
zeigt zuerst, wofür die reine Vernunft sich hüten müsse, das
ist die Disciplin; zweytens die Regeln, wornach sie sich
richten müsse, das ist der Canon der reinen Vernunft. Den
Inhalt davon können wir nicht genauer zergliedern; er läßt
sich auch aus dem Vorhergehenden schon gutentheils abnehmen. Das ganze Buch kann allerdings dazu dienen, mit den
beträchtlichsten Schwierigkeiten der speculativen Philosophie bekannt zu machen; und den auf ihre eingebildete reine
Vernunft allzustolz und kühn sich verlassenden Erbauern
und Verfechtern metaphysischer Systeme manchen Stoff zu

heilsamen Betrachtungen vorhalten. Aber die Mittelstrasse zwischen ausschweifenden Skepticismus und Dogmatismus, den rechten Mittelweg, mit Beruhigung, wenn gleich nicht mit völliger Befriedigung, zur natürlichsten Denkart zurückzuführen, scheint uns der Verf. nicht gewählt zu haben. Beyde, dünkt uns doch, sind durch sichere Merkmale bezeichnet. Zuvörderst muß der rechte Gebrauch des Verstandes dem allgemeinsten Begriffe vom Rechtverhalten, dem Grundgesetze unserer moralischen Natur, also der Beförderung der Glückseligkeit, entsprechen. Wie daraus bald erhellet, daß er seinen eigenen Grundgesetzen gemäß angewendet werden müsse, welche den Widerspruch unerträglich und zum Beyfall Gründe, bey Gegengründen überwiegende dauerhafte Gründe nöthig machen: so folgt auch eben daraus, daß wir an die stärkste und dauerhafteste Empfindung, oder den stärksten und dauerhaftesten Schein, als an unsere äusserste Realität, uns halten müssen. Dieß thut der gemeine Menschenverstand. Und wie kömmt der Räsonneur davon ab? Dadurch, daß er die beyden Gattungen von Empfindung, die innere und äussere, gegen einander aufbringt, in einander zusammenschmelzen oder umwandeln will. Daher der Materialismus, Anthropomorphismus u.s.w.; wenn die Erkenntniß der innern Empfindung in die Form der äussern umgewandelt, oder damit vermengt wird. Daher auch der Idealismus; wenn der äussern Empfindung ihr Rechtsbestand neben der innern, ihr Eigenthümliches, angefochten wird. Der Skepticismus thut bald das eine, bald das andere; um alles durch einander zu verwirren und zu erschüttern. Unser Verfasser gewissermassen auch; er verkennt die Rechte der innern Empfindung, indem er die Begriffe von der Substanz und Wirklichkeit als der äussern Empfindung allein angehörig, angesehen wissen will. Aber sein Idealismus streitet noch mehr gegen die Gesetze der äussern Empfindung, und die daher entstehende unserer Natur gemässe Vorstellungsart und Sprache. Wenn, wie der Verfasser selbst behauptet, der Verstand nur die Empfindungen bearbeitet, nicht neue Kenntnisse uns liefert: so handelt er seinen ersten Gesetzen gemäß, wenn er in allem, was Wirklichkeit betrifft, sich mehr von den Empfindungen leiten lässet, als sie leitet. Und wenn, das Aeusserste angenommen, was der Idealist behaupten will, alles, wovon wir etwas wissen und sagen können, alles nur Vorstellung und Denkgesetz ist; wenn die Vorstellungen in uns modificirt und geordnet nach gewissen Gesetzen just das sind, was wir Objecte und Welt nennen: wozu denn der Streit gegen diese gemein angenommene Sprache? w o z u denn und w o h e r die idealistische Unterscheidung?

3. Die Gothaer Rezension (Ewald)

Gothaische Gelehrte Zeitungen. 1782. S. 560–563.

Riga.

Critik der reinen Vernunft, von Immanuel Kant, Professor in Königsberg. Verlegts J. Fr. Hartknoch 1781. 856 S. gr. 8. (2 rthlr. 8 gl.)   Unter der Menge von Büchern, die seit Jahr und Tag zum Zorschein gekommen sind, ist das gegenwärtige eins von denen, die auf eine Bekanntmachung die ersten Ansprüche machen dürfen. Wir holen also mit Vergnügen nach, was wir versäumt haben, nicht so wohl um uns in das Detail des Werks einzulassen, denn hierzu müste eine eigene Abhandlung geschrieben werden, sondern nur, um unsere Leser mit dem Hauptgegenstande des Werks und seiner Eintheilung, bekannt zu machen, und die Augen des Publikums auf dasselbe, als auf ein Werk hin zu leiten, das der deutschen Nation zur Ehre gereicht, und das, wenn gleich sein Inhalt dem allergrößten Theil des lesenden Publikums unverstehbar ist, doch als Monument von der Feinheit und höchst subtilen Denkkraft der menschlichen Vernunft aufgestellt zu werden verdient. Nachdem der tiefsinnige und gelehrte Verfasser die Ursachen kürzlich angegeben, die die Metaphysik um den

Credit gebracht haben, auf welchen sie doch die gerechtesten
Ansprüche machen kann, bestimmt er in der Vorrede, was er
unter Critik der reinen Vernunft verstehe; nemlich nicht eine
Critik der Bücher und Systeme, sondern die Critik des Ver-
nunftvermögens überhaupt, in Ansehung aller Erkenntnisse,
zu denen sie, unabhängig von aller Erfahrung,
streben mag, mithin die Entscheidung der Möglichkeit oder
Unmöglichkeit einer Metaphysik überhaupt, und die Bestimmung so wohl der Quellen, als des Umfanges und der Grenzen derselben, alles aber aus Principien. Auf diesem Wege
schmeichelt sich der Verf. die Abstellung aller Irrungen angetroffen zu haben, die bisher die Vernunft im erfahrungsfreyen
Gebrauch mit sich selbst entzweyet hatten; und behauptet,
daß nicht eine einzige metaphysische Aufgabe seyn müsse,
die hier nicht aufgelöst, oder zu deren Auflösung nicht
wenigstens der Schlüssel dargereicht worden. Jede Erkenntniß heißt rein, die mit nichts Fremdartigen vermischt ist.
Besonders wird aber eine Erkenntniß schlechthin rein
genannt, in die sich überhaupt keine Erfahrung oder Empfindung einmischt, welche mithin völlig a priori möglich ist.
Nun ist Vernunft das Vermögen, welches die Principien der
Erkenntniß a priori an die Hand gibt. Daher ist reine Vernunft diejenige, welche die Principien, etwas schlechthin a
priori zu erkennen, enthält. Ein Organon der reinen Vernunft, würde ein Inbegrif derjenigen Principien seyn, nach
denen alle reinen Erkenntnisse a priori können erworben,
und würklich zu Stande gebracht werden. Da dieses aber sehr
viel verlangt ist, und es noch dahin steht, ob auch überhaupt
eine solche Erweiterung unserer Erkenntniß, und in welchen
Fällen sie möglich sey; so können wir eine Wissenschaft der
blossen Beurtheilung der reinen Vernunft, ihrer Quellen und
Grenzen, als eine Vorbereitung zum Organon der reinen
Vernunft, und wenn dieses nicht gelingen sollte, wenigstens
als Vorbereitung zu einem Canon derselben ansehen, nach
welchem allenfalls dereinst das vollständige System der r. V.,
es mag nun in Erweiterung, oder blosser Begrenzung ihrer

Erkenntniß bestehen, so wohl analytisch als synthetisch dargestellt werden könnte. Eine solche Wissenschaft heißt nicht Doctrin, sondern nur Critik der reinen Vernunft, und ihr Nutzen ist würklich nur negativ; sie dienet nicht zur Erweiterung, sondern nur zur Läuterung unserer Vernunft, und hält sie nur von Irrthümern frey. Zur Critik der reinen Vernunft gehört demnach alles, was die Transscendental-Philosophie ausmacht, und sie ist die vollständige Idee der Transscendental-Philosophie, aber diese Wissenschaft noch nicht selbst, weil sie in der Analysis so weit geht, als es zur vollständigen Beurtheilung der synthetischen Erkenntniß a priori erforderlich ist. Der Verf. nennt alle Erkenntniß transscendental, die sich nicht so wohl mit Gegenständen, sondern mit unsern Begriffen a priori von Gegenständen überhaupt beschäftiget; und ein System solcher Begriffe würde Transscendental-Philosophie heissen. Das Werk ist in zween Haupttheile eingetheilt, in die transscendentale Elementarlehre und Methodenlehre. Jener enthält zween Theile, nemlich die transscendentale Aesthetik, und die transscendentale Logik. Die Aesthetik handelt in zween Abschnitten, vom Raume und von der Zeit. Die Logik aber begreift zwo Abtheilungen unter sich: 1. die transscendentale Analytik; insonderheit die Analytik der Begriffe, und der Grundsätze; 2. die transscendentale Dialectik, insonderheit von den Begriffen der reinen Vernunft, und von den dialectischen Schlüssen der reinen Vernunft. Die transscendentale Methodenlehre zerfällt in vier Hauptstücke; deren erstes die Disciplin der reinen Vernunft, das zweyte den Canon der reinen Vernunft, das dritte die Architectonik der reinen Vernunft, und das vierte die Geschichte der reinen Vernunft enthält. Da die Hauptstücke wieder ihre Abschnitte, und mehrere dieser letztern wieder ihre Unterabtheilungen haben, so können wir uns, da die Anführung ihrer Ueberschriften schon zu viel Raum einnehmen würde, in kein Detail einlassen, sondern müssen uns begnügen, nur einige Gedanken des Verfassers als Vorschmack, besonders für Lehrer der Metaphysik, denen

das Daseyn dieses Buchs noch nicht bekannt seyn sollte, mit-
zutheilen. Der Verf. nennt alle Vorstellungen rein, (im trans-
scendentalen Verstande,) in denen nichts, was zur Empfin-
dung gehört, angetroffen wird. Demnach wird die reine
Form sinnlicher Anschauungen überhaupt im Gemüthe a
priori angetroffen werden, worin alles Manchfaltige der
Erscheinungen in gewissen Verhältnissen angeschauet wird.
Diese reine Form der Sinnlichkeit, wird auch selber reine
Anschauung heissen. So, wenn ich von der Vorstellung eines
Körpers das, was der Verstand davon denkt, als Substanz,
Kraft, Theilbarkeit etc. ingleichen was davon zur Empfindung gehört, als Undurchdringlichkeit, Härte, Farbe etc.
absondere, so bleibt mir aus dieser empirischen Anschauung
noch etwas übrig, nemlich Ausdehnung und Gestalt. Diese
gehören zur reinen Anschauung, die a priori, auch ohne einen
würklichen Gegenstand der Sinne oder Empfindung, als eine
blosse Form der Sinnlichkeit im Gemüthe statt findet. Eine
Wissenschaft von allen Principien der Sinnlichkeit a priori,
nennt der Verf. die transscendentale Aesthetik. Die
Deutschen bedienen sich des Worts Aesthetik, um dadurch
das zu bezeichnen, was andere Critik des Geschmacks nennen. Baumgarten faßte nemlich die Hofnung, die critische
Beurtheilung des Schönen unter Vernunftprincipien zu bringen, und die Regeln derselben zur Wissenschaft zu erheben.
Allein diese Bemühung ist vergeblich, weil gedachte Regeln
oder Criterien, ihren Quellen nach bloß empirisch sind, und
also niemal zu Gesetzen a priori dienen können, wornach sich
unser Geschmacksurtheil richten müßte; vielmehr macht das
letztere den eigentlichen Probierstein der Richtigkeit der
erstern aus. Der R a u m ist kein empirischer Begriff, der von
äussern Erfahrungen abgezogen worden, und stellt gar keine
Eigenschaft irgend einiger Dinge an sich, oder sie in ihrem
Verhältniß auf einander, vor, keine Bestimmung derselben,
die an den Gegenständen selbst haftete; sondern er ist nichts
anders, als nur die Form aller Erscheinungen äusserer Sinne,
d. i. die subjective Bedingung der Sinnlichkeit, unter der

allein uns äussere Anschauung möglich ist. Dieses gilt auch von den Z e i t. Sie ist nicht etwas das für sich selbst bestünde, oder den Dingen als objective Bestimmung anhienge; sondern nichts anders, als die Form des innern Sinnes, d. i. des Anschauens unserer selbst und unsers innern Zustandes. Sie ist die formale Bedingung a priori aller Erscheinungen überhaupt, der äussern und innern (unserer Seelen;) der Raum hingegen ist, als die reine Form aller äussern Anschauung, als Bedingung a priori, bloß auf äussere Erscheinungen eingeschränkt. Aus dem Gesagten folgt, daß die Zeit zwar eine empirische Realität, d. i. subjective Gültigkeit in Ansehung aller Gegenstände, die jemals unsern Sinnen gegeben werden mögen, habe, aber gar keinen Anspruch auf absolute Realität machen könne. Gegen diese Meinung ist dem Verfasser folgender Einwurf gemacht worden: Veränderungen sind würklich (dieses beweist der Wechsel unserer eigenen Vorstellungen, wenn man gleich alle äussere Erscheinungen, sammt deren Veränderungen leugnen wollte.) Nun sind Veränderungen nur in der Zeit möglich, folglich ist die Zeit etwas Würkliches. Ich gebe, antwortet Hr. K. das ganze Argument zu. Die Zeit ist allerdings etwas Würkliches, nemlich die würkliche Form der innern Anschauung. Sie hat also subjective Realität in Ansehung der innern Erfahrung, d. i. ich habe würklich die Vorstellung von der Zeit und meiner Bestimmungen in ihr. Sie ist also würklich nicht als Object, sondern als die Vorstellungsart meiner Selbst als Objects anzusehen. Wenn aber ich selbst, oder ein ander Wesen mich, ohne diese Bedingung der Sinnlichkeit anschauen könnte, so würden eben dieselben Bestimmungen, die wir uns jetzt als Veränderungen vorstellen, eine Erkenntniß geben, in welcher die Vorstellung der Zeit, mithin auch der Veränderung, gar nicht vorkäme. Es bleibt also ihre empirische Realität als Bedingung aller unserer Erfahrungen; nur die absolute Realität kann ihr nicht zugestanden werden; sie ist nichts als die Form unserer innern Anschauung. Wenn man von ihr die besondere Bedingung unserer Sinnlichkeit wegnimmt, so verschwindet auch der Begriff der Zeit, und sie hängt nicht an den Gegenständen selbst, sondern bloß am Subjecte, welches sie anschaut.

4. Brief Garves an Kant, 13. Juli 1783

Abdruck nach: Ak X, S. 328–333.

Hochzuverehrender Herr,

Sie fordern den Recensenten Ihres Werks in den Göttingischen Zeitungen, auf, sich zu nennen. Nun kan ich zwar diese Recension, so wie sie da ist, auf keine Weise, für mein erkennen. Ich würde untröstlich seyn, wenn sie ganz aus meiner Feder geflossen wäre. Ich glaube auch nicht, daß irgend ein anderer Mitarbeiter dieser Zeitung, wenn er allein gearbeitet hätte, etwas so übel zusammenhängendes würde hervorgebracht haben. Aber ich habe doch einigen Antheil daran. Und da mir daran gelegen ist, daß ein Mann den ich von jeher sehr hochgeschätzt habe, mich wenigstens für einen ehrlichen Mann erkennt, wenn er mich gleich als einen seichten Metaphysiker ansehen mag: so trete ich aus dem Incognito, so wie Sie es an einer Stelle Ihrer Prolegomenen verlangen. Um Sie aber in den Stand zu setzen, richtig zu urtheilen: muß ich Ihnen die ganze Geschichte erzählen. Ich bin kein Mitarbeiter der Göttingischen Zeitung. Vor zwey Jahren that ich, (nachdem ich viele Jahre, äußerst kränklich, müßig u. im Dunkeln, in meinem Vaterlande zugebracht hatte) eine Reise nach Leipzig, durch die Hannöverischen Lande, u. bis Göttingen. Da ich viele Erweisungen von Höflichkeit u. Freundschaft, von Heyne dem Director, u. mehrern Mitarbeitern dieser Zeitung, erhielt: so weiß ich nicht, welche Bewegung von Dankbarkeit, mit einiger Eigenliebe vermischt, mich antrieb, mich freywillig zu dem Beytrage einer Recension zu erbieten. Da eben damals Ihre Critik der reinen Vernunft herausgekommen war, u. ich mir von einem großen Werke das Kanten zum

205

Verfasser hätte, ein sehr großes Vergnügen versprach, da mir
seine vorhergegangenen kleinen Schriften schon so vieles
gemacht hatten; u. da ich es zugleich für mich selbst für nützlich hielt, ein motif zu haben, dieses Buch mit mehr als
gewöhnlicher Aufmerksamkeit durchzulesen: so erklärte ich
mich, ehe ich noch Ihr Werk gesehen hatte, es zu recensiren.
Dieses Versprechen war übereilt u. dieß ist in der That, die
einzige Thorheit deren ich mir bey der Sache bewußt bin, u.
die mich noch reut. Alles folgende ist entweder eine Folge
meines wirklichen Unvermögens, oder Unglück. Ich erkante
bald, da ich das Werk anfieng zu lesen, daß ich unrecht
gewählt hatte; daß diese Lecture, besonders jetzt, da ich auf
der Reise, zerstreut, noch mit andrer Arbeit beschäftigt, seit
vielen Jahren geschwächt, u. auch damals, wie immer, kränklich war, für mich zu schwer sey. Ich gestehe Ihnen, ich weiß
kein Buch in der Welt, das zu lesen mir soviel Anstrengung
gekostet hätte: u. wenn ich mich nicht durch mein einmal
gegebnes Wort gebunden geglaubt hätte, so würde ich die
Durchlesung desselben auf bessere Zeiten ausgesetzt haben,
wo mein Kopf und mein Körper stärker gewesen wären. Ich
bin indeß nicht leichtsinnig zu Werke gegangen. Ich habe alle
meine Kräfte, u. alle Aufmerksamkeit deren ich fähig bin, auf
das Werk gewandt; ich habe es ganz durchgelesen. Ich
glaube, daß ich den Sinn der meisten Stellen einzeln, richtig
gefaßt habe: ich bin nicht so gewiß, ob ich das Ganze richtig
überschauet habe. – Ich machte mir Anfangs, einen vollständigen Auszug, der mehr als 12 Bogen betrug, untermischt mit
den Ideen, die mir während des Lesens sich aufdrangen. Es
thut mir leid, daß dieser Auszug verlohren gegangen ist: er
war vielleicht, wie oft meine ersten Ideen besser, als was ich
nachher daraus gemacht habe. Aus diesen 12 Bogen, die niemals eine Zeitungs-Recension werden konten, arbeitete ich,
allerdings mit vieler Mühe, (da ich auf der einen Seite mich
einschränken, auf der andern verständlich seyn u. dem Buche
ein Gnüge thun wollte) eine Recension aus. Aber auch diese
war weitläuftig genung: u. es ist in der That nicht möglich,

von einem Buche, dessen Sprache erst dem Leser bekant gemacht werden muß, eine kurze Anzeige zu machen, die nicht absurd sey. – Diese letzte, ob ich gleich einsahe, daß sie länger wäre, als die längste der Göttingischen Recensionen, schickte ich ein: in der That weil ich selbst nicht sie abzukürzen wußte ohne sie zu verstümmeln. Ich schmeichelte mir, daß man in Göttingen, entweder der Größe u. Wichtigkeit des Buchs wegen, von der gewöhnlichen Regel abweichen, oder, daß, wenn die Recension durchaus zu lang wäre, man besser als ich verstehen würde, sie zu verkürzen. Diese Absendung geschah von Leipzig aus auf meiner Rückreise. – Lange Zeit, (nachdem ich in mein Vaterland Schlesien zurückgekommen war) erscheint nichts: endlich erhalte ich das Blat, worin das stehen soll, was meine Recension heißt. Sie können glauben, daß Sie selbst nicht so viel Unwillen oder Mißvergnügen bey dem Anblick derselben haben empfinden können, als ich. Einige phrases aus meinem Mscrpt waren in der That beybehalten; aber sie betragen gewiß nicht den 10ten Theil meiner, u. nicht den 3ten der Göttingischen Recension. Ich sah, daß meine Arbeit, die wirklich nicht ohne Schwierigkeit gewesen war, so gut als vergeblich geworden, u. nicht nur vergeblich, sondern schädlich. Denn wenn der Göttingische Gelehrte, der meine Recension abkürzte u. interpolirte, auch nach einer flüchtigen Lecture Ihres Buchs etwas eignes darüber gemacht hätte: so würde es besser u., wenigstens zusammenhängender geworden seyn. Um mich bey meinen vertrauten Freunden, welche wußten, daß ich für Göttingen gearbeitet hatte, zu rechtfertigen; u. bey d i e s e n wenigstens den nachtheiligen Eindruck zu schwächen, den diese Recension bey jedermann machen mußte: schickte ich mein Mscrpt, nachdem ich es in einiger Zeit von Göttingen wiedererhalten, an Rath Spalding in Berlin. Seitdem hat mich Nicolai ersucht, sie in seiner Allgem. D. B. einrücken zu lassen. Und ich habe es ihm zugestanden, mit dem Bedinge, wenn einer meiner Berlinschen Freunde sie mit der Götting. Rec. vergleichen, u. theils die dort beybehaltenen phrases abändern, th. überhaupt erst bestimmen wollte, ob es der Rede werth sey. Denn ich bin ganz außer Stande, jetzt eine Hand mehr anzulegen. – Nun weiß ich weiter nichts davon. – Mit diesem Briefe schreibe ich zugleich an HE. Spalding; u. bitte ihn, wofern das Mscpt noch nicht abgedruckt ist, es copiren zu lassen, u. es nebst meinem Briefe an Sie zu übersenden. Alsdann mögen Sie vergleichen. Sind Sie mit dieser meiner Recension eben so unzufrieden, wie mit der Göttingischen: so ist es ein Beweis, daß ich zu Beurtheilung eines so schweren u. tiefsinnigen Buchs nicht penetration genug habe, u. daß es für mich nicht geschrieben ist. Ich glaube demohnerachtet, daß Sie, wenn Sie auch damit unzufrieden sind, doch glauben werden, mir einige Achtung u. Schonung schuldig zu seyn; noch gewisser hoffte ich, daß Sie mein Freund seyn würden, wenn wir uns persönlich kennten.

Ich will das nicht ganz von mir ableugnen, was Sie dem Göttingischen Recensenten Schuld geben, daß er über den Schwierigkeiten, die er zu überwinden gehabt, unwillig geworden sey. Ich gestehe, ich bin es zuweilen geworden; weil ich glaubte es müsse möglich seyn, Wahrheiten, die wichtige Reformen in der Philosophie hervorbringen sollen, denen welche des Nachdenkens nicht ganz ungewohnt sind, leichter verständlich zu machen. Ich habe die Größe der Kraft bewundert, welche fähig gewesen ist, eine solche lange Reyhe von äußersten Abstractionen, ohne ermüdet, ohne unwillig, u. ohne von ihrer Bahn abgebracht zu werden, zu durchdenken. Ich habe auch, in sehr vielen Theilen Ihres Buchs, Unterricht und Nahrung für meinen Geist gefunden, z. E. eben da wo sie zeigen, daß es gewisse widersprechende Sätze gebe, die doch gleich gut bewiesen werden können. Aber das ist auch jetzt noch meine Meynung, vielleicht eine irrige: daß das Ganze Ihres Systems, wenn es wirklich brauchbar werden soll, populärer ausgedrückt werden müsse, u. wenn es Wahrheit enthält, auch ausgedrückt werden könne; und daß die neue Sprache, welche durchaus in demselben herrscht, so großen Scharfsinn auch der Zusammenhang verräth, in welchen die Ausdrücke derselben gebracht worden, doch oft die in der Wissenschaft selbst vorgenommene Reform, oder die Abweichung von den Gedanken andrer, noch größer erscheinen mache, als sie wirklich ist.

Sie fordern Ihren Recensenten auf, von jenen widersprechenden Sätzen einen so zu erweisen, daß der gegenseitige nicht eines gleich guten Beweises fähig sey. Diese Aufforderung kan meinen Gottingischen Mitarbeiter angehn, nicht mich. Ich bin überzeugt, daß es in unsrer Erkentniß Gränzen gebe; daß sich diese Gränzen eben dann finden, wenn sich aus unsern Empfindungen, solche wiedersprechende Sätze, mit gleicher Evidenz entwickeln lassen. Ich glaube, daß es sehr nützlich ist, diese Gränzen kennen zu lernen, u. sehe es als eine der gemeinnützigsten Absichten Ihres Werks an, daß sie dieselben deutlicher u. vollständiger als noch geschehen, auseinandergesetzt haben. Aber das sehe ich nicht ein, wie Ihre Critik der reinen Vernunft, dazu beytrage, diese Schwierigkeiten zu heben. Wenigstens ist der Theil Ihres Buchs, worinn sie die Widersprüche ins Licht setzen, ohne Vergleich klärer u. einleuchtender, (und dieß werden Sie selbst nicht läugnen,) als derjenige, wo die Principien festgestellt werden sollen, nach welchen diese Widersprüche aufzuheben sind.

Da ich jetzt, auch auf der Reise u., ohne Bücher bin, und weder Ihr Werk noch meine Recension zur Hand habe: so betrachten Sie das, was ich hier darüber sage, bloß als flüchtige Gedanken, über welche Sie selbst nicht zu strenge urtheilen müssen. Habe ich hier, habe ich in meiner Recension, Ihre Meynung u. Absicht unrichtig vorgestellt, so ist es, weil ich sie unrecht gefaßt habe, oder mein Gedächtniß mir ungetreu ist. Den bösen Willen die Sache zu verstellen, habe ich nicht, u. bin desselben nicht fähig.

Zuletzt muß ich Sie bitten, von dieser Nachricht keinen öffentlichen Gebrauch zu machen. Ohnerachtet mir die Verstümmelung meiner Arbeit, in den ersten Augenblicken, da ich sie erfuhr, eine Beleidigung zu seyn schien: so habe ich sie demohnerachtet, dem Manne, welcher sie nöthig gefunden,

völlig vergeben: theils weil ich durch die Vollmacht, welche
ich ihm ertheilt, selbst daran Schuld bin; theils weil ich außer-
dem Ursache habe ihn zu lieben u. hochzuschätzen. Und
doch müßte er es als eine Art von Rache ansehn, wenn ich bey
Ihnen dagegen protestirt hätte, nicht Autor der Recension zu
seyn. Viele Personen in Leipzig u. Berlin wissen, daß ich die
Göttingische Recension habe machen wollen, u. wenige, daß
von derselben nur der kleinste Theil mein ist, ob also gleich
die Unzufriedenheit die sie, zwar mit Recht, aber doch auf
eine etwas harte Weise, gegen den Göttingischen Recensenten bezeigen, in den Augen aller dieser, auf mich ein nachthei-
liges Licht wirft: so will ich dieß doch lieber als die Strafe
einer Unbesonnenheit (denn dieß war das Versprechen zu
einer Arbeit deren Umfang und Schwierigkeit ich nicht
kannte) tragen, als eine Art von öffentlicher Rechtfertigung
erhalten, die meinen Göttingischen Freund compromittiren
müßte.

Ich bin, mit wahrer Hochachtung und Ergebenheit
Hochzuverehrender Herr

Leipzig   Ihr gehorsamster F. u. D.
d. 13. Jul. 1783.   Garve.

5. Brief Kants an Garve, 7. August 1783

Abdruck nach: Ak X, S. 336–343.

Hochzuverehrender Herr

Schon lange habe ich in Ihrer Person einen aufgeklärten
philosophischen Geist und einen durch Belesenheit und
Weltkenntnis geläuterten Geschmak verehrt und mit Sultzern
bedauert, daß so vorzügliche Talente durch Krankheit ge-
hindert werden, ihre ganze Fruchtbarkeit der Welt zu gute
kommen zu lassen. Jetzt genieße ich des noch reineren Ver-
gnügens, in Ihrem geehrten Schreiben deutliche Beweise
einer pünctlichen und gewissenhaften Redlichkeit und einer

menschlichen theilnehmenden Denkungsart anzutreffen, die jenen Geistesgaben den wahren Werth giebt. Das letztere glaube ich nicht von Ihrem Götting'schen Freunde annehmen zu können, der, gantz ungereitzt, seine ganze recension hindurch (denn ich kan sie, nach der Verstümmelung, wohl die seinige nennen) nichts als animositaet athmete. Es war doch in meiner Schrift manches, was, wenn er gleich dem Aufschlusse der Schwierigkeiten, die ich aufdeckte, seinen Beyfall nicht gab, doch wenigstens darum, weil ich sie zuerst in dem gehörigen Lichte und im ganzen Umfange dargestellet hatte, weil ich die Aufgabe, so zu sagen, auf die einfachste Formel gebracht, wenn gleich nicht aufgelöset hatte, erwähnt zu werden verdient hätte; so aber tritt er in einem gewissen Ungestüme, ja ich kan wohl sagen mit einem sichtbaren Grimme, alles zu Boden, wovon ich nur die Kleinigkeit anmerke, daß er auch das, in dieser Zeitung sonst gewöhnliche und den Tadel etwas versüßende abgekürzte H r :, vor dem Wort V e r f : absichtlich wegließ. Diesen Mann kann ich aus seiner Manier, vornemlich wo er seine eigene Gedanken hören läßt, sehr wohl errathen. Als Mitarbeiter einer berühmten Zeitung hat er, wo nicht die Ehre, doch wenigstens den Ehrenruf eines Verfassers auf kurze Zeit in seiner Gewalt. Aber er ist doch zugleich auch selbst Autor und setzt dabey auch seinen eigenen Ruf in Gefahr, die sicherlich nicht so klein ist, als er sich vorstellen mag. Doch ich schweige davon, weil Sie ihn Ihren Freund zu nennen belieben. Zwar sollte er auch, obgleich in einem weiteren Verstande, mein Freund seyn, wenn gemeinschaftlicher Antheil an derselben Wissenschaft und angestrengte, obgleich fehlschlagende Bemühungen, um diese Wissenschaft auf einen sicheren Fuß zu bringen, litterärische Freundschaft machen kan; allein es kommt mir vor, daß es hier, eben so wie anderwerts, zugegangen ist; dieser Mann muß besorgt haben, von seinen eigenen Ansprüchen bey dergleichen Neuerungen etwas einzubüssen; eine Furcht die ganz ungegründet ist; denn hier ist nicht von der Eingeschränktheit der Autoren, sondern des menschl: Verst: die Rede.

(Ich muß mir hier die Erlaubnis nehmen abzubrechen und mit dem folgenden Blatte anzufangen weil das schlimme durchschlagende Papier die Schrifft unleserlich machen würde †

† Sie können mir, geehrtester Herr, festiglich glauben, auch zu aller Zeit auf der Leipziger Messe bey meinem Verleger Hartknoch erkundigen, daß ich allen seinen Versicherungen, als ob Sie an der Recension Antheil hätten, niemals geglaubt habe und nun ist es mir überaus angenehm, durch Ihre Gütige Nachricht von meiner Vermuthung die Bestätigung zu erlangen. Ich bin so verzärtelt und eigenliebig nicht, daß mich Einwürfe und Tadel, gesetzt daß sie auch das, was ich als das vorzüglichste Verdienst meiner Schrifft ansehe, beträfen, aufbringen sollten, wenn nicht vorsetzliche Verhelung des Beyfallswürdigen, was hin und wieder doch anzutreffen seyn möchte, und geflissentliche Absicht zu schaden hervorleuchten. Auch erwarte ich Ihre unverstümmelte Recension in der A. D. Bibliothek mit Vergnügen, deren Besorgung Sie mir in dem vortheilhaftesten Lichte der Rechtschaffenheit und Lauterkeit der Gesinnungen darstellt, die den wahren Gelehrten characterisirt und welche mich jederzeit mit Hochachtung erfüllen muß, Ihr Urtheil mag immerhin ausfallen wie es wolle. Auch gestehe ich frey, daß ich auf eine geschwinde günstige Aufnahme meiner Schrifft gleich zu Anfangs nicht gerechnet habe; denn zu diesem Zwecke war der Vortrag der Materien, die ich mehr als 12 Jahre hinter einander sorgfältig durchgedacht hatte, nicht der allgemeinen Faßlichkeit gnugsam angemessen ausgearbeitet worden, als wozu noch wohl einige Jahre erfoderlich gewesen wären, da ich hingegen ihn in etwa 4 bis 5 Monaten zu Stande brachte, aus Furcht, ein so weitläuftiges Geschäfte würde mir, bey längerer Zögerung, endlich selber zur Last werden und meine zunehmende Jahre (da ich jetzt schon im 60sten bin) möchten

es mir, der ich jetzt noch das ganze System im Kopfe habe, zuletzt vielleicht unmöglich machen. Auch bin ich mit dieser meiner Entschließung, selbst so wie das Werk da liegt, noch jetzt gar wohl zufrieden, dermaßen daß ich, um wer weiß welchen Preis, es nicht ungeschrieben wissen möchte, aber auch um keinen Preis die lange Reihe von Bemühungen, die dazu gehöret haben, noch einmal übernehmen möchte. Die erste Betäubung, die eine Menge ganz ungewohnter Begriffe und einer noch ungewöhnlichern, obzwar dazu nothwendig gehörigen neuen Sprache, hervorbringen mußte, wird sich verlieren. Es werden sich mit der Zeit einige Puncte aufklären (dazu vielleicht meine Prolegomena etwas beytragen können). Von diesen Puncten wird ein Licht auf andere Stellen geworfen werden, wozu freylich von Zeit zu Zeit ein erläuternder Beytrag meiner Seits erfoderlich seyn wird, und so wird das Gantze endlich übersehen und eingesehen werden, wenn man nur erstlich Hand ans Werk legt und indem man von der Hauptfrage, auf die alles ankommt, (die ich deutlich gnug vorgestellt habe) ausgeht, so nach und nach jedes Stück einzeln prüft und durch vereinigte Bemühungen bearbeiten will. Mit einem Worte die Maschine ist einmal vollständig da, und nun ist nur nöthig die Glieder derselben zu glätten, oder Oel daran zu bringen, um die Reibung aufzuheben, welche freylich sonst verursacht, daß sie still steht. Auch hat diese Art von Wissenschaft dieses Eigenthümliche an sich, daß die Darstellung des Ganzen erfoderlich ist jeden Theil zu rectificiren und man also, um jenes zu Stande zu bringen, befugt ist diese eine Zeitlang in einer gewissen Rohigkeit zu lassen. Hätte ich aber beydes auf einmal leisten wollen, so würden entweder meine Fähigkeiten, oder auch meine Lebenszeit dazu nicht zugereicht haben.

Sie belieben des Mangels der Popularität zu erwähnen, als eines gerechten Vorwurfs, den man meiner Schrift machen kan denn in der That muß jede philosophische Schrift derselben fähig seyn, sonst verbirgt sie, unter einem Dunst von

scheinbarem Scharf[s]inn, vermuthlich Unsinn.* Allein von
dieser Popularität läßt sich in Nachforschungen, die so hoch
hinauf langen, nicht der Anfang machen. Wenn ich es nur
dahin bringen kan, daß man im schulgerechten Begriffe, mit-
ten unter barbarischen Ausdrücken, mit mir eine Strecke
fortgewandert wäre, so wollte ich es schon selbst unterneh-
men (andere aber werden hierinn schon glücklicher seyn)
einen populären und doch gründlichen Begriff, dazu ich den
Plan schon bey mir führe, vom Ganzen zu entwerfen; vor der
Hand wollen wir D u n s e (doctores umbratici) heissen,
wenn wir nur die Einsicht weiter bringen können, an deren
Bearbeitung freylich der geschmaksvollere Theil des Publici
keinen Antheil nehmen wird, ausser bis sie aus ihrer dunkelen
Werkstatt wird heraus treten und mit aller Politur versehen
auch das Urtheil des letzteren nicht wird scheuen dürfen.
Haben Sie die Gütigkeit, nur noch einmal einen flüchtigen
Blick auf das Ganze zu werfen und zu bemerken, daß es gar
nicht Metaphysik ist, was ich in der Critik bearbeite, sondern
eine ganz neue und bisher unversuchte Wissenschaft, nämlich
die Critik e i n e r a p r i o r i u r t h e i l e n d e n Vernunft.
Andere haben zwar dieses Vermögen auch berührt, wie
L o c k e so wohl als L e i b n i t z, aber immer im Gemische
mit anderen Erkentniskräften niemand aber hat sich auch nur
in die Gedanken kommen lassen, daß dieses ein Object einer
förmlichen und nothwendigen, ja sehr ausgebreiteten Wissenschaft sey, die (ohne von dieser Einschränkung, auf die
bloße Erwägung des a l l e i n i g e n r e i n e n Erkentnis-

* Damit die meinen Lesern verursachte Unannehmlichkeit, durch die Neuig-
keit der Sprache und schweer zu durchdringende Dunkelheit, mir nicht allein
Schuld gegeben werde, so möchte ich wohl folgenden Vorschlag thun. Die
Deduction der reinen Verstandesbegriffe oder Categorien d. i. die Möglichkeit
gänzlich a priori Begriffe von Dingen überhaupt zu haben wird man höchstnoth-
wendig zu seyn urtheilen, weil ohne sie reine Erkentnis a priori gar keine Sicherheit hat. Nun wollte ich daß jemand sie auf leichtere und mehr populaire Art zu
Stande zu bringen versuchte; al[s]denn wird er die Schwierigkeit fühlen die
größte unter allen die die Speculation in diesem Felde nur immer antreffen kan.
Aus anderen Quellen aber als, die ich angezeigt habe, wird er sie niemals ableiten, davon bin ich völlig versichert.

vermögens, abzuweichen) eine solche Mannigfaltigkeit
der Abtheilungen erfoderte und zugleich, welches wunderbar
ist, aus der Natur desselben alle Obiecte, auf die sie
sich erstrekt, ableiten, sie aufzählen die Vollständigkeit durch ihren Zusammenhang in einem ganzen Erkentnis-
vermögen beweisen kan; welches gantz und gar keine andere
Wissenschaft zu thun vermag, nämlich aus dem bloßen
Begriffe eines Erkentnisvermögens (wenn er genau bestimmt
ist) auch alle Gegenstände, alles was man von ihnen wissen
kan, ja selbst was man über sie auch unwillkührlich, obzwar
trüglich zu urtheilen genöthigt seyn wird, a priori entwickeln
zu können. Die Logik, welche jener Wissenschaft noch am
ähnlichsten seyn würde, ist in diesem Puncte unendlich weit
unter ihr. Denn sie geht zwar auf jeden Gebrauch des Verstandes überhaupt; kan aber gar nicht angeben, auf welche
Obiecte und wie weit das Verstandeserkentnis gehen werde,
sondern muß desfals abwarten was ihr durch Erfahrung oder
sonst anderweitig (z. B. durch Mathematik) an Gegenständen
ihres Gebrauchs wird geliefert werden.

Und nun, mein werthester Herr, bitte ich Sie, wenn Sie sich
noch in dieser Sache etwas zu verwenden belieben, Ihr Ansehen und Einflus zu gebrauchen, um mir Feinde, nicht zwar
meiner Person (denn ich stehe mit aller Welt im Frieden)
sondern jener meiner Schrift zu erregen und zwar solche nicht
anonymische, die nicht auf einmal alles, oder irgend etwas aus
der Mitte angreifen, sondern fein ordentlich verfahren: zuerst
meine Lehre von dem Unterschiede der analytischen und
synthetischen Erkentnisse prüfen, oder einräumen, alsdenn
zu der Erwägung jener, in den Prolegomenen deutlich vorgelegten allgemeinen Aufgabe, wie synthetische Erkentnisse a
priori moglich seyn, schreiten, denn meine Versuche diese
Aufgabe zu lösen nach der Reihe zu untersuchen etc. Denn
ich getraue es mir zu, förmlich zu beweisen, daß kein einziger
wahrhaftig-metaphysischer Satz aus dem Ganzen gerissen
könne dargethan werden, sondern immer nur aus dem Verhältnisse, das er zu den Qvellen aller unserer reinen Vernunft-

erkentnis überhaupt hat, mithin aus dem Begriffe des möglichen Ganzen solcher Erkenntnisse müsse abgeleitet werden etc. Allein so gütig und bereitwillig Sie auch in Ansehung dieses meines Gesuchs seyn möchten, so bescheide mich doch gerne, daß, nach dem herrschenden Geschmacke dieses Zeitalters, das Schweere in speculativen Dingen als leicht vorzustellen, (nicht leicht zu machen) Ihre gefälligste Bemühung in diesem Puncte doch fruchtlos seyn würde. Garve, Mendelssohn u. Tetens wären wohl die einzige Männer die ich kenne, durch deren Mitwirkung diese Sache in eben nicht langer Zeit zu einem Ziele könte gebracht werden, dahin es Jarhunderte nicht haben bringen können; allein diese vortrefliche Männer scheuen die Bearbeitung einer Sandwüste, die, bey aller auf sie verwandten Mühe, doch immer so undankbar geblieben ist. Indessen drehen sich die menschliche Bemühungen in einem bestandigen Zirkel und kommen wieder auf einen Punct, wo sie schon einmal gewesen seyn; alsdenn können Materialien, die jetzt im Staube liegen, vielleicht zu einem herrlichen Baue verarbeitet werden.

Sie haben die Gütigkeit, über meine Darstellung der dialektischen Wiedersprüche der reinen Vernunft ein vortheilhaftes Urtheil zu fällen, ob Sie gleich durch die Auflösung derselben nicht befriedigt werden.* Wenn mein Göttingsch: Recens: auch nur ein einziges Urtheil dieser Art von sich hätte erhalten können, so würde ich wenigstens nicht auf

---

* Der Schlüssel dazu ist gleichwohl dahin gelegt, obschon sein anfänglicher Gebrauch ungewohnt und darum schweer ist. Er besteht darinn, daß man alle uns gegebene Gegenstände nach zweyerley Begriffen nehmen kan, einmal als Erscheinungen und dann als Dinge an sich selbst. Nimmt man Erscheinungen vor Dinge an sich selbst und verlangt, als von solchen, in der Reihe der Bedingungen das Schlechthin-unbedingte, so geräth man in lauter Wiedersprüche, die aber dadurch wegfallen, daß man zeigt das Gänzlich-unbedingte finde unter Erscheinungen nicht statt, sondern nur bey Dingen an sich selbst. Nimmt man dagegen umgekehrt das, was als Ding an sich selbst vor irgend etwas in der Welt die Bedingung enthalten kan, vor Erscheinung, so macht man sich Wiedersprüche, wo keine nöthig wären, e. g. bey der Freyheit und dieser Wiederspruch fällt weg, so bald auf jene Unterschiedene Bedeutung der Gegenstände Rücksicht genommen wird.

einen bösen Willen gerathen haben, ich hätte (was mir nicht unerwartet war) die Schuld auf die Verfehlung meines Sinnes in den mehresten meiner Sätze, und also auch großenthe ils auf mich selbst geworfen und, anstatt einiger Bitterkeit in der Antwort, vielmehr gar keine Antwort, oder allenfalls nur einige Klage darüber, daß man, ohne die Grundveste anzugreifen, nur so schlechthin alles verurtheilen wollte, ergehen lassen; nun aber herrschte durch und durch ein so übermüthiger Ton der Gringschätzung und Arroganz durch die ganze Recension, daß ich nothwendig bewogen werden mußte dieses große genie, wo möglich ans Tageslicht zu ziehen, um durch Vergleichung seiner Producte mit den Meinigen, so gring sie auch seyn mögen, doch zu entscheiden, ob denn wirklich eine so große Überlegenheit auf seiner Seite anzutreffen sey, oder ob nicht vielleicht eine gewisse Autorlist dahinter stecke, um dadurch, daß man alles lobt, was mit denen Sätzen, die in seinen eigenen Schriften liegen, übereinstimmt, und alles tadelt, was dem entgegen ist, sich unter der Hand eine kleine Herrschaft über alle Autoren in einem gewissen Fache zu errichten (die, wenn sie gut beurtheilt seyn wollen, durchaus genöthigt seyn werden, Weyrauch zu streuen und die Schriften dessen, den sie als Recens: vermuthen, als ihren Leitfaden zu rühmen) und sich so allmählich ohne sonderliche Mühe einen Nahmen zu erwerben. Urtheilen Sie hiernach, ob ich meine Unzufriedenheit, wie Sie zu sagen belieben, gegen den Göttingschen Recensenten auf eine etwas harte Weise bewiesen habe.

Nach der Erläuterung, die Sie mir in dieser Sache zu geben beliebt haben, nach welcher der eigentliche Recensent im incognito bleiben muß, fällt, so viel ich einsehe meine Erwartung, wegen der anzunehmenden Ausfoderung, weg, er müßte denn sich derselben willkührlich stellen, d. h. sich entdecken, in welchem Falle selbst ich mich gleichwohl verbunden halte, von dem wahren Vorgange der Sache, wie ich ihn aus Ihrem gütigen Berichte habe, nicht den mindesten öffentlichen Gebrauch zu machen. Übrigens

ist mir ein gelehrter Streit mit Bitterkeit so unleidlich, und
selbst der Gemüthszustand, darinn man versetzt wird, wenn
man ihn führen muß, so wiedernatürlich, daß ich lieber die
weitläuftigste Arbeit, zu Erläuterung und Rechtfertigung des
schon geschriebenen, gegen den schärfsten, aber nur auf Einsichten ausgehenden Gegner übernehmen, als einen Affect in
mir rege machen und unterhalten wollte, der sonst niemals in
meiner Seele Platz findet. Sollte indessen der Göttingsche
Recens: auf meine Äußerungen in der Zeitung antworten zu
müssen glauben und zwar in der vorigen Manier, ohne seine
Person zu compromittiren, so würde ich (jedoch jener meiner
Verbindlichkeit unbeschadet) mich genöthigt sehen, diese
lästige Ungleichheit zwischen einem unsichtbaren Angreifer
und einem aller Welt Augen blosgestellten Selbstvertheidiger
durch dienliche Maasregeln zu heben; wiewohl noch ein Mittelweg übrig bleibt, nämlich sich öffentlich nicht zu nennen,
aber sich mir (aus den Gründen die ich in der Proleg: angeführt habe) allenfalls schriftlich zu entdeken und den selbst zu
wählenden Punct des Streits öffentlich, doch friedlich kund
zu thun und abzumachen. Aber hier möchte man wohl ausru-
fen: O curas hominum! Schwache Menschen, ihr gebt vor, es
sey euch blos um Warheit und Ausbreitung der Erkentnis zu
thun, in der That aber beschäftigt euch blos eure Eitelkeit!

Und nun, mein hochzuverehrender Herr, lassen Sie diese
Veranlassung nicht die einzige seyn, eine Bekanntschaft, die
mir so erwünscht ist, gelegentlich zu unterhalten. Ein Cha-
racter von der Art, als Sie ihn in Ihrer ersten Zuschrift blicken
lassen, ist, ohne das Vorzügliche des Talents einmal in
Anschlag zu bringen, in unserer literärischen Welt so häufig
nicht, daß nicht derjenige, der Lauterkeit des Herzens, Sanft-
muth u. Theilnehmung höherschätzt, als selbst alle Wissenschaft, bey so viel zusammen vereinigten Verdiensten ein leb-
haftes Verlangen fühlen sollte, damit in engere Verbindung
zu treten. Ein jeder Rath, ein jeder Wink, von einem so einse-
henden und feinen Manne, wird mir jederzeit höchstschätz-
bar seyn und, wenn meiner Seits und an meinem Orte etwas

wäre, womit ich eine solche Gefälligkeit erwiedern könnte,
so würde dieses Vergnügen verdoppelt werden. Ich bin mit
wahrer Hochachtung und Ergebenheit

Hochzuverehrender Herr

Ihr

gehorsamster Diener

Koenigsberg   I Kant
den 7. Aug. 1783.

6. Die Garve-Rezension

Anhang zur: Allgemeinen Deutschen Bibliothek. Bd. 36–52. 1783. Abt. 2.
S. 838–862.

Kritik der reinen Vernunft, von Immanuel Kant. Riga,
1781. 856 Seiten, in 8.   Herr Kant ist aus den philosophischen Schriften, womit er bisher das Publikum beschenkt hat,
als einer der tiefsten und gründlichsten Denker und zugleich
als ein Mann bekannt, dem eine schöne und fruchtbare Einbildungskraft auch für die abgezogensten Begriffe oft sehr
passende und glückliche Bilder darbeut, wodurch sie auch für
den weniger scharfsinnigen Leser faßlich und nicht selten
anziehend werden. Die Tiefe seines philosophischen Genies
hat er in keinem seiner Werke noch so sehr, wie in dem gegenwärtigen, gezeigt: aber von der andern Eigenschaft des ange-
nehmen und populären Vortrags hat dieses Werk in seinen
meisten Theilen weit weniger; nicht, glauben wir, weil die
Schreibart des Verfassers gealtert, sondern weil die meisten
Materien, die er hier bearbeitet, ihrer Natur nach, von Sinnlichkeit und Anschauung zu entlegen sind, als daß sie mit aller
Bemühung des Schriftstellers ihnen wieder könnten genähert
werden. Der eigentliche Zweck dieses Werkes ist, die Grenzen der Vernunft zu bestimmen, und sein Inhalt, zu zeigen,
daß die Vernunft allemal außer diesen Grenzen ausschweift,
so oft sie etwas von der Wirklichkeit irgend eines Dinges

behauptet. Indessen, die Aufhebung aller Systeme bringt natürlicher Weise ein neues hervor. Es giebt gewisse Grundsätze, deren der Mensch durchaus nicht entbehren, oder deren er sich nicht entschlagen kann. Wenn man also die Ungültigkeit derselben in allen den Bedeutungen, in denen sie bisher gebraucht worden, gefunden zu haben glaubt; so ist man genöthigt, einen neuen Sinn für sie zu suchen, man muß ausdrücklich für sie ein neues Gebäude von Ideen aufführen, nachdem man alle die niedergerissen hat, worin sie bisher waren aufbewahrt worden. –

Der Verfasser, um sein System begreiflich zu machen, hat nöthig gefunden, auch eine neue Terminologie einzuführen. Es würde unmöglich seyn, sich dieser zu bedienen, um von jenem einen kurzen Begriff zu geben. Es wird aber vielleicht eben so unmöglich seyn, die Gedanken des Verfassers in aller ihrer Eigenthümlichkeit mit Worten einer mehr populären Philosophie auszudrücken. Die Terminologie ist der Faden der Ariadne, ohne welchen oft auch der scharfsinnigste Kopf seine Leser durch das dunkle Labyrinth abstrakter Spekulationen nicht würde durchführen können. Wenn dieser auch nicht immer deutlich sieht, so fühlt er doch zu seiner Beruhigung, daß er den Faden noch immer in seiner Hand hält, und hofft auf einen Ausgang. Das Tageslicht des gemeinen Menschenverstandes, so viel Mühe man sich auch geben mag, es in diese finstern einsame Gänge zu bringen, kann sie doch selten hinlänglich erhellen, um den Weg sichtbar zu machen, den man vorher durch eine Art von Gefühl fand.

Unterdessen alle Kenntnisse dieser Art müssen doch auf eine oder die andere Art mit den bisherigen Vorstellungen zusammengehangen werden können, weil sie doch ganz unfehlbar, aus diesen, wenn auch nur gelegentlich, entstanden sind. Sie müssen sich also auch in eine gewöhnlichere Sprache, wiewohl vielleicht mit einigem Verlust ihrer Genauigkeit, übersetzen lassen. Hier ist also das System des Verfassers, so wie es sich in dem Kopf des Recensenten ausgebildet hat. Er hofft, daß die Veränderungen, die es dadurch erlitten, wenigstens nicht größer und nachtheiliger seyn werden, als die, welche es in dem Kopf jedes andern Lesers erleiden muß, wenn es verständlich oder brauchbar seyn soll.

Alle unsere Erkenntnisse entspringen aus gewissen Modifikationen unsrer selbst, die wir Empfindungen nennen. Worin diese befindlich sind, woher sie rühren, das ist uns im Grunde völlig unbekannt. Wenn es ein wirklich Ding giebt, dem die Vorstellungen inhäriren; wirkliche Dinge, unabhängig von uns, die dieselben hervorbringen: so wissen wir doch von dem einen so wenig wie von dem andern das mindeste Prädikat. Demohnerachtet nehmen wir Objekte an, wir reden von uns selbst, wir reden von den Körpern als von wirklichen Dingen; wir glauben beyde zu kennen, wir urtheilen über sie. Durch welches wunderbare Kunststück veranstaltet es die Natur, daß eine Reihe von Veränderungen in uns, sich in eine Reihe von Dingen außer uns verwandelt? Auf welche Weise geschieht es, daß, bey der gänzlichen Unähnlichkeit die zwischen den Vorstellungen und den Objekten, wenn es deren giebt, obwaltet, doch jene auf diese hinzuführen, uns von jenen Kenntnisse zu verschaffen scheinen? Dieses Geheimniß zu erklären, geht nun Herr K. also zu Werke. Die erste Frage ist: was gehört zum Sehen, Hören, mit einem Worte, zum äußern Empfinden? Die zweyte: was gehört dazu, aus den Erscheinungen des Auges, den Eindrücken des Ohrs, Begriffe von Gegenständen zu machen, oder, mit andern Worten, daraus eine Kenntniß zu formiren, dergleichen wir eine haben. Zu den blossen Erscheinungen sind nöthig gewisse bestimmte Modifikationen der Organen. Aber davon abstrahiren wir hier. Diese sind bey jeder Empfindung einzeln in ihrer Art, wir suchen aber das Allgemeine; sie machen die Materie der Erscheinungen; wir suchen die Form derselben. Es ist indeß etwas denselben gemein, und gerade dieses macht, daß sie uns als äußere Erscheinungen vorkommen. Wir setzen sie nämlich alle in einen gewissen R a u m , als Dinge, wir setzen sie in eine gewisse Z e i t , als Begebenheiten. Das ist für uns wirklich, was wir uns i r g e n d w o und i r g e n d w e n n vorstellen. Raum und Zeit haben unter allen übrigen Vorstellungen etwas ganz eigenes und auszeichnendes. Sie sind nichts wirkliches außer uns, sonst müßte es ganz unendliche Substanzen geben, die durchaus keine Eigenschaften hätten. Sie sind keine Verhältnißbegriffe: denn Verhältnisse sind später als die Dinge, die sich verhalten, und ohne dieselben nicht zu denken. Raum und Zeit aber gehen vor allen Dingen vorher, weil alle in jenen erst vorgestellt werden können; und sind denkbar, auch wenn die Dinge aufgehoben werden. Es sind nicht abstrahirte Begriffe; denn es giebt nicht mehrere Räume, mehrere Zeiten, deren Aehnlichkeiten gesammlet worden wären. Es giebt einen allgemeinen Raum, eine unendliche Zeit, von welcher die einzelne Räume der Zeiten, nicht Arten, sondern nur Einschränkungen sind.

Was bleibt übrig, als daß Raum und Zeit subjektive Gesetze unsers Vorstellungsvermögens, Formen der Empfindungen, Einrichtungen unserer Natur sind, die alten Eindrücken, wodurch sie modificirt wird, hinwiederum diese beyden ihre eigenen allgemeinen Formen, als ihren Stempel aufdrückt. – Mit allen diesen Worten ist etwas zu bekanntes verbunden; und deswegen so ausgedrückt, scheint diese Meynung immer noch befremdlich. Der Verfasser sagt: Raum und Zeit sind subjektive Bedingungen der sinnlichen Anschauung: und in der That verschwindet das Schwierige, wenn fremde Ideen, durch unbekanntere Wörter ausgedrückt werden.

Dieß ist einer von den Grundpfeilern des Kantschen Systems. Durch Erscheinungen werden uns die Data zu den Objekten geliefert. Erscheinungen unterscheiden sich aber von andern Vorstellungen, nur durch die subjektive Bedingung, daß Raum und Zeit damit verbunden sind. Alle unsere Begriffe von Existenzen werden also darnach geprüft werden, ob sie mit den Vorstellungen von Raum und Zeit bestehen können.

Aus diesen Erscheinungen nun bildet der Verstand Objekte. Er selbst bildet sie: denn er ist es, der mehrere successive kleine Veränderungen der Seele in ganze, vollständige Empfindungen vereinigt; er ist es, der diese Ganzen wieder so in der Zeit an einander hängt, daß sie als Ursache und Wirkung auf einander folgen; wodurch jedes seinen bestimmten Platz in der unendlichen Zeit, und alle zusammen die Haltung und Festigkeit wirklicher Dinge bekommen; er ist es endlich, durch der einen neuen Zusatz von Verknüpfung, die zugleichseyende Gegenstände von den successiven unterscheidet, und auf diese Weise, indem er in die Anschauungen der Sinne, Ordnung, Regelmäßigkeit der Folge, und wechselsweisen Einfluß hineinbringt, die Natur im eigentlichen Verstande hervorbringt, schafft, und ihre Gesetze nach den seinigen bestimmt. –

Sinnliche Anschauungen allein geben blosse Träumereyen. Verstandesbegriffe allein geben blos eine Regel der Ordnung, ohne Sachen, die geordnet werden sollen; sinnliche Anschauungen mit Begriffen verbunden, geben Objekte, scheinbare Wirklichkeiten. Diese Gesetze des Verstandes sind älter als die Erscheinungen, bey welchen sie angewandt werden: es giebt also Verstandesbegriffe a priori. Herr K. setzt vier allgemeine Funktionen des Verstandes fest, und leitet daraus vier allgemeine, auf Erscheinungen anwendbare Begriffe, d. h. Categorien her, Qvalität, Qvantität, Relation, und Modalität. Unter dem ersten stehet die Realität, die Negation, und die Einschränkung; unter dem zweyten das Allgemeine, das Besondere, und das Einzelne; unter dem dritten die Inhärenz, die Caussalität, und die wechselseitige Influenz; unter dem vierten die Möglichkeit, die Existenz, und die Nothwendigkeit. (Aber auf welchem Grunde beruht diese Eintheilung? Was beweißt ihre Vollständigkeit? Wenn dieß Verstandesbegriffe a priori, und nicht blos logische Classifikationen der Prädikate a posteriori sind: so müssen sie aus der Natur des Verstandes hergeleitet werden. Scheint es nicht, daß oft auch in dem tiefsinnigsten System, die Grundbegriffe blos durch

Association entstehen, und der Scharfsinn nur beschäftigt ist, sie durch unerwartete Anwendungen, die er davon zu machen weiß, zu rechtfertigen?)

Der Verstand hat bey der Verwandlung sinnlicher Bilder in Erfahrungskenntnisse, ein doppeltes Geschäfte; er formirt Begriffe, indem er die Erscheinungen nach den Categorien ordnet; und er macht Grundsätze, die nichts anders als Ausdrücke seiner eigenen Gesetze, und der Regel des sinnlichen Anschauens sind. Um Begriffe von Objekten zu Stande zu bringen, ist dreyerley nöthig, die successiven Eindrücke müssen in Eine Empfindung von dem Sinne selbst vereinigt werden; mehrere vollständige Empfindungen müssen durch Hülfe der Einbildungskraft zu Einer Wahrnehmung verbunden werden; indem diese die vergangene Anschauung erneuert, während daß sich eine neue darstellt. Mehrere Wahrnehmungen müssen durch das Bewußtseyn unserer selbst vereinigt seyn, als gehörig zu Einem und d e m s e l b e n I c h. Um Grundsätze zu bilden, müssen nach einem neuen Ausdruck des Verfassers, die Categorien schematisirt, d. h. anschaulicher, unmittelbar auf Erscheinungen andwendbarer gemacht werden: und dieses geschieht durch die Verbindung derselben mit den Vorstellungen von Raum und Zeit, als den Bedingungen der Anschauung.

Analytische Grundsätze sind, welche blos den schon vorhandenen Begriff des Subjekts enthalten; synthetische, welche ihm ein neues Prädikat zusetzen. Die letztere können nur gemacht werden, wenn das Subjekt zur Anschauung gebracht wird; (Etwas neues an einem Dinge zu entdecken, muß man es vor sich sehen.) und von dem Categorien finden also keine Statt, als wenn sie schematisirt werden. Der erste analytische Grundsatz ist der des Widerspruchs. Er sagt nichts weiter, als, daß wo ich eine Funktion des Verstandes durch die andre aufhebe, ich keine vornehme. Der allgemeine synthetische Grundsatz ist der, welcher aussagt, daß alle Erkenntnisse a priori, die zur Formirung einer Erklärung nothwendig sind, alle Begriffe, ohne welche die Erscheinungen sich nicht in

Gegenstände geben, oder die Gegenstände nicht in zusammenhängendes Ganze verbinden lassen, als objektiv gültig angesehen werden müssen.

Wenn nun die Categorie der Quantität kombinirt wird mit Raum und Zeit; so entsteht das Axioma: daß alles was ist, (nämlich in der Erscheinung) extensiv sey in Raum und Zeit. Nichts kann als da seyend vorgestellt werden, wenn es nicht einen gewissen Raum und eine Dauer ausfüllt. – Aus der Verknüpfung des Begriffs der Qualität mit Zeit- und Ortbestimmungen, entsteht der Grundsatz: jedes empfundene Ding, (jedes in der Erscheinung wirkliche) muß eine Innere Größe, einen Grad von Realität haben. – Durch die Anwendung dieses Grundsatzes kann man zeigen, daß die Verschiedenheit der specifiken Schwere, nicht aus mehr oder mindern leeren Zwischenräumen in den Körpern allein erklärt werden dürfe; sondern aus dem ungleichen Grad der Realität ihrer Grundtheile herkommen könne. Würde die dritte Categorie, die der Verhältnisse, Substantialität, Inhärenz, und wechselseitige Verknüpfung, verglichen mit den drey Hauptbestimmungen der Zeit, Beharrlichkeit, Folge, und Zugleichseyn: so entstehen drey Grundsätze, die der Verfasser Analogien der Entfernung nennt. 1) In allen Erscheinungen ist das Substantielle nichts anders als das Beharrliche, neben welchem andere Vorstellungen abwechseln, die die Accidenzien ausmachen. Die Folge des Veränderlichen, also die Zeit, wird erst durch das Beharrliche merklich, woran es ist, wie vorübergehende Schattenbilder einen Grund haben müssen, auf dem ihre Bewegung gesehen wird. So wie also der Begriff der Zeit zu jeder Existenz nothwendig ist: so ist es auch die Beharrlichkeit der Substanzen. Der Begriff von Schöpfung, von Vernichtung wäre für uns eine Aufhebung alles Denkens; und also eine Ungereimtheit. 2) Alles, was geschieht, muß auf etwas anderes folgen, woraus es regelmäßig fließt. Denn wo Ein Zeitpunkt ist, da ist auch ein vorhergehender. Dieser kann nicht leer seyn. Die Folge aber zwischen dem Vorhergehenden und Nachfolgenden muß regelmäßig seyn, weil die

Zeit eine continuirliche Größe ist. 3) Alles was zugleich ist, muß in einer wechselseitigen Gemeinschaft seyn. – Auch gleichzeitige Dinge machen successive Eindrücke. Wodurch unterscheidet sie also der Verstand von successiven? durch eine andre Art von Verknüpfung. – Und welcher Unterschied kann Statt finden, als daß, da bey den successivis die Einwirkung einseitig ist, nur vorwärts von Ursache zur Wirkung, sie bey den simultaneis doppelt und gegenseitig werde.

Endlich wende man die Categorie der Modalität, Existenz, Möglichkeit, und Nothwendigkeit, auf die Bestimmungen an, die dem Anschauen zum Grunde liegen: und man wird finden, daß jene Wörter ebenfalls nur gewisse Verschiedenheiten in unsern Vorstellungen bezeichnen, und auf Dinge an sich in dieser Bedeutung nicht anwendbar sind. Möglich für uns ist, was erfahren werden kann, was mit den formalen Bedingungen der Erfahrung übereinstimmt. Wirklich, was mit den materiellen Bedingungen der Erfahrung übereinstimmt, das heißt, was unmittelbar angeschaut wird, oder das, wovon man deutlich einsieht, daß an einen andern Platz, in einen andern Zeitpunkt gestellt, man es erfahren würde. Nothwendig endlich ist, was mit dem Wirklichen nach den allgemeinen Gesetzen, worauf alle Erfahrung beruht, verknüpft ist. Diesem zufolge giebt es nichts nothwendiges als die Wirkungen, die aus den Ursachen folgen: folglich sind es immer nur Zustände, Veränderungen, Begebenheiten, deren Nothwendigkeit wir einsehen, nie Substanzen. Diese sind nie Wirkungen; sie sind das beharrliche immerwährende, an welchem die Abwechselung von Ursachen und Folgen erst merklich wird. Alles also, was wir als Gegenstände betrachten und benennen, sind nur Erscheinungen, die aber durch den Verstand nach seinen eignen Gesetzen, vermöge der in der Categorie ausgedrückten Funktionen, zusammengefügt, nach Raum und Zeit durchgängig verknüpft werden; und alle Begriffe von Existenz und Substanz, nebst allen daran klebenden, entstehen, wenn die Gesetze des reinen Verstandes, der in die Erscheinungen,

Einheit und System bringt, mit den Gesetzen der Anschauung gleichsam gemeinschaftlich operiren, welche letztere die Zeit- und Ortbestimmungen fordern. Ob es außer diesen Objekten, die nur durch Regeln des Verstandes und der Anschauung modificirte Eindrücke sind, noch andre gebe, die man Dinge für sich nennen könnte, weil ihre Existenz unabhängig von unserer Vorstellungsart wäre: das ist uns zwar völlig unbekannt; und diese Dinge, wenn es deren giebt, sind für uns ohne alle Prädikate, also nichts. Indeß sind wir durch ein ander Gesetz unsers Verstandes gleichsam gezwungen, sie problematisch anzunehmen. Und dieß ist es eben, was zu dem Unterschiede zwischen Phänomenis und Noumenis, in der alten ächten Bedeutung Anlaß gegeben hat; Wörter, die eine unausweichliche und doch nie zu beantwortende Frage anzeigen. –

Die bisherigen Grundsätze zogen wir aus den Categorien, indem wir sie in den Erscheinungen gleichsam substantialisirten. Die reinen Vorstellungen des Verstandes können aber auch ohne Rücksicht auf Objekte mit einander verglichen werden. Dieß ist eigentlich was Reflexion heißt; und die Verhältnisse, die alsdenn unter ihnen gefunden werden, sind keine andere als die der Einerleyheit und der Verschiedenheit, die des Innern und Aeußern, die der Einstimmung und des Widerspruchs, die endlich des Bestimmbaren und Bestimmten, oder der Materie und der Form. Da aber die Vorstellungen einen doppelten Charakter haben: einen, wenn sie nur im reinen Verstande, als Ausdrücke seiner Funktionen vorhanden sind; und einen andern, insofern sie auf Erscheinungen angewandt werden; und in den Empfindungen gleichsam eingewickelt liegen: so bekommen auch die oben bezeichneten Verhältnisse einen doppelten Sinn. 1) Die Verschiedenheit in den Begriffen vom reinen Verstande gedacht, kann nur in der Verschiedenheit der Merkmale liegen; denn außer diesen enthält ein Begriff nichts. Die Verschiedenheit, in den Anschauungen liegt in dem Unterschiede des Orts und der Zeit, weil dieß die Bedingungen der sinnlichen Anschauung sind. –

2) Wenn der Verstand das Innere der Dinge ohne Rücksicht auf sinnliche Erscheinungen sucht, so findet er nichts als s e i n e i g n e s D ü n k e l, was er mit diesem Namen belegen könnte. Das Innere der Dinge, wie sie uns in der Anschauung vorkommen, bedeutet die ersten und allgemeinsten ihrer Verhältnisse, dergleichen die anziehende und zurückstossende Kraft ist. 3) Einstimmung in den blossen Begriffen, ist Abwesenheit des Widerspruchs, und dieser besteht in Bejahung und Verneinung desselben Prädikats. Einstimmung in den Erscheinungsobjekten ist mögliche Vereinigung der Kräfte; ohne gegenseitige Aufhebung ihrer Wirkungen; und Widerspruch ist die direkte Entgegensetzung der Kräfte. 4) Materie für den Verstand sowohl als die Anschauung, sind die Data der Empfindungen, die einzelnen Modifikationen unserer selbst. Die Form für den Verstand besteht in den allgemeinen Begriffen a priori, oder den Categorien, für die Phänomena in Raum und Zeit.

Aus der Vermischung dieser beyden Vorstellungsarten der nämlichen Verhältnisse, sind Leibnitzens berühmte metaphysische Grundsätze herzuleiten und zu widerlegen. Weil er in den Begriffen der Dinge nicht zwey zählen konnte, wenn er nicht in dem einen ein Prädikat antraf, das dem andern fehlte: so schloß er, daß auch der Objekte der Sinnlichkeit nie zwey gedacht werden könnten, wo nicht Unterscheide der Eigenschaften wären. Er merkte nicht, daß hier Verschiedenheiten hinzukämen, die den Begriffen fehlten, die von Raum und Zeit, den Bestimmungen, die eigentlich Objekte constituiren. Weil er durch den Verstand nichts Inneres an den Dingen denken konnte, als eben das Denken: so gab er allen seinen Substanzen Vorstellungskraft, und bildete die Monaden, ohne gewahr zu werden, daß in den Objekten der Sinnlichkeit, die nichts als Vorstellungen sind, und also ganz aus Verhältnissen bestehen, ein wahres I n n e r e nicht statt finde. Indem er alle Begriffe denkbar fand, die sich nicht widersprechen: so schloß er, daß alle Realitäten nothwendig zusammenstimmen, und bewies daraus die Möglichkeit eines vollkommensten Wesens; bedachte aber nicht, daß Realitäten, die sich nicht widersprechen, in der Wirklichkeit einander aufheben können, wie zwey entgegengesetzte Bewegungen. – Alle diese und ähnliche metaphysische Täuschungen entstehen daher, weil man nicht untersucht, in welchem Geistesvermögen die Vorstellungen mit einander verglichen worden. Verhältnisse, die in Begriffen des reinen Verstandes wahr sind, dürfen auf das Wirkliche: d. h. die Gegenstände der Anschauung nicht angewandt werden, ohne den Zusatz der besondern Bestimmungen, die vom räumlichen und zeitigen Daseyn abhängen.

Hier also ersteigen wir die Spitze metaphysischer Höhe, zu untersuchen: was ist E t w a s ? Wenn von einem Objekte, einem Dinge geredet wird, was wird gemeynt? Nichts als eine durch sinnliche Anschauung gegebene, von dem Verstande bearbeitete, und unter Begriffe gebrachte Vorstellung. Das N i c h t s wird also den Mangel einer von diesen beyden Bedingungen des Reellen anzeigen. Dieser Mangel kann entstehen, entweder wenn diese Bedingungen gänzlich fehlen, oder wenn sie von uns nur weggelassen werden. Wenn der Verstandesbegriff gänzlich aufgehoben wird durch einen Widerspruch, oder die sinnliche Anschauung völlig wegfällt, weil kein Eindruck vorhanden ist; so ist jenes das nihil negativum, dieses das privativum. Wenn wir hingegen selbst beyde von einander trennen, so entstehen Begriffe ohne sinnliche Anschauung, entia rationis, oder Anschauungen ohne Begriffe, entia imaginaria, dergleichen der leere Raum ist.

Hieraus ist klar, daß der rechte Gebrauch des reinen Verstandes darin besteht, seine Begriffe auf sinnliche Erscheinungen anzuwenden, und durch Verbindung beyder E r f a h r u n g e n zu formiren; und daß es ein Mißbrauch desselben, und ein nie gelingendes Geschäfte seyn wird, aus Begriffen das Daseyn und die Eigenschaften von Objekten zu schließen, die wir nie erfahren können. Dieser Mißbrauch heißt bey unserm Verfasser Dialektik, oder der transcenden-

telle Gebrauch der Vernunft: und diesen zu prüfen, ist der
zweyte Theil dieses Werks bestimmt.

Es tritt nun nämlich eine neue Kraft, eine weitere Bearbeitung der Vorstellungen hinzu, deren Quelle in der Vernunft
liegt. Diese bezieht sich auf die schon gesammleten Ver-
standsbegriffe, wie der Verstand auf die Erscheinungen. So
wie der Verstand die Regeln enthält, nach welchen die einzelnen Phänomene in Reihen einer zusammenhängenden Erfahrung gebracht werden: so sucht die Vernunft nach den obersten Principien, durch welche diese Reihen in ein vollständiges Weltganze vereiniget werden können, so wie der Verstand aus den Empfindungen eine Kette von Objekten macht,
die an einander hängen, wie die Theile der Zeit und des
Raums; wovon aber das letzte Glied immer noch auf frühere
oder entferntere zurückweiset: so will die Vernunft diese
Kette bis zu ihrem ersten oder äußersten Gliede verlängern;
sie sucht den Anfang und die Gränze der Dinge.)

Hier kömmt nun dem Verfasser das Wort B e d i n g u n -
g e n , das er gewählt hat, sehr wohl zu statten; ein Wort,
unter welchem er alles zusammenfaßt, was bey irgend einem
Dinge oder Vorstellung vorausgesetzt werden muß, um sie
begreifen zu können. So ist die vorhergehende Zeit Bedingung der künftigen, Ursache von der Wirkung, der Theil vom
Ganzen. Der Verstand angewandt auf die Erscheinungen,
führt uns allenthalben vom Bedingten zu Bedingungen, die
hinwiederum bedingt sind, und bleibt bey solchen stehen.
Das erste Gesetz der Vernunft ist, daß, wo es etwas Bedingtes
giebt, die Reihe der Bedingungen vollständig gegeben seyn,
oder bis zu etwas Unbedingtem hinaufsteigen müsse. Die
Nothwendigkeit dieses Naturgesetzes empfinden wir: aber
ist dasselbe eben sowohl ein Gesetz der Dinge an sich
betrachtet, als eine subjektive Regel unsers Verstandes? Die
Vernunft geht auf eine zwiefache Art über die Erfahrung hinaus: erstlich, sie will die Reihe der Dinge, die wir erfahren,
viel weiter hinaus verlängern, als die Erfahrung selbst reicht,

weil sie bis zur Vollendung der Reihen gelangen will. Zweytens, sie will uns auch auf Dinge führen, deren ähnliche wir nie erfahren haben, auf das Unbedingte, das absolut Nothwendige, Uneingeschränkte.

Diese Totalität der Bedingungen nun sucht sie, in Absicht 1) des denkenden Subjekts selbst, 2) der Erscheinungen oder der Objekte der Sinnlichkeit, 3) in Absicht der Dinge an sich, oder der transcendentellen Objekte, die der Verstand voraussetzt, aber nicht kennt.

Daraus entstehen die Vernunftsuntersuchungen, über die Seele, die Welt, und Gott.

Der Verfasser findet, wir wissen nicht, welchen Zusammenhang, zwischen den logischen Regeln der Vernunftsschlüsse, und dieser metaphysischen Untersuchungen. Daß der Major universell seyn muß, ist ihm ein Grund, warum die Vernunft Universalität, die gesammte Vollendung der Weltreihen suchen will. Der categorische Schluß führt ihn auf die Psychologie, der hypothetische auf die Cosmologie, der disjunktive auf die Theologie. Der Recensent gesteht, daß er ihm auf diesem Wege nicht zu folgen weiß.

Das allgemeine Resultat dieser Untersuchungen ist: die Grundsätze der Vernunft führen auf Schein oder auf Widersprüche, wenn sie ausgedehnt werden, wirkliche Dinge und ihre Beschaffenheiten zu zeigen; sie sind aber von Nutzen und unentbehrlich, wenn sie dem Verstande zur Regel dienen, in der Erforschung der Natur·ohne Ende fortzugehen. Bey der Seelenlehre entstehen die Trugschlüsse, wenn Bestimmungen, die bloß den Gedanken als Gedanken zukommen, für Eigenschaften des denkenden Wesens angesehen werden. Ich denke, das ist die einzige Quelle der ganzen Psych. ration. Dieser Satz enthält kein Prädicat von dem Ich, von dem Wesen selbst. Er sagt bloß eine gewisse Bestimmung der Gedanken, nämlich den Zusammenhang derselben durch das Bewußtseyn aus. Es läßt sich also aus demselben nichts von den reellen Eigenschaften des Wesens, das unter dem Ich vorgestellt werden soll, schließen.

Daraus, daß der Begriff von M i r , das Subjekt vieler Sätze ist, und nie das Prädicat irgend eines werden kann, wird geschlossen, daß I c h , das denkende Wesen, eine Substanz sey; da doch dieß Wort bloß das Beharrliche in der äussern Anschauung anzuzeigen bestimmt ist. 2) Daraus, daß in meinen Gedanken sich nicht Theile außer Theilen finden, wird auf die Einfachheit der Seele geschlossen: aber keine Einfachheit kann in dem, was als wirklich, d. h. als ein Objekt äußerer Anschauung betrachtet werden soll, statt finden; weil die Bedingung davon ist, daß es im Raume sey, einen Raum erfülle. 3) Aus der Identität des Bewußtseyns wird auf die Personalität der Seele geschlossen. Aber konnte nicht eine Reihe Substanzen einander ihr Bewußtseyn und ihre Gedanken übertragen, wie sie einander ihre Bewegungen mittheilen. (Diese einzige Metapher erhellt die Gedanken des Verfassers mehr, als alle allgemeine Erklärungen.) 4) Endlich wird aus dem Unterschiede zwischen dem Bewußtseyn unsrer selbst, und der Anschauung der äußern Dinge, ein Trugschluß auf die Idealität der letztern gemacht. Es gehört allerdings aller Scharfsinn des Verfassers dazu, nur einigermaßen begreiflich zu machen, wie der Idealismus in Absicht der Körperwelt, den er dem empirischen nennt, widerlegt werden könne durch den transcendentellen Idealismus. Alles, was dem Rec. davon klar worden ist, vereinigt sich in folgenden: Der Idealist unterscheidet die Empfindungen des innern und äußern Sinnes dergestalt, daß er sich einbildet: jene stellen ihm wirkliche Dinge, diese nur Wirkungen von Dingen vor, deren Ursachen ungewiß sind. Der transcendentale Idealist erkennt keinen solchen Unterschied: er sieht ein, daß unser innerer Sinn uns eben so wenig absolute Prädikate von uns selbst, als der äußere von den Körpern angebe, insofern beyde als Dinge an sich betrachtet werden sollen; ihm zufolge gleichen unsere Empfindungen einer Reihe abwechselnder Gemälde auch darin, daß sie uns eben so wenig die wahren Eigenschaften des Malers als der gemalten Gegenstände lehren. Mit einem Wort: der transcendentelle Idealismus beweißt nicht die Existenz der Körper, sondern er hebt nur den Vorzug auf, den die Ueberzeugung von unserer eigenen Existenz vor jener haben soll.

In der Psychologie ist der Vernunftschein nur einseitig; in der Cosmologie ist er eben so nothwendig auf zwey Seiten, und einander entgegengesetzt: er erregt also Widersprüche, die nie gehoben werden können. Die Vernunft sucht nämlich die Vollständigkeit der Reihen von allen in der Welt verknüpften Objekten. 1) Die Vollständigkeit in Absicht der Dauer und der Ausdehnung; sie fragt nach dem Anfange und der Gränze der Welt. 2) Die Vollständigkeit in Absicht der Zusammensetzung; sie fragt: ob die Materie unendlich theilbar sey, oder aus einfachen Elementen bestehe? 3) Die Vollständigkeit in Absicht der Caussalität; sie fragt: ob es freye Ursachen gebe, oder ob die Veränderungen selbst, immer eine durch die andere ins unendliche bestimmt sind? 4) Die Vollständigkeit in Absicht der absoluten Existenz der Dinge; sie sucht ein absolut Nothwendiges. Bey allen diesen Fragen entsteht Widerspruch ganz unausbleiblich, weil die Vernunft und der Verstand ganz entgegengesetzte Bedürfnisse haben, ganz verschiedene Forderungen machen.

Wenn man diese Reihen irgendwo schließt, und ein erstes Glied annimmt, so findet die Vernunft den Stillstand zu plötzlich, die Reihe zu kurz, und sucht nach höhern Gliedern, und will man die Reihen ins unendliche fortgehen lassen: so scheinen sie dem Verstande zu lang unbegreiflich und also ungereimt. Eine Welt ohne Anfang und Gränze, ein Zusammengesetztes ohne Elemente, Wirkungen ohne freye Ursachen, zufällige Dinge ohne ein Nothwendiges beleidigen den Verstand, weil er den Ruhepunkt nicht findet, den er sucht: und doch beleidiget es die Vernunft, wenn man irgend ein Ding als das erste, das einfache, als frey oder nothwendig betrachtet, weil sie keinen Grund entdeckt, warum man bey diesem mehr als bey jedem andern stehen bleiben müßte.

Diese Widersprüche werden gehoben, wenn man den wahren Gebrauch der Vernunft kennt: wenn sie nur bestimmt ist, dem Verstande in der Bildung und dem Gebrauch seiner Erfahrungskenntnisse vorzuleuchten, so werden ihre Grundsätze nicht aussagen, wie die Dinge sind, sondern nur dem Verstande vorschreiben, wie er sie behandeln solle: und diese Behandlung kann oft gegenseitig, und auf jeder Seite nothwendig seyn.

Es widerspricht sich nicht, daß die Vernunft dem Verstande von der einen Seite anweißt, Ursachen von Ursachen, Theile von Theilen ohne Ende aufzusuchen, in der vorgesteckten Absicht, die Vollständigkeit des Systems der Dinge zu erreichen; und von der andern ihn doch warnt, keine Ursache, keinen Theil, den er ja durch Erfahrung findet, für den letzten und ersten anzunehmen. Es ist das Gesetz der Approximation, das Unerreichbarkeit und beständige Annäherung zugleich in sich schließt. Sobald aber diese regulative Grundsätze für Behauptungen von den Dingen selbst angesehen werden: so müssen sie nothwendig auf Widersprüche führen. Durch jene Entdeckung werde diese nun folgendergestalt gehoben. Die zwey ersten Antinomien, welche blos die Gränze der Größe betreffen, den Anfang der Welt und die Theilbarkeit der Materie, werden gehoben, indem man zeigt, daß beyde Opposita falsch sind. Es giebt keine solche Welt, keine solche Theilung, wie sie in beyden angenommen wird. Es giebt nur Erscheinungen, durch welche der Regressus in der That immer fortgesetzt werden kann, und doch nicht vollendet wird. W e l t ist nur ein ander Wort, für die durch Erfahrung dem Menschen gegebene Reihe von Vorstellungen. Diese kann für ihn weder ins Unendliche fortgehen, noch je vollständig sich schließen. Die beyden andern Antinomien, in Absicht der Freyheit und des Urwesens, betreffen die Gränze, das Aeußerste der Dinge, nicht in Absicht der Größe, sondern der Caussalität; und diese können beyde zugleich wahr seyn. Die Reihen von Veränderungen können aus Handlungen entstehen, die einen doppelten Charakter haben; einen sinnlichen, insofern sie selbst als Erscheinungen zu den Weltbegebenheiten gehören, und nothwendig als solche auf andre vorhergehende zurückführen; und einen intellektuellen, insofern sie von dem Unbekannten E t w a s, das wir das transcendentelle, das Ding an sich nennen, herkommen, und vermöge dieses Charakters können sie frey seyn. Eine Spur von dieser eigenen Art der Caussalität findet man in dem Begriff des Sollens, in dem Befehlenden der Vernunft; einer Art der Nothwendigkeit, welche von jeder andern so unterschieden ist, daß sie bey einer Handlung auch dann noch deutlich eingesehen wird, wenn gleich das Gegentheil derselben, vermöge der Nothwendigkeit der natürlichen Ursachen, wirklich geschehn ist. So wie es einen intellektuellen Charakter der Substanzen in der Welt geben kann, in Absicht auf welchen ihre Handlungen frey sind, die in anderer Absicht, als Phänomene natürlich nothwendig waren: so kann es eine ganze intellektuelle Substanz außer der Reihe der Zufälligen geben, die diese gründet, ohne sie zu begränzen. (Es ist unmöglich, die Vereinigung, die hier Herr K. stiften will, deutlich mit kurzen Worten vorzustellen; unmöglich, glaube ich, sie deutlich einzusehen. Aber das ist deutlich, daß der Verfasser gewisse Satze für höher und heiliger hält, als seine Systeme; und daß er bey gewissen Entscheidungen mehr Rücksicht auf die Folgen nahm, die er durchaus stehen lassen wollte, als auf die Principia, welche er festgesetzt hatte.) Die letzte Completion der Reihen, die die Vernunft verlangt, die, welche sie am höchsten, und am weitesten von der Sinnenwelt abführt, ist die von den Dingen absolut oder an sich betrachtet; und dieses giebt den Grund zur natürlichen Theologie.

Das Resultat von der Kritik derselben ist dem vorigen äußerst ähnlich. Sätze, die Wirklichkeiten auszusagen scheinen, werden in Regeln verwandelt, die nur dem Verstande ein gewisses Verfahren vorschreiben. Alles, was der Verf. hier neues hinzusetzt, ist, daß er das praktische Interesse zu Hülfe ruft, und moralische Ideen endlich den Ausschlag geben läßt, wo die Spekulation beyde Schaalen gleich schwer, oder vielmehr gleich leer gelassen hatte. Was diese letzte herausbringt, ist folgendes: Aller Gedanke von einem Eingeschränkten Reellen ist dem von einem Eingeschränkten Raum ähnlich. So wie dieser nicht möglich seyn würde, wenn nicht ein unendlicher Allgemeiner Raum wäre, in welchem die Figur Gränzen setzt: so wäre kein Bestimmtes endliches Reelle möglich, wenn es nicht ein allgemein unendliches Reale gebe, das den Bestimmungen, d. h. den Einschränkungen der einzelnen Dinge zum Grunde läge. – Beydes aber ist nur wahr von unsern Begriffen, beydes zeigt nur an ein Gesetz unsers Verstandes, inwiefern eine Vorstellung die andere voraussetzt. – Alle andere Beweise, die mehr darthun sollten, werden bey der Prüfung unzulänglich gefunden. Der erste, der ontologische, der a priori, schließt das nothwendige Daseyn eines Gottes, aus dem Begriffe der höchsten Vollkommenheit, die alle Realitäten, und also auch das Daseyn in sich schließt. Bey diesem Beweise finden sich zwey Mängel. Erstlich, daß wir von diesem allervollkommensten Wesen die innere Möglichkeit, d. h. ob, und wie alle Realitäten in einer Substanz beysammen seyn können, nicht einsehen. Zweytens, daß wir von keinem einzigen Wesen, es habe Prädikate, welche es wolle, die Nothwendigkeit seiner Existenz begreifen. Einen Widerspruch finden wir nur, wo unter den Prädikaten eines Subjekts, eines das andere aufhebt, aber nie, wo das Subjekt sammt den Prädikaten aufgehoben wird. Die Existenz ist kein neues Prädikat, kein Zusatz zu dem Begriffe des Dinges; sie kann also mit demselben weder als einstimmig noch widersprechend angesehen werden.

Der kosmologische Beweiß, der aus der Existenz irgend einer Reihe von zufälligen Dingen auf das Daseyn eines Gottes schließt, erweitert erstlich den Grundsatz der Caussalität über die Welterscheinungen hinaus, aus denen allein er geschlossen, und für welche allein er wahr ist; und zweytens fällt er zuletzt mit dem ontologischen zusammen, und setzt ihn voraus; indem am Ende doch immer der Zusammenhang zwischen Nothwendigkeit und höchster Vollkommenheit bey der nämlichen Substanz gezeigt werden muß; – ein

Zusammenhang, der nicht gezeigt werden kann, weil wir überhaupt nothwendige Existenz an den Begriff keines Dinges knüpfen, und weil wir die höchste Vollkommenheit als innerlich möglich nicht darthun können.

Der physikotheologische Beweiß, der aus der Vollkommenheit dieser unserer Welt schließt, macht 1) ihren Urheber nicht zu Gott, sondern nur vollkommen oder unvollkommen nach Maaßgebung der Güter und Uebel, die in der Welt sind, und 2) nimmt er, um das zu ergänzen, was aus den Beschaffenheiten dieser Welt nicht geschlossen werden kann, jene ersten kosmologische und ontologische Beweise von neuem zu Hülfe.

Was bleibt also von aller dieser spekulativen Theologie übrig: nichts als die Regel für den Verstand: suche unaufhörlich die Quelle aller Realitäten, das Unbedingte Wesen, indem du von Bedingung zu Bedingung hinaufsteigst; aber glaube nie es in irgend einem wirklich erfahrnen Dinge gefunden zu haben.

Diesen Spekulationen kommen nun die moralischen Begriffe zu Hülfe, die ganz nothwendig und a priori wahr sind; sie zeigen uns eine gewisse Art zu handeln als R e c h t ; – und stellen sie uns zugleich vor, als A n s p r u c h a u f G l ü c k s e l i g k e i t. Durch diese beyde Ideen führen uns sie auf einen Zusammenhang der Dinge, wo Glückseligkeit nach Würdigkeit ausgetheilt seyn müsse; und dieses System, das man das Reich der Gnade nennen könnte, hat Gott an seiner Spitze.

Wie weise und glücklich ist die Natur des Menschen eingerichtet, rief der Recensent aus, da er auf diesen Theil des Buches kam! Nachdem er vorher über jeden kleinen Stein des Anstosses gestrauchelt hat, den er auf dem Wege der Spekulation fand, springt er über ganze Felsenstücke und Klüfte hinüber, sobald ihm das stärkere Interesse der Tugend zu dem gebahnten Wege des gemeinen Menschenverstandes zurückruft. Sehr wahr ist es, daß nur das moralische Gefühl uns den Gedanken von Gott wichtig mache; nur die Vervollkommnung des erstern unserer Theologie verbessert. Aber daß es möglich sey, dieses Gefühl und die darauf gegründeten Wahrheiten festzuhalten, nachdem man alle übrigen Empfindungen, die sich aufs Daseyn der Dinge beziehen; und die daraus gezogene Theorie aufgehoben hat; daß man in dem Reich der Gnaden wohnen und leben könne, nachdem vorher das Reich der Natur vor unsern Augen verschwunden ist: das, glaube ich, wird in den Kopf und das Herz nur sehr weniger Menschen Eingang finden.

Der Verfasser zeigt noch in dieser Kritik aller spekulativen Theologie, an einigen Beyspielen, wie der Verstand aus seinen eignen Gesetzen, Gesetze der Natur mache; wie selbst der größere Hang des Verstandes zu dem einen oder dem andern seiner Principien, ihn veranlaßt, auch die Natur von verschiedenen Seiten anzusehn. Daß wir die Anzahl der Geschlechter nicht ohne Noth vervielfältigen müssen; daß wir in allen Arten Aehnlichkeiten voraussetzen, durch die sie unter gemeinschaftliche genera gebracht werden können; in allen Eigenschaften mögliche Modifikationen, wodurch sie neue Unterarten geben: das alles entsteht aus einem doppelten Gesetze unserer Natur, wovon das eine uns diese Regeln zur systematischen Anordnung unserer Vorstellungen vorschreibt; das andere uns nöthigt, in der Natur der Dinge dieselbe systematische Einheit vorauszusetzen, die unsere Natur in den Begriffen derselben fordert.

Begriffe also geschöpft aus Erscheinungen, verknüpft in Erfahrungen von dem Verstande, in ein komplettes System zwar nie völlig gebracht, aber doch zu demselben unaufhörlich bearbeitet von der Vernunft, das ist unsere Welt: dieß zu unserm Geschäfte zu machen, ist das Resultat unserer ganzen Cosmol. und Theol.

Der letzte Theil des Werks, der die Methodenlehre enthält, zeigt zuerst, wofür die reine Vernunft sich hüten müsse; das ist die Disciplin; zweytens die Regeln, wornach sie sich richten müsse. Das ist der Canon der reinen Vernunft. Die Untersuchung des dogmatischen Gebrauchs derselben führt auf eine Vergleichung der mathematischen und philosophischen Methode, die lehrreich auch für diejenigen ist, die nicht das ganze System des Verfassers ergründen können. Die Mathematik ist die einzige Wissenschaft, die ihre allgemeinen Begriffe anschaulich machen kann, ohne ihrer Allgemeinheit das geringste zu benehmen. Die Philosophie kann ihre Begriffe nicht anders anschaulich machen, als durch Beyspiele aus der Erfahrung, die immer die Einschränkungen des besondern Falls mit sich führen. Das gemahlte Dreyeck bildet den allgemeinen Begriff des Dreyecks so vollständig, und außer demselben so wenig vor, daß es als eine reine Anschauung des Begriffs selbst anzusehen ist. Der Begriff von Kraft oder Ursache in einem Beyspiele dargestellt, mischt so viel fremdes und einzelnes dem Allgemeinen bey, daß es schwer ist, auf dieses allein seine Aufmerksamkeit zu erhalten. In der Mathematik macht die Definition den Begriff, weil er eine Zusammensetzung unsers eignen Verstandes ist, und ist deswegen nothwendig: in der Philosophie soll sie nur einen Begriff, der schon in der Seele liegt, aufklären; und ist deswegen entbehrlich; auch findet eine wahre Definition weder von Erfahrungen noch von Ideen des reinen Verstandes statt. In der Mathematik giebt es Axiomata, weil die Begriffe in ihrer Allgemeinheit, d. h. a priori angeschaut werden können, wodurch gewisse Sätze unmittelbar evident werden. Solche Axiomen hat die Philosophie nicht, die ihren Ideen keine Anschaulichkeit zu geben weiß, als a post. durch Erfahrungen. – Endlich die Mathematik allein hat Demonstrationen, wo jedem Schritt des Raisonnements die Anschauung zu Seite geht.

Der zweyte Gebrauch der Vernunft, zu bestreiten und zu polemisiren ist nützlich, wenn die Entdeckung der nothwendigen und unauflößlichen Widersprüche, in ihren Behauptungen sie endlich auf die Entdeckung der Gränzen führt, in denen sie sich halten muß. – Ihr dritter Gebrauch, die Hypothesen zu bilden, erstreckt sich nur so weit, daß sie bekannte Natursachen auf neue Phänomene anwenden, nicht, daß sie neue Ursachen erdenken darf; er ist alsdann zweckmäßig, wenn die Hypothese das Phänomen ganz erklärt, und nicht wieder neue Hypothesen zu Hülfe nehmen muß, um von Theilen desselben Rechenschaft zu geben, der jene erste kein Genüge that oder gar widersprach. Die Wirklichkeit eines höchsten Wesens als Hypothese zur Erklärung der Welt hat beyde Mängel. Es ist ein Wesen anderer Art als alles, was wir erfahren haben; und es erklärt nicht alles; die Unvollkommenheiten und Unordnungen in der Welt verlangen wieder neue Nebenhypothesen.

Dieß führt dann endlich auf den Canon des reinen Verstande; der aus ihrem höchsten Zwecke, nämlich, Moralität oder Würdigkeit zur Glückseligkeit besteht.

Daß wir ein gewisses Verhalten, als der Glückseligkeit absolut würdig erkennen; und daß diese Würdigkeit mehr als die Glückseligkeit selbst, der letzte Zweck der Natur sey, beydes wird vielen Lesern weniger evident scheinen, als manche von den Sätzen, die die Kritik des V. verworfen hat.

Das, was wir nicht wissen können aus spekulativen Gründen, das verbindet uns die Vernunft zu glauben, weil sie uns a priori gewisse nothwendige Regeln unsers Verhaltens zu erkennen giebt, die doch nicht wahr seyn, oder wenigstens nicht Triebfedern für unsern Willen werden könnten, wenn nicht ein Gott und ein künftiges Leben; d. h. wenn nicht ein verständiger Urheber der Welt, und ein Zustand wäre, wo Glückseligkeit und Würdigkeit immer bey einander sind.

Es ist nicht nöthig, dem Leser, der uns bisheher gefolgt ist, in seinem Urtheil über dieses System vorzugreifen. Es entdeckt unstreitig Schwierigkeiten, die nie ganz gehoben worden, nie werden gehoben werden können; und verhilft uns also zu deutlichern Einsichten von den Gränzen unsers Verstandes. Von dieser Seite ist das Buch sehr wichtig. Es leistet in einigen Artikeln vollkommen, was der Recensent längst gewünscht hat, durch Vergleichung der mit einander streitenden Systeme darzuthun, daß es unmöglich sey, bey irgend einem die Vernunft völlig zu befriedigen. – Aber der Verfasser will noch mehr thun! er versucht diese Schwierigkeiten durch eine neue künstliche Wendung aufzulösen, indem er alles, was wir Gegenstände nennen, zu Arten von Vorstellungen macht, und die Gesetze der Dinge, in subjektive Regeln unserer Denkungskraft verwandelt. Und diese Methode, so wie sie nie zur vollen Evidenz gebracht, und also brauchbar in Untersuchungen oder im Leben werden kann: so kann sie noch weniger von eben so großen oder noch größern Schwierigkeiten befreyt werden, als diejenigen sind, denen sie hat abhelfen sollen.

Die erste Basis des ganzen Systems ist der neue Gesichtspunkt, in welchen die Begriffe von Raum und Zeit, von dem Verfasser gestellt werden. Als subjektive Bedingungen der sinnlichen Erscheinungen, wie er sie ansieht, wie er sie erstlich in uns, sind Formen, Gesetze unsers Empfindungsvermögens; und zweytens sind sie das, was die Vorstellungen, welche uns etwas als wirklich, als ein Objekt außer uns darstellen, von den übrigen unterscheidet. Da er einmal das Eigenthümliche, was unserer Idee von Existenzen anklebt, und wodurch dieselbe gleichsam gegründet wird, glaubte gefunden zu haben: so gieng er von diesem Principio aus, um alle allgemeine ontologische und cosmologische Grundsätze, die von wirklichen Dingen etwas aussagen, und die andere für Abstraktionen aus der Erfahrung ansehen, aus den eigenthümlichen Bestimmungen des Raums und der Zeit herzuleiten. Wenn wir etwas Substantielles in den äußern Erscheinungen annehmen; wenn wir von allen Veränderungen Ursachen voraussetzen, alle zugleichseyende Dinge in wechselsweisem Einflusse glauben: so kömmt dieses uns selbst unbewußt, daher, weil Zeit und Raum, ohne die nichts als ein Objekt der Sinne erscheinen kann, alle diese Begriffe in sich schließen. Nie sind Zeit und Raum für philosophische Wahrheiten so fruchtbar gemacht worden, als bey unserm Verfasser.

In der That giebt es kaum in dem ganzen Umfang unserer Erkenntniß, zwey so außerordentliche, von allen andern sich so unterscheidende, so unbegreifliche Ideen. Keine von den Theorien, die man bisher darüber angenommen, befriedigt. Sie als Dinge anzusehen, ist unserm Verstande, sie als Verhältnisse anzusehen, ist unserer Imagination unmöglich. Sie scheinen unabhängig von den äußern Empfindungen und früher als dieselbe zu seyn, und lassen sich auch von den innern Empfindungen nicht ableiten. Diese Schwierigkeiten sind vorhanden: aber werden sie gehoben, wenn man Raum und Zeit zu einem Gesetze oder einer Bedingung der Anschauung macht? Ist es begreiflicher, wie eine subjektive Form unsers Denkens sich als ein Objekt außer uns präsentirt, denn so scheint doch der Imagination der Raum, selbst der leere Raum zu seyn. Zeigt das Wort: G e s e t z , subjektivische Form, B e d i n g u n g der Anschauung, wenn es nicht von einer Modifikation unserer Vorstellungen, sondern von einer besondern Art derselben gebraucht wird, etwas mehr an, als daß diese Vorstellung sich in uns findet, ohne daß wir ihren Ursprung aus den Empfindungen, so wie bey den übrigen, zu entdecken wissen? Ist es also nicht im Grunde ein Geständniß unserer Unwissenheit; die Einsicht der Unmöglichkeit die Schwierigkeiten zu heben; ein Geständniß, das dem Philosophen Ehre macht; eine Einsicht, die ein wahrer Gewinn für ihn ist; aber die unmöglich der Grund zu so viel Folgerungen werden kann.

Und ist denn wirklich der Abstand zwischen den Begriffen von Raum und Zeit, und allen andern Begriffen des reinen Verstandes so groß, als der Verfasser ihn annimmt? Es scheint dem Recensenten, daß er den Weg gewahr wird, auf welchem der Verfasser zu dieser Absonderung gelangte. Er sah das apodiktisch gewisse der Mathematik, das ihr unter allen menschlichen Kenntnissen allein eigen ist. Er sah, daß sie die einzige Wissenschaft sey, wo allgemeine Begriffe in aller ihrer Reinheit anschaulich gemacht werden können. Indem er tiefer in diesen Unterschied eindrang, glaubte er eine besondere Art des Anschaulichen bey ihr zu entdecken, die er die Anschauung a priori nannte, weil durch sie, ohne Hülfe der

Erfahrung, doch allgemeine Begriffe so dargestellt werden, wie sonst nur Objekte der Sinnlichkeit dargestellt werden können. Dieses Eigenthümliche nun der Mathematik und besonders der Geometrie, schloß er, könne aus nichts anders herkommen, als aus der besondern Natur ihres Gegenstandes, des Raums; und da Raum und Zeit völlig analoge Begriffe sind, so müsse diese Anschauung a priori beyden, und ihnen allein eigen seyn. Nun schien sich ihm auf einmal ein Licht über die Ideen des reinen Verstandes, und über die Erscheinungen der Sinnen zu verbreiten, weil er glaubte, das Medium gefunden zu haben, wodurch beyde mit einander vereinigt werden. Die Begriffe von Raum und Zeit gehören zu keinem von beyden; aber indem sie und alle ihre Folgerungen zu den ersten hinzugesetzt werden: so entstehen die Grundsätze, die hinwiederum auf die zweyten angewandt werden, und sie in wahre Erkänntnisse verwandeln können. Aber zuerst scheint der Verfasser nicht bemerkt zu haben, daß diese ganze Theorie blos auf den Sinn des Gesichts kalkulirt ist; und daß Hören, Schmecken und Fühlen, wobey kein Raum, keine Anschauung a priori vorkömmt, auf diese Weise an nichts Wirkliches, an kein Objekt sollte denken lassen. Ferner so ähnlich Zeit und Raum einander seyn sollen, und obgleich beyde, wie der Verfasser sagt, a priori angeschaut werden: wie kömmt es, daß das Anschauliche der Zeit uns kaum zu einem oder dem anderen Satze, das des Raums aber, zu einer ganzen Wissenschaft, der Geometrie, verholfen hat?

Ist vielleicht die dem Verfasser eigenthümliche, bey ihm so fruchtbare Anschauung a priori, nichts anders, als eine sinnliche Abbildung eines Verstandesbegriffes, die aber so simpel ist, daß das Besondere, das Individuelle des Bildes das Gemüth wenig frappirt, und also von der Betrachtung des allgemeinen nicht abzieht? – Sind dann die Anschauung eines gemahlten Triangels in der Geometrie, und die eines Facti in der Philosophie so wesentlich von einander unterschieden? – Mich dünkt nein! es sind beydes Erfahrungsbeyspiele. Nur jenes Beyspiel enthält so wenig fremdes, so wenig interessante Nebenumstände und Bestimmungen, daß es uns äußerst leicht wird, beym Anblick desselben von allen zu abstrahiren, was nicht zum allgemeinen Begriff gehört. Dahingegen bey den philosophischen Beyspielen sind der fremden Zusätze so viel, und die besondern Umstände des Falls frappiren oft so sehr, daß die Aufmerksamkeit von den allgemeinen Merkmalen des Begriffs ganz abgelenkt, und nur mit größter Mühe die Vermischung von beyden verhütet wird.

Endlich, wenn wir alle Unterscheidungen des Verf. zugeben, so scheint er uns doch noch nicht (seiner Absicht gemäß) hinlänglich erklärt zu haben, wie wir durch Gesetze unserer eigenen Natur zur Vorstellung oder zur Ueberredung von etwas Existirendem gelangen. Denn weder die Begriffe von Raum und Zeit, noch die mit denselben verbundene Categorien sind dem Zustande des Wachens und der Empfindung, in welchem allein wir existirende Objekte annehmen, ausschließend eigen: sie sind auch den Romanen, Hirngespinsten und Träumereyen gemein, sie finden sich sogar in den Phantasien der Wahnwitzigen. So oft wir träumen, sehen wir das Vorgestellte so gut in Zeit und Raum, in Folge, in gegenseitiger Wirkung, kurz nach den Gesetzen unsers Geistes: und doch erkennen wir es am Ende nicht für wirklich. – Der Unterschied dieser beyden Zustände, der Empfindung, und der herrschenden Phantasie, auf den der Verfasser keine Rücksicht genommen hat, scheint auch den Verstand von jeher am deutlichsten auf die Wirklichkeit gewisser Objekte geführt zu haben; weil er einsah, daß subjektive Gesetze allein die Art und die Folge derjenigen Vorstellungen nicht erklären können, die mit dem meisten Grunde, von allen Menschen als wirkliche Objekte betrachtet werden.

Der Satz, der in dem System des Verfassers ausgeführt worden, ist in der That, der alte bekannte Satz: daß unsere Empfindungen uns nichts von den Qualitäten der Dinge lehren, sondern nur Veränderungen unserer selbst sind, hervorgebracht durch gewisse uns unbekannte Qualitäten der Dinge. Nichts destoweniger, erscheinen (besonders bey dem Sinn des Gesichts) diese Modifikationen unserer selbst, als Objekte außer uns. Hier ist also der erste und größte Widerspruch zwischen Sinnlichkeit und Vernunft. Jene sagt: es giebt Dinge, und wir wissen ihre Eigenschaften; diese zeigt deutlich, daß wir von diesen Eigenschaften nichts wissen; und macht uns daher auch die Existenz der Dinge selbst zweifelhaft. – Bishieher ist diese Untersuchung von der Wirklichkeit der Dinge, zugleich eine Erforschung unserer Natur, und wir stoßen sehr bald an die Gränze, über die wir nicht hinauskommen können.

Aber welcher Vortheil daraus entspringen kann, wenn jene Vernunftsidee weiter verfolgt und ausgebildet wird; da doch der Widerspruch zwischen ihr und der Sinnlichkeit, die sie immer begleitet, nie aufgehoben werden kann, ist schwerlich abzusehen. Zu einer wahren Kenntniß unsrer selbst und der Dinge würden wir alsdann gelangt seyn, wenn wir beyde vereinigen könnten. Nach der eigenen Behauptung des Verfassers ist das Geschäft des Verstandes, nicht, daß er uns neue Erkenntnisse verschaffe, sondern daß er die ihm überlieferten Empfindungen bearbeite: und so scheint es, daß der Verstand wohlthun werde, in Rücksicht aller wirklichen Dinge sich der Empfindung anzuvertrauen. Wenn, wie der Verfasser selbst behauptet, der Verstand nur die Empfindungen bearbeitet, nicht neue Kenntnisse uns liefert: so handelt er seinen ersten Gesetzen gemäß, wenn er in allem, was Wirklichkeit betrifft, sich mehr von den Empfindungen leiten läßt, als sie leitet. Ueberdieß, wenn zwey Sachen wie zwey Expressionen in der Algebra, vollkommen gleiche correlata sind: so ist es einerley, welche von beyden ich brauche, von welcher ich als von der Definition ausgehe, um die andere daraus zu erklären. Es werden alsdenn nur zwey Wörter für einerley Objekt seyn; und man bedient sich mit Grunde des geläufigsten. Wenn also die Vorstellungen in uns, modificirt und geordnet und zusammen verknüpft nach diesen und diesen Gesetzen, vollkommen identisch sind, mit dem, was wir Objekte nennen, wovon wir reden, und womit sich unsere ganze Klugheit und Wissenschaft beschäftigt: so ist es auch für uns ganz gleichgültig, ob wir die Dinge reduciren auf die Ideen, oder die Ideen verwandeln in Dinge. Das letztere ist den Gesetzen unserer Natur gemässer; – und ist auch unserer Sprache schon so eingewebt, daß wir uns anders nicht auszudrücken wissen.

Es würde unmöglich seyn, alle Theile des Werks mit denjenigen Reflexionen zu begleiten, die sie bey dem Recensenten veranlaßt haben. Die cosmologischen und theologischen Untersuchungen sind an sich deutlicher, und die Schwierigkeiten, die der Verfasser gemacht, oder in größers Licht gesetzt hat, sind auch von ihm selbst aufzulösen versucht worden.

Mdw.

Register

Die Seitenangaben beziehen sich auf die vorliegende Ausgabe der *Prolegomena*; die Beilagen sind im Register nicht erfaßt.
(A) = Anmerkung; KrV = Kritik der reinen Vernunft (1. Aufl.).

1. Personenregister

Aristoteles 92, 151
Baumgarten 26, 96 (A)
Beattie 9 f.
Berkeley 54, 159 f.
Crusius 88 (A)
Descartes (Cartesius) 54, 110, 160
Euklid 27, 158
Horatius 7, 32
Hume 7–14, 23, 26, 33, 76 ff., 128, 135, 137 f., 140
Leibniz 7
Locke 7, 26, 48
Mendelssohn 14
Oswald 9
Platner 126 (A)
Plato 160 (A)
Priestley 9
Reid 9
Segner 21
Vergilius 16
Wolff 26, 161 (A)

2. Sachregister

ableiten, in abstracto aus Begriffen 35
Ableitung, der Erscheinungen 133
Abstraktion 92
actio 92 (A)
affizieren 40, 48, 50, 82
Aggregat 76, 92
Akademie der Wissenschaften 149

Register

physische 17; der Mathematik 22; ontologisches 101 (A); regulatives 106; praktische 146
Prius (prius) 92, 92 (A)
Problem, Humesches 12
Prolegomena 5, 7, 13, 15, 29, 75, 86, 148 f., 158, 161 f., 163, 168
Proportion, geometrische 89
Prüfung, allgemeine (KrV) 150
Psychologie 17, 56, 111
psychologisch s. Dunkelheit, Idee
Publikum, gelehrtes 166
Punkte 46, 154
Pünktlichkeit 12, 14

Qualitas 74 (A), 92 (A)
Qualität 66, 95 (A), -en der Körper (primäre Qualitäten) 48
Quando 92 (A)
Quantitas 74 (A), 92 (A)
Quantität 65 f.
Quell(en), der Vernunft 5, 17 ff., 100 (Idee), 112

Raum, reine Anschauung 40; und apodiktische und notwendige Urteile in Mathematik 40; vollständig, keine Grenze 42; drei Abmessungen 42; Form aller äußeren Erscheinungen 45; Teile 46; in Gedanken 47; physischer 47; Idealität 49; und Größe 74; Möglichkeit des R.es 86; und Naturgesetze 90; geometrische Figuren 91; leerer 117
Reale, das R. der Anschauung 71
Realisten 160
Realität, = Empfindungsvorstellung 71, 73, 82, 95 (A); ab Kategorie 66; objektive 79 und passim; Inbegriff aller R. 101 (A)
Recht 137 (A)
reflektieren 47
Reflexion 50
Reflexionsbegriffe 96
Reform 7, 9, 157
Regel 55, 69, 78, 153 und passim
Regellosigkeit 110
regulativ s. Prinzip
Reihe, der Bedingungen zu einem gegebenen Bedingten 112
Rektangel 89 f.
Relatio 92 (A)

260

Register

Inhaltsübersicht

Prolegomena

Inhalt

Immanuel Kant

IN RECLAMS UNIVERSAL-BIBLIOTHEK

Philipp Reclam jun. Stuttgart